Даниэла Стил

С первого взгляда

АСТ
москва

УДК 821.111-31(73)
ББК 84(7Сое)-44
С 80

Danielle Steel

FIRST SIGHT

Перевод с английского Ю.И. Жуковой

Компьютерный дизайн А.А. Кудрявцева, А.Б. Ткаченко

студия «FOLD&SPINE»

Печатается с разрешения
Janklow&Nesbit Associates и Prava i Prevodi International Literary Agency.

Стил, Даниэла.

С 80   С первого взгляда : [роман] / Даниэла Стил ; [пер. с англ. Ю. И. Жуковой]. — Москва : АСТ, 2015. — 384 с.

ISBN 978-5-17-082590-5

Тимми О'Нилл всем была обязана самой себе. Красивая, сильная, состоятельная, она создала процветающую фирму с победоносным брендом готовой одежды. Она всегда точно знала, чего хочет от жизни, и наполняла работой все свое время. Но за одиннадцать лет после развода в сердце ее ни разу не вспыхнула искра любви. Несмотря на успех у мужчин, Тимми убедила себя, что тот, настоящий, никогда не встретится...

УДК 821.111-31(73)
ББК 84(7Сое)-44

ISBN 978-5-17-082590-5

Моим горячо любимым детям Беатрикс, Тревору, Тодду, Саманте, Виктории, Ванессе, Максу и Заре — пусть у всех у вас любовь с первого взгляда, и не только с первого, окажется настоящей и длится вечно. И пусть вам всегда сопутствуют радость и счастье.

Всем сердцем и душой преданная вам мама / s.d*.

---

* Без указания срока (*лат.*). — *Здесь и далее примеч. пер.*

Отныне и вовек

Навек со мной
Взгляд первый твой,
И первое волненье,
И первых молний
Яркий блеск,
И первых волн
Внезапный всплеск —
Волшебные мгновенья.
Когда все мысли
Кувырком,
Когда в ушах
Грохочет гром,
А летний дождь
Трещит сверчком,
На радуге качаясь;
Когда не знаешь,
Явь иль сон, —
Два сердца бьются
В унисон,
Часов не замечая.
И льется песня
Двух сердец —
Начало где
И где конец?
Ныряю в омут,
В глубину...

Мои ожившие мечты —
И нежность рук,
И рядом ты,
В глазах твоих тону.
И все сбылось,
И пробил час,
И грянул гром
С небес для нас,
И встретились
Сердца.
И в этот миг
Я поняла,
Что я любовь
Свою нашла,
Что суждено
С тобою мне
Быть вместе —
До конца[*].

Глава 1

Тимми разбудил голос пилота, который вел их самолет авиакомпании «Алиталия» из Милана в Париж. Как же она устала после сумасшедшей недели в Нью-Йорке и еще двух таких же сумасшедших недель в Европе — сначала в Лондоне, потом в Милане. Эти вояжи она совершала два раза в год, в феврале и октябре, показывая новые коллекции готовой одежды, свои знаменитые прет-а-порте. Она была основателем, путеводным светом*, главным художником-модельером и генеральным директором Дома моды, который разрабатывал самые популярные направления стиля дамской и мужской готовой одежды в Соединенных Штатах, с филиалами в Европе, почему и летала на европейские показы коллекций готовой одежды по два раза в год. В Нью-Йорке она представила свои модели вместе с другими американскими творцами моды, потом показала в Париже то, что разработали в ее французском филиале. А между этими показами побывала на дефиле в Лондоне и Милане. И на Неделе мужской моды в Париже, где представила собственную линию одежды для мужчин.

Тимми О'Нилл руководила своей фирмой единолично вот уже двадцать три года, с тех пор как создала ее, а было ей тогда двадцать пять лет. Сейчас ей сорок восемь, и ее им-

---

* Самая продолжительная «мыльная опера» в США, в 1930-х — 1950-х годах выходившая как радиошоу, а с 1952 по 2009 г. выходившая в телеэфир на канале CBS.

перия так разрослась, что включила в себя область детской одежды, предметов домашнего обихода, декоративных принадлежностей, а также обои, простыни, полотенца, столовое и постельное белье. Десять лет назад фирма добавила косметические товары — кремы и лосьоны для женщин и мужчин и духи, несколько ароматов, и все были поражены, до какой степени они пришлись по вкусу покупателям и сразу же стали пользоваться огромным спросом во всех странах, где их продавали. Имя Тимми О'Нилл было известно всему миру и считалось символом хорошего вкуса и модных линий по доступным ценам, а также символом фантастического успеха.

Вот уже двадцать с лишним лет бренд «Тимми О» победоносно шествовал по миру, и сейчас его создатель и генеральный директор фирмы летела в Париж, чтобы провести октябрьский показ готовой одежды своего европейского филиала. Остальные американские модельеры выдохлись за время безумной недели демонстрации мод в Нью-Йорке: горячка европейского показа прет-а-порте была им не по силам. Одна только Тимми способна выдержать и то и другое, ведь ее энергия неиссякаема и успех ей не изменяет. Но даже она чувствовала огромную усталость после Милана, и мысль о парижском показе даже пугала. Модели, которые они показывали в Нью-Йорке, получили в прессе еще более восторженные отзывы, чем всегда.

Тимми была наделена своего рода «даром Мидаса», за все время ее профессиональной деятельности чутье ни разу не подвело ее, в мире моды были уверены, что она не может совершить ошибку. Даже в те редкие сезоны, когда сама она была не слишком довольна своими моделями или когда пресса восхищалась ими не слишком горячо, дела фирмы шли великолепно, она процветала. За что бы Тимми ни бралась, она все делала прекрасно, во всех своих начинаниях добивалась совершенства, во всем, что выходило из ее рук, была печать неповторимого вкуса и изящества. Она была беспощадно требовательна к себе, как мало кто еще способен быть, точно знала, чего она хочет и на что способна. Каким-то почти сверхъестественным чутьем она угадывала, что мир захочет носить, какими вещами себя окружить, какими ароматами дышать, задолго до того, как люди поймут это сами. Одно из первых мест в мире по объемам продаж занимали не только ее модели одежды, но и ее духи. Она сама подбирала их букеты и сама создавала упаковку. Очень мало было на свете такого, что Тимми О'Нилл делала бы не виртуозно, не блистательно, — разве что, может быть, готовила неважно. И одеваться не умела, как она любила повторять. Воплощая в своих моделях самые передовые тенденции моды, она заявляла, что ей, в сущности, безразлично, что на ней надето. Времени не было над этим задумываться, хотя созданная ею одежда сделала ее знаменитой, в особенности спортивная одежда с ее брендом, в ней сочетались такие качества, как повседневность, удобство в носке и шик. Во всем, что она разрабатывала, была простая и строгая элегантность, и сама она, ничуть о том не задумываясь и не прилагая никаких усилий, была эталоном повседневного шика.

Летела она из Милана в джинсах и футболке — и то и другое с ее собственными лейблами, — в винтажной норковой куртке, которую нашла много лет назад в одном из бутиков в Милане, и черных туфлях-балетках, модель которых создала в прошлом году. С собой у нее была большая черная дорожная сумка из кожи аллигатора от Гермеса — предшественница сумок от Биркин, но еще более поражающая воображение своими размерами, и вот она-то была поистине элегантна, потому что за многие годы подобных странствий основательно потерлась.

Сидящая в одном из восьми кресел салона первого класса, Тимми вытянула перед собой ноги, и тут пилот объявил, что они идут на посадку в аэропорту Руасси-Шарль-де-Голль, недалеко от Парижа. Она проспала почти все время их короткого полета, не проснулась, и когда предлагали еду. Напряжение, лихорадочный темп работы, банкеты и рауты оставили ее выжатой как лимон. Она побывала на предприятиях, где производят трикотажные изделия ее бренда, столовое и постельное белье, а также шьют обувь. Показы готовой одежды в Европе непременно сопровождаются нескончаемыми банкетами и встречами, никто до последнего дня не спит.

8

Сейчас в самолете рядом с ней сидел священник, он за все время полета не перемолвился с ней ни словом — вероятно, это был один из тех немногих людей на земном шаре, кто не знал ее в лицо и не носил вещей, созданных ею. Когда Тимми садилась, они вежливо кивнули друг другу, она бегло просмотрела «Геральд трибюн» — что там пишут о коллекции, которую она показывала в Милане, и о той, что показывала за неделю до того в Лондоне, и через десять минут уже спала сном праведника.

Самолет покатился по посадочной полосе, и она с улыбкой поглядела в окно, радуясь, что скоро увидит Париж, потом повернула голову в сторону своих помощников, которые сидели по ту сторону прохода. Священник весь полет смотрел в окно, а помощники Тимми не беспокоили ее, пока она спала. Эти три недели дались им нелегко, сначала демонстрация моделей в Нью-Йорке, потом Лондон, потом Милан. Остался только Париж, и какое же они все испытывали от этого облегчение.

Все четыре показа были важны, но показ коллекции готовой одежды в Париже был всегда особенно напряженным от начала и до конца, проходил в стремительном темпе и требовал огромных затрат энергии. Милан был своего рода Меккой в мире моды, но для Тимми важнее всего было завоевать Париж. И она его всегда завоевывала. Это был город, который она любила больше всего на свете, к нему устремлялись все ее мечты. Еще не стряхнув с себя сон, Тимми протянула записи своим помощникам, Дэвиду и Джейд. Дэвид работал с ней уже шесть лет, Джейд двенадцать. Оба были преданы ей всей душой, потому что она была добра и справедлива, и оба многому у нее научились и как у человека, и как у профессионала. А Тимми была поистине вдохновляющим примером во всем, начиная с самозабвенного увлечения, с которым она трудилась, до чуткого, бережного отношения к людям. Дэвид любил повторять, что в ней горит внутренний огонь, она точно маяк, который светит в темноте, указывая путь. И самым привлекательным в ней было то, что она и не подозревала о своих редких, прекрасных качествах. Непритязательность в мире моды — свойство немыслимое, но все, кто знал

Тимми, единодушно сходились на том, что она на редкость скромна и проста.

Тимми обладала врожденным, безошибочным чутьем, подсказывающим ей, как следует вести дела, для кого разрабатывать модели и что люди захотят носить в следующем сезоне. Она мгновенно улавливала, какие нюансы необходимо учесть, и без колебаний вносила изменения в стиль, когда это требовалось. Такое за годы ее работы случалось не раз. Она никогда не боялась предложить что-то новое, каким бы рискованным это новое ни казалось. Она смело шла по жизни и много лет была для Дэвида и Джейд не только отличным боссом, но и добрым другом. Надежная как скала, трудолюбивая и работоспособная до одержимости, блистательно талантливая, с превосходным чувством юмора, отзывчивая, немножко сумасшедшая, перфекционистка во всем, и главное — добрая, Тимми поставила такую высокую планку компетентности, деловитости, креативности и профессиональной этики, что соревноваться с ней было нелегко.

Дэвид Гоулд пришел к ней сразу после окончания Художественного училища имени Парсонса как начинающий дизайнер, и Тимми скоро увидела, что модели его скучноваты, в них явно просматриваются тенденции прошлого, испытанные и надежные, но очень мало предощущения будущего, чего она как раз и ждала от своих помощников-дизайнеров. Однако разглядела в нем совсем иные и гораздо более полезные качества. Он оказался кладезем оригинальнейших маркетинговых идей, имел в высшей степени организованный ум и талант замечать малейшие детали, а также поддерживать контакт с массой людей одновременно. Она очень скоро обратила на него внимание в дизайнерской группе и сделала своим помощником. Он все еще ездил вместе с ней на демонстрации коллекций, но за шесть лет совместной работы его обязанности многократно умножились. В свои тридцать два года он был вице-президентом фирмы, отвечающим за маркетинг, и она обсуждала с ним все их рекламно-пропагандистские акции и мероприятия. Трудясь вместе, они разработали такую пиар-стратегию формирования имиджа фирмы, что «Тимми» притянула к себе всеобщее внимание, точно мощный магнит. Уж если Дэвид за что-то брался, он достигал блестящего успеха.

Как и всегда, он взял на себя все, что только можно, во время демонстрации коллекций в Нью-Йорке и Европе, чтобы Тимми было не так тяжело. Она любила повторять, что на его визитной карточке должно быть написано «Волшебник», а не «Вице-президент по рекламе и маркетингу». Если как художник он был одарен не слишком ярко, то в сфере маркетинга, рекламы и менеджмента возмещал этот недостаток стократно, и Тимми утверждала, что сама она ни на что подобное и отдаленно не способна. Она всегда по справедливости оценивала достижения других и не скупилась на одобрение и похвалы, когда люди того заслуживали. К Дэвиду она относилась с большой теплотой и нежностью, и когда он четыре года назад заболел гепатитом, сама ухаживала за ним, пока он не поправился. После этого их дружба стала еще более крепкой, он почитал ее как своего Учителя и говорил, что она научила его всему, что только можно знать об индустрии моды, а Тимми утверждала, что он давно превзошел ее во всем. Их совместная работа была на редкость плодотворной и приносила фантастический доход «Тимми О» — и фирме, и женщине, носящей это имя.

Джейд Чин в свое время работала помощником редактора в «Вог», и Тимми обратила на нее внимание во время фотосессий журнала, на которых Тимми часто присутствовала сама, следя за тем, чтобы все ее модели одежды были сфотографированы в наиболее выигрышном ракурсе. Джейд была так же дотошна, как и Тимми, придавала такое же огромное значение мельчайшим деталям и была готова работать по восемнадцать часов в сутки. Тимми пригласила ее к себе после того, как Джейд проработала в «Вог» пять лет, медленно поднимаясь по ступенькам казавшейся бесконечной лестницы, которая когда-нибудь приведет ее к должности редактора какого-нибудь отдела в журнале с мизерным жалованьем, разнообразными бонусами и льготами, но так и не даст должного признания. Взамен всего этого Тимми предложила Джейд жалованье, которое показалось ей в то время огромным, и должность своего личного помощника. У Джейд за двенадцать лет было множество возможностей войти в корпоративную структуру «Тимми О», но она предпочла остаться главным личным помощником самой Тимми. Она любила свою работу и все, что было с ней связано. И она отлично сработалась с Дэвидом. А с Тимми они работали с синхронной точностью и четкостью, Джейд каким-то шестым чувством угадывала идеи Тимми еще до того, как они придут ей в голову. Тимми уже давно говорила, что такая помощница, как Джейд, — мечта всех деловых женщин. Она, если можно так сказать, была чем-то вроде верной и преданной жены, только Тимми была женщина, а не мужчина. Она заботилась обо всем, вплоть до последней мелочи, даже брала во все поездки любимый чай Тимми в пакетиках. Чашка чаю появлялась как бы сама собой как раз в ту минуту, когда Тимми особенно в ней нуждалась, равно как и обед, ужин, легкий перекус, появлялся и туалет, который Тимми хотела надеть, готовясь дать интервью, появлялся подробный список тех, кому следует позвонить, кто звонил ей, от кого Джейд сумела отделаться, а также постоянно меняющийся график встреч. Занимаясь второстепенными делами, Джейд всеми возможными способами облегчала жизнь Тимми и помогала ей сохранять правильные ориентиры и всегда быть в курсе всего, что происходило.

Эта троица была великолепно сработавшейся командой. Джейд и Дэвид освобождали Тимми от досадных мелочей повседневной жизни и давали возможность сосредоточиться на работе. Тимми говорила, что это благодаря им она так хорошо выглядит и так хорошо себя чувствует. За двенадцать лет Джейд летала с ней в Париж около пятидесяти раз, а Дэвид, вероятно, в два раза меньше. Из всех городов, что есть на нашей планете, Тимми больше всего любила Париж, и хотя штаб-квартира ее фирмы находилась в Лос-Анджелесе, она летала в Париж всякий раз, как представлялась возможность, и ездила по всей Европе, следя за тем, как идут дела в тамошних филиалах ее фирмы. Из всех американских модельеров она оказалась самой смелой, когда решила обосноваться в Европе и открыть там свои филиалы. И оказалось, что рисковала она не зря. Перелет через океан никогда не казался ей слишком долгим, она летала в Париж при малейшей возможности, под любым предлогом. Как и всегда после показа коллекции готовой одежды в Париже, который стоял последним пунктом в графике этого месяца и представлялся Тимми форменным светопреставлением, она планировала провести в городе два дня одна, чтобы перевести дух. А уж потом присоединиться к Джейд и Дэвиду в Нью-Йорке, там они будут вести переговоры с деловыми партнерами, посетят их фабрику в Нью-Джерси, встретятся со своими рекламными агентами и будут обсуждать стратегию проведения следующей кампании.

Тимми принадлежала к тем немногим предпринимателям, кто отказывался перенести штаб-квартиру своей фирмы в Нью-Йорк. Она предпочитала жить в Лос-Анджелесе, ей нравилась тамошняя жизнь, нравилось делить время между ее виллой на берегу океана в Малибу и городским домом в Бель-Эйр. У нее не было ни малейшего желания переселиться в пентхаус в Нью-Йорке, мерзнуть там зимой и метаться между Нью-Йорком и Хэмптоном летом. Она любила именно ту жизнь, которой жила, и утверждала, что здесь, в Лос-Анджелесе, ей все помогает. Что ж, с победителями не спорят. Если надо, она тут же сядет на самолет, не тратя времени, и полетит в Париж, в Нью-Йорк, а то и в Азию, такое тоже случалось. Дэвид уговаривал Тимми купить собственный самолет, но она заявляла, что он ей совершенно не нужен, она с удовольствием пользуется услугами коммерческих авиакомпаний, вот как сейчас, когда летит из Милана в Париж и когда летела из Лондона в Милан.

При том фантастическом успехе, которого Тимми добилась, она была на удивление непритязательна. Никогда не забывала о своем скромном происхождении, о том, какая удача ей выпала в самом начале ее карьеры, не забывала кафе, где работала официанткой, когда начала создавать по ночам свои модели, которые шила из дешевых и необычных тканей, купленных на чаевые от посетителей кафе. Шила она платья семь лет, ей уже исполнилось двадцать пять, когда впервые улыбнулась удача: сотрудница управления знаменитого магазина «Барниз», заказывающая товары, обратила внимание на платья, которые у Тимми купили ее подруги-официантки, они были эффектные, необычные и стильные и к тому же великолепно сшиты. Она купила несколько лучших моделей и отдала в магазин «Барниз», тогда он находился на Семнадцатой улице, в Вест-Виллидж, и только потом переехал в центр. Платья Тимми мгновенно раскупили. Сотрудница заказала Тимми еще двадцать пять платьев, потом пятьдесят. В следующем году Тимми предложили сшить сто, и тогда она ушла из кафе, взяла в аренду старый товарный склад в районе Лос-Анджелеса, где рождалась мода, и наняла десяток девушек из приюта для матерей-одиночек, чтобы они помогали ей шить. Платила им приличное жалованье, они были на седьмом небе от счастья, и сама она тоже. Дело сразу пошло в гору. К своим тридцати годам Тимми добилась такого успеха, что ее изделия покупала вся страна, а в следующие восемнадцать лет она буквально вознеслась в стратосферу. Однако она всегда помнила, как и где все начиналось и как ей повезло, что ее заметили и что успех осенил ее. Хотя в жизни ей пришлось пережить немало тяжелого, она считала себя во многих отношениях счастливой. И самым главным счастьем была работа.

Тимми поглядела в иллюминатор с усталой улыбкой. Самолет подпрыгнул, коснувшись колесами земли, и побежал по посадочной полосе к терминалу аэропорта Шарль-де-Голль, где ее будут встречать обслуживающие вип-сервиса. Она надеялась, что все, по обыкновению, пройдет без сучка и задоринки, но одно знала точно — ей не придется страдать из-за смены часовых поясов, потому что они провели в Европе уже две недели. В ближайшие два дня ей предстоит дать несколько интервью парижским журналистам, потом запланирована встреча с торговыми представителями текстильных фабрик для выбора тканей, из которых она будет создавать зимнюю коллекцию следующего года. Хотя сейчас был только октябрь, готовая одежда, которую они будут показывать в Париже, предназначалась для весенне-летнего сезона. Она уже разрабатывает осенне-зимнюю линию. Одежда для отдыха и путешествий уже запущена в производство, не позднее чем через два месяца ее поставят. Работая, Тимми всегда смотрела на год вперед, и сейчас у нее уже были сделаны наброски для большей части коллекции, остальное она обдумывала.

— С кем я встречаюсь сегодня днем? — рассеянно спросила Тимми, любуясь в иллюминатор чудесным солнечным октябрьским днем. Как он радовал после пяти дней нескончаемого дождя в Милане! И какое счастье, что осенняя непогода еще не подобралась к Парижу, но, впрочем, она любила Париж даже в дождь. Она частенько говорила, что в какой-то из своих прошлых жизней наверняка была француженкой. Ее сердце навеки принадлежало этому городу, хотя ей было двадцать семь лет, когда она в первый раз его увидела, — через два года после того, как началось ее восхождение по лестнице успеха. Тогда, в первый раз, она прилетела, чтобы закупить здесь ткани для своих моделей, но показала она в Париже свою собственную коллекцию прет-а-порте много лет спустя, когда открыла филиалы своей фирмы в Европе, и это была огромная честь для нее и великая радость.

Увидев в первый раз Париж, она с первого взгляда полюбила его. Полюбила в нем все — погоду, архитектуру, людей, музеи, искусство, рестораны, парки, улицы, соборы, освещение, небо... Когда она в первый раз ехала в такси по Елисейским Полям в сторону Триумфальной арки, то была так потрясена, что на глазах у нее выступили слезы. Был поздний вечер, огромный флаг развевался на легком летнем ветру, ярко освещенный на фоне темного неба, и она почувствовала в своей душе благоговейное обожание этого волшебного города, которое так и осталось в ней навсегда. Всякий раз, как она сюда прилетала, сердце ее трепетало от волнения. Она так и не привыкла к Парижу, не могла относиться к его захватывающей дух красоте как к чему-то само собой разумеющемуся. Часто говорила, что хочет купить себе здесь квартиру, но почему-то все не покупала. Останавливалась неизменно в отеле «Плаза Атене» в одних и тех же апартаментах, и там все носились с ней как с очаровательным избалованным ребенком. Ей это нравилось, и потому она и не обзаводилась собственным жилищем.

— Ты встречаешься после обеда с аналитиками моды из «Вашингтон пост» и «Нью-Йорк таймс», а также с несколькими журналистами из «Фигаро», — четко ответила Джейд и с улыбкой поглядела на Тимми. У Тимми на лице было выражение, которое появлялось только в Париже. Как бы она ни устала, какими бы изматывающими ни были показы коллекций в других городах, в Париже она словно бы начинала светиться. У нее было что-то вроде романа с этим городом, ее даже шутливо поддразнивали по этому поводу. — У тебя на лице опять это выражение, — улыбаясь, сказала Джейд, и Тимми кивнула, не скрывая радости, что она в Париже, и пусть ее страна относится сейчас к Франции как угодно, и пусть все остальные сколько угодно порицают французов, Тимми всегда их стойко защищала. Она любила Францию, французов и Париж — беззаветно и безусловно. Случалось, она сидела поздно ночью в своих апартаментах в отеле «Плаза Атене», вернувшись после делового ужина, и любовалась жемчужным свечением темно-серого ночного неба или восходом в ясное зимнее утро... в весеннее утро... в летнее... Тимми любила Париж в любое время года, и не было на свете города, который мог бы сравниться с ним. Единственный, несравненный, так горячо любимый, при мысли о нем ее сердце всегда начинало громко стучать.

Тимми небрежно провела рукой по своим густым длинным волосам и перехватила их сзади резинкой. Даже не пошла в туалет посмотреться в зеркало, даже расческой не провела. Ей такое и в голову не пришло. Она очень редко обращала внимание на то, как выглядит. Тимми, такая красивая женщина, была совсем не тщеславна. Ее гораздо больше волновало то, как выглядят люди, для которых она создает одежду, а не собственная внешность. И это ее отсутствие самовлюбленности и удивляло, и одновременно восхищало. Когда она с головой уходила в работу, то становилась похожей на долговязого голенастого подростка, который случайно забрел сюда и притворяется взрослым. Манера у нее была властная, ее талант всеми признан, и в то же время было в ней какое-то простодушие, она словно бы и не знала, кто она такая и какой обладает властью. Подлинная сила Тимми заключалась в ее чистом, первозданном таланте и в ее неиссякаемой энергии.

Дел в Париже у Тимми было очень много. Завтра в семь утра примерка моделей на манекенщиц. После примерки поездка на текстильную фабрику, которая находилась в трех часах езды от Парижа, надо выяснить, согласятся ли там и смогут ли изготовить для нее нужные ей ткани. Потом еще несколько интервью, ее будут расспрашивать о коллекциях, которые она привезла, и о женской, и о мужской, о новых духах, которые «Тимми О» выпустила на рынок в сентябре и которые сразу же завоевали признание молодежи. Молодые женщины во всех странах мира жаждали их купить. Все, к чему прикасалась Тимми, обращалось в золото, ее окружал такой притягательный для всех ореол успеха. В ее деловой жизни так было всегда, а вот личная жизнь складывалась гораздо более сложно. А поглядеть со стороны — перед тобой красивая женщина с густой гривой рыжих волнистых волос, с большими зелеными глазами, которая и не подозревает, как она хороша.

Она встала, готовясь к выходу из самолета, и Дэвид взял ее сумку из кожи аллигатора и, как всегда, издал при этом стон.

— Вижу, ты опять прихватила с собой шар для боулинга, — шутливо пожаловался он, и она засмеялась. Его можно было принять за модель-юношу, Джейд была одета безупречно, являя собой полную противоположность Тимми. Тот, кто их не знал, вполне мог принять Джейд за знаменитого модельера, а Тимми за ее помощницу, хотя Тимми могла выглядеть ошеломляюще — когда того пожелает. Она по большей части носила свои собственные модели в сочетании с винтажными вещами, которые покупала уже много лет, и редкостной красоты индийские и старинные драгоценности, которые покупала у Фреда Лейтона в Нью-Йорке и у разных ювелиров Парижа и Лондона. Она любила необычное, любила сочетать дорогие коллекционные вещи с дешевыми поделками, и никто, глядя на нее, не мог догадаться, что настоящее, а что ширпотреб. Не задумываясь надевала прекрасное бриллиантовое ожерелье на футболку или, например, огромный винтажный перстень белого, желтого и розового золота с черной и белой керамикой из коллекций драгоценностей Коко Шанель или Дианы Вриланд для деловых костюмов с бальным платьем. Тимми О'Нилл была наделена редкой природной красотой, но самое важное — она обладала врожденной элегантностью и умела очень интересно комбинировать элементы повседневной одежды в стиле «домохозяйки с тяжелыми сумками», как она любила себя называть. Никакой домохозяйкой она не была, но представлять себя в такой роли ей нравилось. Хотя вообще-то ни о какой роли ей думать не хотелось. Она просто вставала утром и одевалась, беря то, что попадется под руку. Эффект всегда оказывался превосходным, однако Джейд любила повторять, что рискни она, Джейд, одеться так, как позволяет себе Тимми, и ее не впустили бы в отель даже с черного хода. Но на Тимми все выглядело великолепно.

И когда они наконец спустились с трапа, небрежной элегантностью Тимми можно было только восхищаться.

Дэвид сразу углядел девушку из вип-зала, которая встречала их, и почувствовал себя несказанно счастливым, когда положил наконец на тележку неподъемно тяжелую сумку Тимми из кожи аллигатора. В ней было множество записей, блокнотов с набросками, книга, которую она захватила с собой на случай, если захочется почитать, флакон ее последних духов и тонна разнообразного хлама, как его называла Тимми, который всегда забивал ее сумку. Ключи, губная помада, зажигалки, пепельница, которую она украла в «Гарри баре» в Венеции, вернее, которую там ей подарили, когда она попыталась ее стащить, новая золотая ручка, которую ей кто-то презентовал, десяток серебряных карандашей, и все это весило не меньше тонны, и все это Тимми неизменно возила с собой. Дэвид говорил, что содержимого сумки Тимми довольно, чтобы открыть офис и начать дело. Она носила с собой все, что ей необходимо, чтобы чувствовать себя уверенно. Ей не хотелось тратить время и силы на поиски чего-то важного, когда она находилась в поездке. Поэтому и брала все с собой, как будто никогда больше домой не вернется.

Все пошли за барышней из вип-зала к транспортеру получать багаж, Джейд и Дэвид будут его дожидаться. Багажа у них высоченная гора, Тимми всегда брала с собой непомерно много, да еще они везли всю свою коллекцию, упакованную в специальные контейнеры. Авиалинию заранее предупредили, так что сундуки и чемоданы с коллекцией готовой одежды выгрузили первыми. Дэвид заказал фургон, который доставит все это в отель. Он предложил Тимми ехать прямо сейчас, а он приедет вместе с багажом, но она отказалась, сказала, что лучше подождет, хочет быть уверена, что ни одна вещь не пропала. Это была бы катастрофа. Оставив Джейд и Дэвида беседовать в ожидании багажа, Тимми отошла в сторонку и, рассматривая публику, закурила сигарету. Она бросила курить еще в незапамятные времена, но снова закурила одиннадцать лет назад, когда разводилась с мужем.

Она тихонько стояла себе у стены, глядя на пассажиров, идущих со своими чемоданами к таможенному контролю. Как американцы, да еще привезшие целую коллекцию одежды, они должны были пройти не только таможенный контроль, но еще и иммиграционный. У них были документы, освобождавшие их от пошлины и налога, хотя очень маловероятно, чтобы кому-то пришло в голову открывать их сундуки и чемоданы. Они заплатили пять тысяч долларов за перевозку сверхнормативного багажа, примерно столько же, сколько платили всегда, доставляя коллекцию из Нью-Йорка в Лондон, потом в Милан, потом в Париж и, наконец, домой, в Лос-Анджелес.

Тимми курила и думала о том, какой огромный путь она прошла. Сейчас для нее нет ничего проще и естественнее, чем остановиться в отеле «Плаза Атене», прилетев в Париж. Она чувствует себя там как дома, а с чего все начиналось? Она никогда не забывала то маленькое кафе, где служила когда-то официанткой, и благодарила судьбу за тот счастливый случай, который помог ей выбиться и потом подняться на такую высоту. Как далеко — ах, как несказанно далеко было оттуда до Парижа, где она сейчас стояла в винтажном норковом жакете, с драгоценным бриллиантовым браслетом на запястье, на который проходящие мимо пассажиры обращали внимание, когда она подносила к губам руку с сигаретой. Она обращалась с ним так небрежно, что хотя крупные камни сверкали ослепительно, трудно было понять, настоящие они или подделка. Тимми рассеянно сняла резинку с волос, и длинные рыжие волны разлились по ее плечам. Она была похожа на Риту Хейворт в расцвете молодости и красоты. Тимми выглядела гораздо моложе своих лет, никому бы и в голову не пришло, что ей сорок восемь. Ну самое большее сорок. И вовсе не потому, что она прилагала к этому особые усилия, как-то особенно заботилась о своей внешности, — ей просто достались хорошие гены, и ее благословила слепая удача. Она терпеть не могла физических упражнений, в диете не нуждалась и почти не пользовалась косметическими средствами ухода за кожей. Плеснет в лицо утром холодной водой, почистит зубы, расчешет волосы — и готова.

Ее скользящий взгляд остановился на молодой женщине с детьми, которая с трудом снимала с конвейера свои чемоданы. В кенгурушке у нее лежал грудной ребенок, двухлетняя девочка с куклой вцепилась в ее юбку, мальчик лет четырех пререкался с матерью и в конце концов заревел. И мама, и сын были сердиты и раздражены. Тимми обратила внимание, что девочка очень хорошо одета. На мальчике были короткие штанишки и матросская курточка. Измученная женщина снимала чемоданы, а мальчик продолжал реветь. Было видно, что он не просто капризничает, а из-за чего-то расстроился. Не задумываясь ни на миг, Тимми сунула руку в карман жакета, где у нее была горсть чупа-чупсов, она любила их сосать, когда ей приходилось делать наброски. Они заменяли ей сигарету, это была уже давняя привычка. Она вынула из кармана два леденца и подошла к маме плачущего мальчика. Судя по всему, они были французы. При всей пламенной любви к Франции и ко всему французскому, Тимми так и не выучила французский язык, знала лишь несколько обиходных слов. Объяснялась по большей части с помощью жестов и улыбок, помогал ей выходить из затруднительных положений водитель, с которым она обычно ездила в Париже. На сей раз помочь ей было некому. Ей удалось поймать взгляд молодой женщины, она незаметно для детей показала ей леденцы и робко вопросительно улыбнулась.

— Oui?* — спросила она.

Женщина поняла и засомневалась. Внимательно посмотрела на Тимми и хотела сказать «нет», но в это время к ней повернулись дети. Тимми свободной рукой нежно погладила мягкие волосы мальчика, подстриженные красивым каре, которые по странной случайности оказались такого же цвета, как и ее волосы, вернее, какими они были у нее в его возрасте. С годами волосы Тимми приобрели оттенок яркой меди, а волосы мальчика были оранжевые, как морковка, да и лицо было покрыто яркими веснушками, как когда-то ее лицо. Девочка была светленькая, с большими голубыми глазами, как у матери. У младенца в кенгурушке вовсе не было волос, он безмятежно взирал на происходящее с соской во рту, которая поглощала все его внимание. Девочка сосала палец, слезы брата ее ничуть не трогали.

Заметив невольный жест Тимми, нежно погладившей голову мальчика, после чего он перестал плакать, молодая женщина кивнула и с удивлением посмотрела на незнакомку. Дамы обменялись улыбками, молодая мама поблагодарила Тимми по-французски, сказала «Oui», и Тимми дала детям по леденцу, а потом помогла их маме положить один из чемоданов на тележку. Дети вежливо сказали Тимми «мерси», и семья пошла дальше, а Тимми осталась глядеть им вслед.

Судя по ярлыкам на их вещах, они прилетели не из Милана, а другим рейсом из какого-то французского города. Мальчик обернулся и помахал Тимми, шаловливо улыбнувшись, обернулась и мама с благодарной улыбкой, Тимми помахала им в ответ. Она провожала их глазами, пока они не скрылись в толпе, и тут к ней подошли Дэвид и Джейд. Они не видели только что произошедшей сцены, но она бы их не удивила. Тимми обожала детей, но своих у нее не было. Она всегда разговаривала с детьми в аэропортах, в супермаркетах и в универсальных магазинах, пока стояла в очереди. Она умела найти к ним подход, дети сразу располагались к ней, несмотря на незнание языка, другую национальность и разницу в возрасте. Она просто любила детей, и всё, и они это

---

* Да? (фр.)

чувствовали. Тимми легко и естественно заводила с ними разговор, этого было трудно ожидать от дамы, занимающей столь высокое положение, сделавшей столь блестящую карьеру и не имеющей семьи. Она всегда говорила, что она одна в этом мире. И не раз признавалась Джейд, что хочет усыновить ребенка, но так пока никого и не усыновила.

У Джейд тикали ее собственные биологические часы. Ей было тридцать восемь лет, и она волновалась, что так никогда и не родит ребенка. Десять лет у нее был роман с женатым мужчиной, но год назад она с ним рассталась, и с тех пор не встретила никого, к кому можно было бы отнестись серьезно. Ее часы громко тикали. А часы Тимми уже давно замолчали. В таком возрасте рожать ребенка поздно, но вот усыновить... эта мысль ее очень привлекала, но была далекой и отвлеченной, скорее, некоей туманной мечтой. Она знала, что вряд ли осуществит эту мечту, но лелеять ее было приятно, хотя она уже довольно давно ни с кем эту тему не обсуждала. Дэвид считал, что ей непременно следует усыновить ребенка. Боялся, что в старости без детей Тимми будет одиноко. Ведь даже она не сможет работать вечно. Или сможет? Сама она частенько повторяла, что собирается работать до ста лет, пока сердце не остановится.

Джейд считала, что Тимми и так хорошо, а ее желание взять чужого ребенка — блажь. Она успешная деловая женщина, которая знает всему в жизни цену и возглавляет огромную империю. Джейд и представить себе не могла, что Тимми будет делать с ребенком. Она знала, как знала и сама Тимми в глубине души, что это всего лишь мечта и так навсегда мечтой и останется. Но иногда тихими одинокими ночами Тимми давала волю своей мечте, и у нее больно щемило сердце. Ей не хотелось признаваться, до какой степени она одинока, и ее угнетала перспектива так до конца жизни и остаться одной. Не этого она когда-то ожидала от жизни. Но годы шли, и многое изменилось. Она стала относиться к себе философски, радовалась жизни и старалась не задумываться над тем, насколько более одинокой она будет в старости. Сама того не желая, она сделала ставку на карьеру, а не на мужа и детей.

Жиль, парижский шофер Тимми, ждал их возле таможенного и иммиграционного контроля. Как приятно было увидеть его знакомое симпатичное лицо, он приветствовал их широкой улыбкой и взмахом руки. Как всегда, во рту у него была сигарета, один глаз сощурен, чтобы не попала вечно поднимающаяся от нее струйка дыма. Он возил Тимми уже десять лет, и за это время успел жениться и родить троих детей. Его жена работала помощницей кондитера в отеле «Крийон», вдвоем они прилично зарабатывали, а детьми занималась его мать.

— Бонжур, мадам Тимми! Хорошо ли долетели?

Говорил он на довольно правильном английском, но с сильным французским акцентом, и всегда с удовольствием возил Тимми. Она была справедлива, доброжелательна и никогда не требовала от него ничего неразумного. Искренне извинялась, если приходилось задерживать его допоздна, но он ничуть не возражал. Ему нравилась его работа, нравились люди, с которыми он встречался. Он гордился, что возит таких знаменитых клиентов, другие водители ему завидовали. Тимми давала ему щедрые чаевые и каждый год на Рождество присылала новый костюм, так что из всех водителей, что работали в отеле «Плаза Атене» и в других отелях, он был, возможно, самый элегантный. Привозила она подарки и его жене и детям. Его радовала ее пламенная любовь к Парижу и Франции, и когда сейчас она и Джейд сели к нему в машину, они сразу же принялись дружески болтать и не могли наговориться всю дорогу; Дэвид же сел рядом с водителем фургона, который вез их вещи, — конечно, это не входило в обязанности вице-президента фирмы по маркетингу, но он хотел лично за всем проследить, чтобы ничего не пропало и не потерялось по дороге.

— Как Соланж и дети? — улыбаясь, спрашивала Тимми.

— Очень хорошо. Очень много хорошо, — отвечал он, тоже сияя улыбкой и по-прежнему щурясь от сигаретного дыма, хотя Джейд опустила стекло с неодобрительным видом. Но Тимми не возражала, она сама достала сигарету и закурила. Она всегда курила во Франции больше обычного, потому что здесь все много курили.

— На будущий год у нас будет еще один ребенок, — радостно сообщил Жиль. Тимми знала, что это уже четвертый. Он не раз спрашивал ее совета, куда лучше вкладывать деньги. Они с женой неплохо зарабатывали, и у них был собственный дом в пригороде Парижа, где вместе с ними жила овдовевшая мать Соланж. Тимми любила расспрашивать людей, которые с ней работали, об их жизни, а Жиль был ей особенно симпатичен.

— У вас все хорошо? — спросил он и взглянул на нее в зеркальце заднего вида, виртуозно лавируя среди потока автомобилей, устремившихся из аэропорта Руасси-Шарль-де-Голль в Париж. Он всегда считал ее красивой и по-женски привлекательной, несмотря на возраст. Он не разделял предрассудка мужской половины Америки, что только молодые женщины имеют право на внимание. Сорок восемь лет — прекрасный возраст, считал он, особенно если женщина такая красавица.

— Все отлично, — оживленно ответила она. — На следующей неделе будем показывать коллекцию готовой одежды. Может быть, в субботу и воскресенье мне удастся выкроить время и пройтись по магазинам. — Она надеялась, что к пятнице они сумеют все завершить и у нее выдастся денек-другой для себя, и вот тут-то она походит по антикварным магазинам и по парижским бутикам. Куда бы она ни приезжала, она непременно должна была познакомиться с последними веяниями в местной моде и определить, насколько велика конкуренция. Но в Париже она также любила просто бродить по набережным Сены, останавливаться у развалов букинистов, листать старые книги, вдыхая в себя воздух Парижа. Любила она заходить и в церкви. Жиль частенько возил ее в тихие укромные уголки города, в которые без него она никогда бы не попала, и показывал ей маленькие старинные часовни, о которых она никогда не слышала. Ему было интересно ездить с ней, он любил показывать свой прекрасный город людям, которые восхищаются им так, как восхищалась Тимми.

Она уже сказала Джейд и Дэвиду, что когда они завершат всю предварительную работу, то на выходные смогут уехать. Оба хотели вернуться в Лондон и повидаться с друзьями. Они не разделяли страстной любви Тимми к Парижу, Дэвид даже сказал, что, может быть, махнет в Прагу. На субботу и воскресенье у Тимми не намечено никаких интервью и встреч, она надеется, что к тому времени они успеют сделать все примерки. Портнихи, которых заранее прислала Тимми, будут весь уик-энд трудиться, подгоняя и улаживая то, что пришлось изменить в последнюю минуту, но это все они способны сделать сами. В крайнем случае какие-то последние стежки сделает она, Тимми, в понедельник, когда вернутся Джейд и Дэвид. Показ коллекции состоится во вторник, и во вторник же вечером Джейд и Дэвид полетят в Нью-Йорк, а она присоединится к ним в пятницу, пробыв здесь после показа два дня, без всех, одна. Она к тому же позволила себе распоряжаться собственным временем в субботу и воскресенье, это и дополнительный бонус, и щедрая награда за три недели напряженнейшей работы. По ее виду никто бы не догадался, как она устала, да и сама бы она не призналась, но скрывай не скрывай, а ей нужно хоть немного отдохнуть.

Всю дорогу до Парижа она и Жиль оживленно болтали, а Джейд неторопливо просматривала свои записи. Она оставила несколько сообщений на автоответчике их телефона в лос-анджелесской штаб-квартире, их прочтут, когда офис откроется, и еще несколько сообщений отправила в Нью-Йорк. В Париже сейчас чуть за полдень, для всего остального мира это слишком рано. Первое интервью у Тимми только в половине третьего, у нее есть в запасе немного времени, чтобы отдать все распоряжения и собраться с мыслями. Движение на шоссе было довольно напряженное, и когда они повернули на авеню Монтень, было уже около часа дня. Увидев здание отеля «Плаза Атене», Тимми так и засияла. Это был ее дом вдали от родного дома. Ей нравилось здесь жить, нравилась элегантная роскошь, нравились люди, изысканное обслуживание, она любила встречаться за завтраком с друзьями в ресторане «Реле-э-Шато».

— В Париже у вас всегда такой счастливый вид, — заметил Жиль, распахивая ей дверцу, а швейцар улыбнулся, узнав ее, и прикоснулся рукой к фуражке.

— Добро пожаловать к нам, мадам О'Нилл, — приветствовал ее он.

Джейд уже распоряжалась относительно их ручной клади, и тут как раз подъехал Дэвид с фургоном, привезшим их собственный багаж и контейнеры с коллекцией.

Джейд неторопливо раздавала всем чаевые, а к Тимми вышел помощник управляющего, чтобы проводить ее в апартаменты, и сообщил Жилю, когда он должен вернуться. Тимми в Париже обычно обедала поздно, причем предпочитала маленькие бистро, где ее никто не знал и не поднимал вокруг нее суеты, там она могла есть простую французскую еду. Она поднялась по ступеням крыльца, вошла через вращающуюся дверь и оказалась среди строгой изысканной роскоши холла, тут уж никто не сомневался, что она важная персона, все служащие с ней здоровались, улыбались, заместитель управляющего шел чуть впереди, провожая к апартаментам. Здесь всеобщее внимание не вызывало у нее такой досады, какую вызвало бы где-то в другом месте. Она терпеть не могла, когда вокруг нее устраивали суматоху, но здесь, в отеле «Плаза Атене», ее встречали так искренне и сердечно, и она всем радостно улыбалась, идя к апартаментам, в которых останавливалась вот уже пятнадцать лет. В ее люксе были гостиная и спальня с прекрасными высокими окнами от пола до потолка, задернутыми пышными атласными занавесами. Мебель была баснословной цены, за такие деньги можно было купить небольшой замок во Франции, всюду позолота, зеркала, канделябры, огромная ванная комната с ванной, в которой она любила нежиться часами. На столе ее любимые шоколадные конфеты и фрукты, огромный букет цветов в вазе — приветствие управляющего отелем. Как же ее здесь балуют и тешат! Она чувствовала это, едва ступив в дверь отеля, и хотя ей предстояли сумасшедшие дни, она была счастлива, что проживет здесь больше недели. Десять дней в Париже восстановят ее силы, как бы тяжко ей ни пришлось трудиться. Предстояло пережить «безумный месяц», чтобы потом получить в награду неделю чистой, ничем не омраченной радости в Париже, Тимми всегда так считала.

Помощник управляющего поклонился, положил ключи на столик и исчез, а она сняла свой норковый жакет, бросила его на просторное бархатное кресло и стала просматривать у письменного стола полученные сообщения. Их было уже десять плюс четыре факса из ее офиса. Джейд прочитала для нее все сообщения и доложила, что все владельцы текстильных предприятий подтвердили время и место встреч, а одно из интервью перенесли на завтра. Впереди их ждут горячие денечки, им ли этого не знать. Тимми с Джейд принялись обсуждать дела, и в это время официантка принесла поднос с чаем. Здесь знали, что нужно подать Тимми, — заварили в чайнике «Эрл Грей» и положили в вазочку любимое печенье. Разве перед таким вниманием возможно устоять?

— Какой у тебя довольный вид, — заметил Дэвид, заглядывая в дверь.

Джейд показала коридорному, где именно следует поставить чемоданы Тимми в спальне. Здесь, в отеле «Плаза Атене», все совершалось по раз и навсегда заведенному порядку с точностью швейцарских часов. Дэвид улыбнулся, увидев счастливую улыбку на лице Тимми. В своей футболке и джинсах, с рассыпавшимися по плечам рыжими волосами она была похожа на подростка. Все так же радуясь, она села на кушетку в гостиной и положила ноги в своих черных туфлях-балетках на кофейный столик.

— Как же мне здесь хорошо, — призналась она, и в первый раз за все эти напряженные недели с ее лица исчезла тень озабоченности. Она так и сияла.

— Хотел бы я услышать это от тебя во вторник, — поддел ее Дэвид. Он-то знал, что к тому времени они будут рвать на себе волосы из-за неурядиц с коллекцией, нескончаемых пререканий с манекенщицами, технических сложностей с освещением и звуком, из-за неустойчивого подиума и еще великого множества обычных напастей, которые обрушиваются на них во время демонстрации коллекций, но сейчас — сейчас ее не терзали заботы, она просто радовалась тому, что она здесь. — Тебе и правда надо купить дом в Париже, раз уж ты его так любишь.

— Надо бы. Но меня слишком избаловали здесь, в отеле. Такого в собственном доме не будет. — И она широким жестом указала на цветы, поднос с чаем и печеньем, огромное серебряное блюдо с шоколадными конфетами, изысканную обстановку ее апартаментов. — В «Плаза Атене» я чувствую себя Элоизой[*].

— Ладно, Элоиза, у тебя есть полчаса, чтобы переодеться, если ты, конечно, собираешься переодеваться, — деловито сказала Джейд. — У тебя два интервью одно за другим, потом перерыв и встреча. Хочешь, чтобы я заказала обед? — Тимми покачала головой. Чай и печенье — что может быть лучше, ей этого вполне довольно. Ела она мало и была такая же худая, как их манекенщицы. В свое время ее приглашали работать манекенщицей, но ее не прельстила такая карьера. Даже и в те годы ей было гораздо интереснее создавать модели одежды, которые будут показывать манекенщицы, чем быть одной из них. Однако она и сейчас оставалась такой же стройной и изящной.

— Я не буду переодеваться, — спокойно сказала Тимми, взглянув на свои часики, и сделала глоток чаю.

Она хотела позвонить в Лос-Анджелес своему нынешнему эпизодическому спутнику жизни, хотя звонить ему в такой час было глупо. В Лос-Анджелесе сейчас четыре утра, и будить его ей не хотелось. Но Зак взял с нее слово, что она позвонит ему, когда прилетит в Париж, хотя ей это казалось абсурдом. Однако он убеждал ее, что непременно хочет услышать ее голос, и тогда уже успокоится, что она благополучно долетела, и это ее растрогало. Он редко баловал ее своим вниманием и заботой, и тут вдруг в кои-то веки проявление доброты.

Тимми не взяла его с собой в поездку, и он все еще сердится на нее, она это знала. Он как ребенок ждал, что она будет его баловать и забавлять, и в этот раз чуть не целый месяц дулся на нее, едва узнав о поездке. Он не верил ей, когда она говорила, что будет все время работать и что ей не до развле-

[*] Героиня фильма «Приключения Элоизы», реж. Кевин Лима, 2003 г.

чений, хотя она и надеялась выкроить для себя свободный уик-энд. Заку нет никакого смысла лететь из Лос-Анджелеса ради двух свободных дней, считала она, — еще неизвестно, сможет ли она урвать их ради него, ведь всегда существует угроза, что что-то сорвется, — или двух дней, которые она хочет подарить себе для отдыха на следующей неделе. Когда Тимми работает круглые сутки, ей совершенно не нужно, чтобы Зак находился где-то рядом. Во время нынешней поездки у нее до сих пор не выдалось свободного часа, что уж говорить о дне. Интересно, если она позвонит ему из Парижа, умиротворит его звонок хоть немного или еще пуще разозлит? Она колебалась. Может быть, лучше позвонить позже, после обеда, но тогда он может обидеться, что она не сдержала обещание. Или позвонить сейчас, просто сказать: «Привет, целую, спи дальше», — и положить трубку? Она знала, что он ее не простил, — как она могла не выполнить его каприз и оставить на три недели в Лос-Анджелесе, а сама улетела сначала в Нью-Йорк, а после Нью-Йорка в Европу, в три города, о которых он давно мечтал.

Хотя встречались они от случая к случаю, Зак, когда Тимми стала готовиться к поездке, решил, что она непременно должна взять его с собой развлекаться. Она не согласилась, и это стало яблоком раздора между ними, он долго на нее дулся, дуется и сейчас. Такова низменная природа мужчин, которые притягиваются к таким ярким и сильным женщинам, как она. В таких отношениях мужчина и женщина словно бы меняются ролями, и ей эта смена ролей никогда не нравилась; раньше она считала, что ни на что подобное никогда не согласится, и вот поди ж ты — уже несколько лет только такие отношения у нее и возникают. Мужчины, подобные Заку, были для нее единственной альтернативой одиночеству. В таких связях было много минусов, она реалистично смотрела на вещи, но были и плюсы. Зак почти всегда вел себя как избалованный ребенок. Он был молод, не ведал чувства ответственности и был полностью сконцентрирован на себе.

За одиннадцать лет, что прошли после развода, у Тимми сменилось много таких мужчин, как Зак. Замужем она прожила пять лет, и годы, протекшие после замужества, казались ей нескончаемо долгими и бесконечно пустыми. Она заполняла жизнь главным образом работой, долгими часами труда, посвятила себя созданию своей империи, строила ее год за годом и воздвигла нечто, внушающее великое уважение. В ее жизни было мало времени и мало возможностей для серьезных отношений, сейчас она пришла к убеждению, что о чем-то подобном ей уже и думать поздно. Тимми часто говаривала, что успешные женщины, подобные ей, не привлекают мужчин равного ей статуса и масштаба, не привлекают и мужчин, которые разделяют те же нравственные ценности. Женщины столь высокого положения притягивают к себе точно магнит мужчин инфантильных, которые желают, чтобы их нянчили как маленьких детей. Она была твердо убеждена, что мужчины ее возраста, столь же успешные и влиятельные, как она, выбирают себе женщин в два раза моложе, которые рады-радехоньки возможности стать подружкой или любовницей значительного человека. Они и готовят себя для роли декоративного украшения при могущественном мужчине и потому льстят ему и радуются, когда их выставляют напоказ и хвастаются ими, точно завоеванной добычей. Тимми говорила, что мужчин ее статуса и возраста не интересуют женщины ее возраста, а также женщины, столь же успешные, как они сами. И так оно на самом деле и было в ее случае. За все одиннадцать лет после развода к ней не приблизился ни один-единственный мужчина, добившийся равного с ней успеха и более или менее ее возраста. И потому ей, как и другим подобным ей женщинам, оставалось выбирать между достойным, возвышенным одиночеством и случайными связями с такими мотыльками, как Зак. Они были, как правило, моложе ее, Зак хотя бы всего на несколько лет, роман с двадцатипяти–тридцатилетними казался Тимми полным абсурдом, да и со скуки с ними помрешь. Беда заключалась не в разнице в возрасте, а в том, что ни они не были в нее влюблены, ни она в них. Она многое могла бы простить, будь с обеих сторон хоть искра любви, но за одиннадцать лет эта искра ни с одним из ее партнеров не вспыхнула.

Мужчины, которые ее окружали, были по большей части актеры, иногда мужчины-модели, писатели, художники, все они лелеяли какие-то свои честолюбивые планы, чем-то занимались, но особыми талантами не блистали. Настоящего успеха никто из них не добивался, а работать так же целеустремленно, как Тимми, они не умели. Красивые, самовлюбленные, избалованные, они на первых порах были поверхностно милы с ней, восхищались ее высоким положением, иногда завидовали. С удовольствием пользовались благами, которые она им дарила. И всегда, со всеми с ними она отдавала, а они брали, и в конце концов этот эмоциональный дисбаланс губил отношения. Они распадались не потому, что у нее было больше денег, а потому, что они не любили друг друга, так считала Тимми. Она никого из них не полюбила, и никто из них не полюбил ее. Примерно через полгода они расставались, как правило мирно, дружески. Они помогали ей скоротать время и заполняли пустоту ночью и в выходные дни. Давали иллюзию спасения от одиночества, от холода, который станет совсем уже непереносимым, когда рядом с тобой нет ни души. И все равно Тимми постоянно терзали сомнения, соглашаться ли на недолгие связи с мужчинами, не отвечающими ее представлению об истинном возлюбленном, или бесстрашно оставаться одной, надеясь когда-нибудь встретить свою настоящую любовь. Случалось, бесстрашие ей изменяло. И тогда появлялся очередной Зак, и она снова шла на компромисс, хотя порой чувствовала себя с ним еще более одинокой, чем в полном одиночестве, а иногда все получалось не так уж плохо. В благодарность за их общество она помогала им продвинуться в карьере, брала с собой на светские тусовки в те редкие случаи, когда сама их посещала, приглашала на уик-энды на свою виллу в Малибу.

На самом-то деле она все эти одиннадцать лет не искала себе спутника жизни. Она приняла свой статус одинокой женщины после развода и с ним смирилась. Если она не любит мужчину, ей и не нужно, чтобы он был всегда с ней. Но случалось, что ей было весело в обществе какого-то мужчины, спокойно, оно даже льстило ей. В свои сорок восемь лет она не собиралась вовсе отказываться от отношений с мужчинами. Пусть даже тот, настоящий, кто ей нужен, так никогда и не встретится. Она знала все недостатки таких пустоцветов, как Зак, но никакие другие ей и не встречались, по крайней мере до сих пор. Как ни мелок был Зак, он скрашивал ее одиночество, она хорошо к нему относилась. А раньше, пока он не начал устраивать сцены из-за того, что она отказалась взять его с собой в Европу, относилась еще лучше. Он слишком уж разозлился, и это ее оттолкнуло. Она стала относиться к нему более прохладно, а он до самого ее отъезда так и продолжал на нее злиться. Она даже не была уверена, что они будут опять встречаться, когда она вернется в Америку. И еще не решила для себя, хочет она этого или нет. Она чувствовала, что скоро их отношениям придет конец, и она уже почти выдохлась, и он. И ему, и ей, каждому на свой лад, эти отношения дали меньше, чем они от них ожидали, и меньше, чем заслуживали. А если в душе у любовников поселилось недовольство друг другом, долго им вместе не продержаться.

И несмотря на все это, Тимми несколько раз звонила ему после отъезда, ей не хотелось захлопывать дверь, хоть она и сердилась на себя за то, что терпит его капризы. Как же не хочется снова оказаться в одиночестве... Иногда ей бывало с ним очень приятно, хотя она не строила никаких иллюзий относительно будущего. Без любви их отношения рано или поздно прервутся.

Заку был сорок один год, в прошлом актер, а сейчас мужчина-модель. Он снялся в нескольких рекламных кампаниях для национального телевидения и неплохо заработал. Тимми с ним познакомилась, когда он пришел к ней на кастинг для национальной рекламной кампании «Тимми О», но выбран не был, и после этого они начали встречаться. Отказ он принял без обиды, хотя она знала: он надеется, что когда-нибудь она даст ему работу. Время от времени он заводил об этом разговор, и ей это было неприятно.

Зак был веселый, заводной и к тому же неотразимо хорош собой. Они отлично проводили уик-энды на Малибу, хотя секс занимал не слишком большое место в их времяпрепровождении. Тимми давно поняла, что мужчины-нарциссы гораздо менее одарены сексуально, чем остальные. Их больше всего на свете интересуют они сами, а это-то качество как раз и отсутствовало у Тимми. Нарциссизм, самовлюбленность, эгоцентризм были ей совершенно чужды. Те, кто хорошо ее знал, как, например, Джейд и Дэвид, в один голос утверждали, что Тимми — по-настоящему хороший человек, встретить такого большая редкость. О Заке никто ничего подобного бы не сказал.

Зак никогда не был женат, эдакий профессиональный холостяк, его совершенно не привлекали ни семья, ни дети. Единственное, чего он хотел, это жить весело и беззаботно. Если отношения с женщиной вписывались в эти критерии или были ему в каком-то отношении полезны, он с удовольствием их поддерживал. Ему нравилось быть рядом с Тимми на виду, красоваться в лучах ее славы, и он постоянно искал малейшего случая, малейшей возможности продвинуться в своей карьере. Но труду он предпочитал подаренные привилегии и нечаянно свалившуюся удачу. Тимми была пчела-работница, а он трутень.

Вот такие сложились у них отношения, и она смотрела на них трезво. Все очень хорошо и мило, пока они продолжаются, но рано или поздно, по той или иной причине, им придет конец, она это знала. Связь с такими мужчинами, как Зак, длилась всего несколько месяцев. Периоды одиночества до следующей встречи оказывались куда более долгими. И она никак не могла решить, что хуже: пойти на связь не с тем, кто ей нужен, или оставаться одной. И то и другое было достаточно грустно, но иных возможностей ей жизнь вот уже много лет не предлагала.

Она надеялась сохранить отношения с Заком до конца рождественских каникул, потому что остаться на Рождество одной было бы уж совсем тяжело. Тимми переносила общество далеко не идеального мужчины, который к тому же не любит ее, не так болезненно, как одиночество в праздники и уик-энды. И потому мирилась с неизбежными разочарованиями и сдерживала раздражение, пока все оставалось в пределах терпимого. Он выполнял в ее жизни роль спутника — иногда не слишком пылкого любовника и не слишком надежного друга. Он был красив, обаятелен — когда хотел, и когда они бывали вместе на людях, оба получали от этого большое удовольствие. Он в общем-то был неплохой парень, не делал ничего дурного и раз или два в неделю согревал ее по ночам, что было вполне приятно. И когда они расстанутся — а они скоро неизбежно расстанутся, — она снова возьмет паузу на какое-то время и будет лелеять свое одиночество и убеждать себя, что одной ей лучше. По этому кругу она ходила и ходила вот уже одиннадцать лет, и сама это отлично понимала. Большинство одиноких женщин ее лет пытались решить ту же дилемму. Когда тебе сорок восемь и ты разведена, спрос на тебя не слишком высокий. А если ты еще и успешна, успех — препятствие в любви для женщины любого возраста. Тимми сознавала, что встретить мужчину, которого не отпугнули бы ее успех и возраст, который не попытался бы использовать ее в своих корыстных целях, а просто искренне полюбил такой, какая она есть, было бы чудом. Но в жизни Тимми уже давно не случались чудеса, и она перестала их ждать. Давно смирилась, что ее удел — такие пустоцветы, как Зак, и не искала для себя оправданий. С кем она встречается, это исключительно ее дело, больше никого это не должно интересовать. Она ни одному из своих возлюбленных не причинила зла, не подавляла их, расставалась, не затаив обиды, чего нельзя было сказать о них. Что ж, Тимми была аристократка до мозга костей.

Она сняла трубку и набрала лос-анджелесский номер Зака, а Джейд молча вышла из комнаты. За те годы, что она работает у Тимми, она перевидала немало таких, как Зак, они появлялись и исчезали, сменяя друг друга. И как же она их ненавидела. Да они и взгляда Тимми не достойны! Но Джейд также понимала лучше, чем кто бы то ни было другой, в каком неблагоприятном положении находится Тимми. Ей самой было очень трудно найти мужчину, с которым было бы можно связать свою жизнь, она знала, на какие компромиссы приходится идти, когда полюбишь женатого человека, как случилось с ней, но больше она никогда такого не допустит, довольно того, что она погубила десять лет своей жизни и осталась с разбитым сердцем. Ей начало казаться, что, может быть, Тимми легче с такими, как Зак, они похожи на мальчишек и только притворяются мужчинами. По крайней мере Тимми не тешила себя иллюзиями на их счет. Она в них не влюблялась, и когда наступала разлука, сердце ее не разбивалось. Ущерб оказывался не слишком велик. Она не рассталась со своими мечтами, да, собственно, мечты и не имели никакого отношения к Заку и ему подобным. Смазливая физиономия, великолепная фигура, легкость и обаяние — этого вполне довольно, еще полгода она не одна. Все хорошо и прекрасно, если ты, конечно, не требуешь большего и помнишь, что это всего лишь компромисс. Единственная серьезная ошибка, которую ты можешь допустить, это пожелать большего. Но Тимми никогда ее не допускала. Она слишком хорошо знала правила игры и натуру своих партнеров. Защитила свое сердце крепкой броней и не ждала от них больше того, что они могли дать.

Зак ответил после второго гудка, и Тимми сразу поняла, что разбудила его.

— Привет, Зак, — прощебетала она. — Мы только что прилетели в Париж, а я обещала тебе позвонить. Спи, спи. Я позвоню попозже. — И хотела положить трубку, но он заговорил. У него был низкий бархатный чувственный голос, особенно когда они были в постели или спросонья. Его внешность и голос приводили ее в восхищение.

— Нет, подожди... я не сплю... как Париж? Без меня полный отстой, верно? — Он подшучивал, но это была не вполне шутка, в его голосе слышалась обида, хоть он и не совсем проснулся. Как тут было не понять, что он все еще злится, он так хотел полететь с ней, а она его не взяла. Тимми не собиралась пускаться с ним в объяснения и в сотый раз втолковывать, что для нее эта поездка не развлечение, а работа.

— Именно отстой, в самое яблочко. — Она засмеялась, подумав, что он по крайней мере не изменяет своей натуре. Он вбил себе в голову, что она непременно должна взять его в Европу с собой. Они спорили и спорили чуть не целый месяц, и ей никак не удавалось урезонить его и убедить, что она должна будет работать во время этой поездки и потому поедет одна. — Тебе стоит еще поспать. Через час у меня начинается работа.

— Ну да, конечно, еще бы. Ты только это и твердишь. Но не можешь же ты работать все время. — Он говорил все это каждый раз, как она звонила ему во время поездки. Упрям он был непрошибаемо и наверняка считал, что она смягчится и пригласит его к себе хотя бы к концу поездки, но она так и не пригласила.

— Хочешь — верь, хочешь — не верь, но так оно и есть. Эти выездные презентации коллекций выматывают все силы. — Говорила она ему чистейшую правду, но он все равно ей не верил. Ему эти презентации представлялись сплошной феерией развлечений. Фотомодели, банкеты, пресса, блестящая тусовка в городах Европы с такими волнующими названиями. Предел мечтаний для молодого мужчины. Зак был бы на седьмом небе, согласись она взять его с собой. Но ей не хотелось, чтобы он ее отвлекал, когда она работает.

— Могла бы хоть нанять меня фотомоделью, — беззлобно упрекнул ее он, и она улыбнулась. Она знала, что именно этого он и добивается, а минимум его притязаний — бесплатный авиабилет. Никаких тайн и загадок, то, чего он сейчас вымогает у нее, ясно как день.

— Зак, в Европе всех фотомоделей выбирают сами, тебе это отлично известно. — Однако ему было отлично известно и другое: она могла бы сделать так, чтобы его взяли, но не пожелала, и это его уязвило. В ее власти было дать ему работу или даже придумать ее для него. Но Тимми твердо держалась правила: она не берет с собой на презентацию своих моделей-мужчин, с которыми встречается. Зачем смешивать работу и развлечения? Он был бы здесь не ко двору; другое дело, если бы она относилась к нему серьезно, но ничего подобного и близко нет, да и он серьезного чувства к ней не питает. Они просто пока встречаются, а это, по ее представлениям, не причина, чтобы дарить ему поездку в Европу. Он же был убежден, что она обязана взять его с собой, а по какой причине — оставалось для нее глубокой тайной. Она считала, что он требует слишком многого, и не уступала его напору. — И к тому же, мой дорогой, для таких дефиле ты староват, — добавила она вразумительно, без всяких эмоций. — Сейчас на подиум выходят совсем молоденькие мальчики, некоторым и двадцати нет.

— Европа дерьмо, — отрезал он, и она засмеялась. В каком-то отношении он был недалек от истины, но ее интересовало только одно: насколько высоким спросом здесь пользуется ее одежда.

— Слава богу, через две недели я буду дома. У меня такое чувство, будто я уехала год назад, — сказала Тимми, меняя тему разговора.

— И у меня тоже, — ответил он, и голос его прозвучал уже более нежно. Он и сам не ожидал, что будет так скучать по ней. И несмотря на все их споры перед поездкой, в которую она отказывалась его брать, он был к ней очень привязан. Она замечательная женщина и к нему очень хорошо относится. Он признавал, что она делает ему много доброго. — Ладно, давай скорей домой и рванем на Малибу. — Она знала, что он обожает ее виллу, которую окружают виллы голливудских звезд, и любит проводить там с ней уик-энды. Как, впрочем, любила и она. Это был один из пунктов их молчаливого соглашения, которое они заключили, когда начали встречаться: ее стиль жизни в обмен на его общество. Обоих это устраивало, и им было хорошо вместе.

— Я скоро вернусь, — заверила его она. — Чем ты занимаешься на этой неделе?

— Сегодня фотосессия в модельном агентстве, а завтра кастинг для рекламного ролика, — ответил он оживленно. Несмотря на свой возраст, он довольно часто получал работу.

— Надеюсь, ты пройдешь, — убежденно сказала она. Именно эти черты он больше всего и любил в ней: ее неизменную доброжелательность и оптимизм. Что бы ни случилось, она всегда умела поддержать. Если кто и не признавал поражений, так это она.

— И я надеюсь. Деньги нужны. — И он зевнул. Она представила себе, как он лежит в своей постели, такой молодой и красивый. Да, хорош он на редкость, ничего не скажешь, хоть и эгоист тоже редкостный. Против такой внешности трудно устоять. Отчасти поэтому она с самого начала и выделила его среди всех остальных. Приятно бывать на людях, когда тебя сопровождает такой красавец. По крайней мере сколько-то времени. — Ты смотри не очень-то там веселись в своем Париже. Я вообще-то надеюсь, — тут он хихикнул, — что твое пребывание там превратится в сплошной кошмар и ты без меня изведешься от тоски. Почему, собственно, ты должна радоваться жизни, когда у меня серость и скука? — Не слишком-то великодушное пожелание, но ее оно ничуть не удивило.

— Что ж, можно и так смотреть на жизнь, — резонно заметила она, чуть поморщившись циничной откровенности, с которой он выразил свою зависть. — Думаю, твое желание исполнится. Через полчаса я окунусь в работу и уже не вынырну до самого конца. Работа есть работа, даже в Париже.

— Зато здесь мы будем нырять вместе, люблю плавать с тобой голышом, — буднично отозвался он. Он здорово скучал по ней.

— Спасибо, а я с тобой. — «Только твое тело сейчас в лучшей форме, чем мое», — подумала она, но вслух этого не сказала. Зачем привлекать к этому его внимание, лишний раз напоминать о возрасте? Он всего на семь лет моложе, чем она, но тратит каждый день по нескольку часов на поддержание своего тела в форме.

— Ладно, приезжай домой скорее, пока я тебя не забыл. — Сегодня он разговаривал с ней гораздо более приветливо, чем все прошлые дни, видно, уже почти простил. Он несомненно хотел поскорее ее увидеть, и ей это было приятно. У нее пока еще не возникало желания расстаться с ним. Пройдут рождественские каникулы, и там видно будет.

— Пришлю тебе снимок, — засмеялась она. — Попрошу Джейд сфотографировать меня в конце рабочего дня. — Засмеялся и он. Она умница, остроумная и веселая, ему все это в ней очень нравилось. Если честно, то нравилось даже больше, чем ему самому хотелось. Просто он злился из-за поездки. Но не настолько, чтобы поссориться с ней и расстаться. Предпочел дуться и капризничать, надеясь, что в следующий раз она все-таки возьмет его с собой.

— Привези мне что-нибудь из Парижа, — потребовал он совсем как маленький ребенок.

— Что например? — удивилась она.

Она всегда была очень щедра по отношению к нему, отдавала вещи из самых дорогих своих коллекций мужской одежды. Она знала, что они ему нужны, а ей это ничего не стоило. Подарила на день рождения хорошие часы. Он был ей благодарен и принимал подарки без тени смущения.

— Например, Эйфелеву башню. Ну не знаю. Пусть это будет сюрприз.

— Посмотрим, что мне удастся отсюда вывезти. — Порой с ним приходилось разговаривать как с маленьким ребенком. Он был убежден, что она должна его баловать. Никто и не пытался делать вид, что их отношения зиждутся на равенстве, равенства в них никогда и в помине не было — ни эмоционального, ни интеллектуального, ни финансового. С такими мужчинами, как Зак, никакого равенства в отношениях и быть не могло. Разница в возрасте и в экономическом положении все перекашивала. Почти все время она чувствовала себя чуть ли не мамочкой-баловницей, и эта роль ее тяготила, он же был более чем доволен. Для нее равенство в отношениях осталось в прошлом, она была уверена, что такого в ее жизни больше никогда не случится. Это была цена, которой она расплачивалась за свой успех и свой возраст. — Прости, что разбудила тебя.

— А я рад, что разбудила. Может, сейчас встану и пойду в тренажерный зал.

— Хорошего тебе дня. Я скоро позвоню. Может быть, после уик-энда, — пообещала она. — В ближайшие дни буду крутиться как белка в колесе.

Точно так же, как крутилась в Нью-Йорке, Лондоне и Милане. Ему никогда не приходило в голову спросить, а как она, не устала ли. Он знал, что она способна сама позаботиться о себе, и исходил из того, что у нее все прекрасно.

— До встречи. — И он положил трубку.

Когда Джейд снова вошла в гостиную, Тимми сидела и все еще глядела на телефон.

— Как принц? — спросила Джейд, перехватив взгляд Тимми.

— Нормально, надо полагать. Все еще злится, что я не взяла его с собой, но полыхает уже не так сильно. Видно, постепенно смиряется, но пожелал, чтобы моя жизнь здесь без него превратилась в сплошной кошмар. — Тимми считала, что это смешно.

Джейд так не показалось.

— Уже превращается, — мрачно отозвалась она, кладя на стол перед Тимми пачку документов, которые надо было подписать. Хлынул поток новых факсов, требующих немедленного прочтения.

Тимми поглядела на Джейд отсутствующим взглядом. Разговор с Заком ее не просто разочаровал, а оглушил. При всей его поразительной бесчувственности она уже свыклась с ним, иногда ей было приятно проводить с ним время. Она принимала его таким, какой он есть. Мужчина, с которым она спит, а не мужчина, которого она страстно любит. Не всегда эти ипостаси совпадают, уж Тимми-то это знала. Приходится идти на компромиссы. И она шла, не желая оставаться в одиночестве. Но пожелать ей, чтобы без него ее жизнь превратилась в сплошной кошмар, было уж чересчур.

— Иногда я не знаю, зачем мне это все нужно, — вздохнула Тимми.

— Отлично знаешь, и я тоже знаю, — трезво сказала Джейд. Она всегда называла вещи своими именами, и Тимми любила ее за эту откровенность. — Потому что когда женщина одна, ей тяжело и одиноко. И потому мы соглашаемся на то, что жизнь нам предлагает. А предлагает нам жизнь таких, как Зак. Так оно и идет. Альтернатива — одиночество, и одиночество тоже не сахар. Волком взвоешь. То, что выбрала я — роман с женатым мужчиной, — еще хуже. Заки хотя бы не разбивают тебе сердце. Бросить они в конце концов могут, но твое сердце останется в целости и сохранности.

— Не всегда, — призналась Тимми. — Случается, они что-то у нас отнимают. Например, самоуважение, чувство собственного достоинства, ведь связываешься с таким дерьмом. Это довольно болезненная штука.

— А с женатым мужчиной, который не уходит от жены, разве иначе? Пропади все пропадом, Тимми, разве у нас есть выбор? Все стоящие мужчины давно женаты. — Эту мантру

Тимми слышала много раз. У нее была другая мантра: всех мужчин, во всяком случае стоящих, отпугивает ее успешность.

— Не может быть, чтобы все были женаты, — решительно возразила Тимми.

— Не может? Когда ты в последний раз видела достойного, порядочного мужчину, за которого хотелось бы выйти замуж и который был бы не женат?

— Не помню. — Тимми вздохнула и взяла из вазы шоколадку. — Меня все это не слишком волнует. Я не хочу больше настоящих, серьезных отношений. Зачем мне они в моем возрасте? Но и таких связей, как у меня с Заком, я, как мне кажется, тоже больше не хочу. Всегда кончается тем, что я чувствую себя кем-то вроде их мамочки, а они ждут, чтобы я исполняла все их прихоти. С меня хватит.

— Попробуй объяснить все это им, — колко отозвалась Джейд. — Может быть, нам обеим стоит уйти в монастырь? — Тут Джейд усмехнулась.

— Только сначала я создам новое одеяние для монахинь. Сейчас они выглядят безобразно, — мечтательно произнесла Тимми, словно и в самом деле загорелась этой идеей, и обе они рассмеялись. — У меня нет ответа. Ты еще молода, ты еще встретишь хорошего парня. Только смотри не пропусти его. А мне, в мои годы, уже все равно. Мне правда все равно, я это знаю. Выйти замуж — последнее, о чем я сейчас думаю... поэтому остается очередной Зак... или вовсе никого. Достойное одиночество. Кажется, я скоро буду опять готова к следующей порции этого самого одиночества. По-моему, наша связь находится при последнем издыхании. Меня это угнетает. Надоело играть роль дамы-благотворительницы для вздорных инфантильных мальчишек-моделей и актеришек и получать по носу, если я от этой роли отказываюсь. Откуда у этих сопляков берется уверенность, что все им обязаны? Хотелось бы мне так же верить в свои силы. С этими самовлюбленными мужиками слишком много хлопот. — Тимми пожала плечами. Хотя Зак был с ней относительно мил по телефону, разговор с ним ее не порадовал, а она так устала после трех недель показов, и настроение у нее было вовсе не лучезарное. Кто знает, захочется ли ей увидеть Зака, когда она вернется домой...

— Может быть, ты встретишь кого-нибудь здесь, в Париже, — с надеждой сказала Джейд. Ей и в самом деле так этого хотелось!

— Ты смеешься? Кого мы здесь видим? Девятнадцатилетних мальчишек-моделей из Чехословакии, злобных журналистов из левых изданий да коллег-дизайнеров, а все они либо женщины, либо голубые, а иногда и то и другое. Я никого не ищу. А если бы и познакомилась с кем-то, то география была бы против нас. Любовник в другом полушарии — только этого мне не хватало. Но спасибо на добром пожелании. — И Тимми положила в рот еще одну шоколадную конфету. У нее был прекрасный обмен веществ, и она могла позволить себе вольности, о которых большинство женщин мечтать не смеет.

— Попробую-ка я начать знакомиться по Интернету, когда вернемся в Америку. Четверо моих знакомых вышли в этом году замуж за мужчин, с которыми познакомились в Интернете, — сказала Джейд с таким видом, будто и в самом деле решила так действовать.

— Будь очень осмотрительна. По-моему, это жутко опасно. — Тимми встала и принялась расчесывать волосы. Первый журналист придет уже через несколько минут. И закрутится бешеная карусель парижской жизни.

— А чего мне, собственно, бояться? — риторически спросила Джейд. — Я связалась с женатым мужиком, ты с разными подонками. Самое худшее, что меня ожидает, это познакомиться с обаятельным убийцей, который зарубил топором несколько человек, выйти за него замуж и нарожать от него кучу детишек. В тридцать восемь не приходится привередничать.

— В тридцать восемь ты можешь позволить себе привередничать сколько душе твоей угодно. Джейд, не сдавайся, — попросила Тимми серьезно.

Но она, как и Джейд, знала, что той больше лет, чем по душе большинству мужчин. Мужчине, вне зависимости от его возраста, хочется, чтобы женщине было не больше двадцати двух. Умные зрелые женщины уже давно вышли в тираж. И Тимми знала, что и сама она больше не котируется, и тому множество причин: возраст, финансовое положение, успешная карьера, известность, если не слава, поскольку ее имя значилось на одежде и на вещах домашнего обихода, которые покупают во всем мире, и это усугубляло положение. Притягивались к ней только такие прихлебатели, как Зак, а то и хуже. Она все еще размышляла об этом, когда Джейд вернулась и сказала, что первый журналист, с которым ей предстояло встретиться, ждет ее внизу, в фойе. Там было изумительное кафе, где подавали чай и вкуснейшее печенье. Тимми любила встречаться с представителями прессы или там, или в баре. Услышав, что пора идти работать, она вздохнула. Выглядела она прекрасно, но ее помощница видела, как сильно ее подруга устала.

— Пригласить его сюда? — спросила Джейд.

— Пожалуй, да, пригласи, — сказала Тимми негромко. Ей так не хотелось ни с кем встречаться. Выйти бы из отеля на улицу и долго-долго гулять по Парижу... Впереди три дня напряженнейшей работы, зато потом, в субботу и воскресенье, она сможет делать все, что захочет. Дожидаясь прихода журналиста, она опять вспомнила пожелание Зака: «Надеюсь, без меня твое пребывание в Париже превратится в сплошной кошмар». Да, слишком долго она встречалась с такими ничтожествами, как Зак. Его слова даже не возмутили ее. Она давно привыкла к тому, что мужчина красив и с ним приятно развлекаться, но ему никогда не придет в голову проявить заботу по отношению к ней, утешить ее, успокоить, хотя бы помассировать плечи, когда она устала. Она несла весь груз своей ответственности и все тяготы своей жизни одна. Иногда она чувствовала, что эта тяжесть давит на нее уж очень сильно. Как, например, сейчас.

Когда журналист вошел, она встала и улыбнулась. Он был высокий, худой, лысоватый, лицо злобное, явно будет требовать, чтобы она объяснила, а зачем, собственно, нужна мода. И вдруг она почувствовала, что и это ей тоже безразлично, сделала вид, будто рада встрече, с приветливой улыбкой пожала ему руку, предложила чай, кофе, указала на вазу с шоколадными конфетами.

— Неплохой отельчик вы себе выбрали, — заметил он, принимая чашку кофе, и съел четыре конфеты одну за другой. — Вам не стыдно жить в такой роскоши и тратить сумасшедшие деньги, которые вы получаете, эксплуатируя людей и наживаясь на их увлечении модой? — выпалил он, проглотив очередную конфету, и Тимми ласково улыбнулась ему, не зная, как следует ответить на такой идиотский вопрос. Да, день будет долгий, думала она, глядя на него, и пожелание Зака наверняка исполнится. Без него, здесь, ее жизнь уже превращается в кошмар. Но будь он рядом с ней, возможно, ей было бы еще хуже, ведь сейчас у него одно настроение, а через час другое. Как все зыбко в жизни.

Глава 2

Как Тимми и ожидала, оба ее послеобеденных интервью в среду оказались очень утомительными. Она давала такие интервью уже двадцать три года. Публичный аспект ее работы редко доставлял ей удовольствие. Она любила создавать модели, обдумывать новые идеи и представлять новые коллекции по нескольку раз в год. С тех пор как она прибавила еще несколько направлений к своей компании, это стало еще увлекательнее. Возможности открывались просто необъятные.

Очень важной сферой ее деятельности было представление коллекций готовой одежды в Нью-Йорке и в Европе. Она придавала им особенно большое значение, поскольку была единственным американским модельером, который показывал свои модели на подиумах и Америки, и Европы, и потому вкладывала особенно много сил в демонстрации своей готовой одежды. Особенно волновали ее показы сезонных коллекций, которые проходили два раза в год. Они должны были быть организованы безупречно, для нее это был вопрос чести. Она лично вникала в мельчайшие детали. Примерки и подгонка одежды, которая должна сидеть на фотомоделях идеально, выбор аксессуаров, которые должны идеально соответствовать одежде, бесконечные репетиции —

44

за несколько дней такой лихорадки можно заработать язву. С людьми Тимми была всегда ровна и доброжелательна, но не дай бог, если что-то сорвется, если модель на подиуме выглядит не так, как надо, если у нее не та прическа, если она не так повернулась, сделала не то движение, складка не так лежит, — Тимми взорвется, как вулкан.

В пятницу во второй половине дня все до единой вещи были идеально подогнаны к фигурам моделей, которые будут их демонстрировать. Репетицию назначили на понедельник, и Тимми, закончив к вечеру переговоры с поставщиками тканей, вдруг осознала, что всю неделю она чувствует боль в животе. Она почти ничего не ела, и чем меньше ела, тем хуже себя чувствовала. Джейд, перед тем как ей с Дэвидом лететь в Лондон вечерним рейсом на самолете «Евростар», спросила Тимми, как она себя чувствует. Они решили провести уик-энд в Лондоне, Дэвид даже отказался от поездки в Прагу, чтобы лететь вместе с Джейд. Их ожидали три банкета, а он к тому же хотел непременно сходить в Галерею Тейт.

— Ты что, неважно себя чувствуешь? — еще раз спросила Джейд перед самым отъездом. Она встревожилась. Тимми была необычно бледна, да и всю неделю казалась нервозной и взвинченной. Такое неудивительно перед демонстрацией коллекции. Тимми всегда волновалась перед показами, но сейчас она совсем извелась, и Джейд увидела, как плохо она выглядит. Измученная, обессиленная.

— Если честно, я чувствую себя отвратительно, — сказала Тимми и усмехнулась. — Наверное, просто устала. Лучше бы наш «безумный месяц» начинался с Парижа, а не кончался им. К тому времени как мы привозим сюда наши коллекции, я уже выматываюсь. Думаю, я слишком выложилась в Милане. — Хотя и там показ прошел очень хорошо, и Тимми осталась довольна. Она надеялась, что и в Париже все будет не хуже. Выбрала для Парижского дефиле лучших моделей, ее одежда выглядела на них просто великолепно.

— Постарайся за эти дни отдохнуть, — заботливо попросила Джейд Тимми, и в эту минуту в номер Тимми вошел Дэвид, пора было ехать в аэропорт. Их номера были напротив номера Тимми. — Тебе же ничего больше не нужно делать.

Все готово. — Джейд знала, что Тимми очень нравятся ткани, которые она заказала для коллекции следующего года. Она нашла все, что ей хотелось, и договорилась с поставщиками, что они изготовят несколько сортов тканей специально для нее. А уж она создаст из них нечто совершенно необыкновенное. — Ты пойдешь здесь на какие-нибудь тусовки?

— Может быть, покажусь раз или два. — Многие модные дома в Париже давали банкеты, но «Тимми О» решила в этом году ничего не устраивать, это облегчало жизнь, и потому-то у Джейд и Дэвида появилась возможность слетать в Лондон, иначе им бы не вырваться, пришлось бы весь уик-энд вкалывать с утра до ночи в Париже. Все они, конечно, знали, что вообще отвертеться от банкета им не удастся, придется отгрохать нечто грандиозное в феврале, когда они привезут сюда следующую коллекцию, но хотя бы на этот раз они не взваливают на себя эту обузу. — По-моему, у меня начинается грипп, — задумчиво сказала Тимми. — Мне надо хорошенько выспаться, и завтра я буду в норме. — Ей не хотелось идти ни в одно из своих любимых бистро, не было настроения, пожалуй, стоит попросить принести ужин в номер, лучше она спокойно проведет вечер здесь, одна. Закажет суп и потом сразу ляжет спать.

— Позвони нам, если мы вдруг зачем-нибудь понадобимся, — напомнила ей Джейд и обняла ее на прощание. Она знала, что Тимми весь уик-энд будет в упоении бродить по Парижу, заходить в свои любимые магазинчики и кафе, если, конечно, не расхворается, но они с Дэвидом надеялись, что этого не случится.

— Ни за чем вы мне не понадобитесь. Развлекайтесь вовсю. — Они были еще молоды и с радостью летели в Лондон, чтобы обегать все интересные тусовки, и это после трех недель каторжной работы! Тимми заказала им столик в «Гарри баре» и оплатила ужин, и это был для них еще один подарок. Вскоре после того, как они уехали, она легла в горячую ванну и почувствовала, что ей лет сто, не меньше. После долгих изнурительных недель и особенно трудных последних дней в Париже было так приятно нежиться в глубокой ванне, в теплой воде.

И здесь, в ванне, она вспомнила Зака. После того утреннего звонка в день приезда она ему не звонила. Вроде бы никакой необходимости не было, а где она, он знает. Мог бы и сам позвонить ей, однако не звонил. И все же она о нем думала и, выйдя из ванны, послала ему коротенький е-мейл, просто так, для поддержания связи. Ей не хотелось рвать отношения, пока она не вернется. Потом вызвала официанта и попросила принести себе куриный суп, прочитала несколько страниц в книге, которую привезла с собой и до сих пор так и не открыла из-за недостатка времени, и в десять часов заснула.

В два ночи она проснулась от резкой боли в животе, и ее тут же вырвало, и потом рвало весь остаток ночи. Ей было так муторно, что она еле держалась на ногах. Наконец после шести утра, когда парижское небо начало светлеть, она все-таки заснула. Заболеть в Париже, в городе, который она так любила, и лишиться счастья гулять по нему, любоваться, — этого она боялась больше всего. Как же ей не повезло, она подхватила грипп во время поездки, это ясно. Проснулась она уже в полдень и почувствовала, что ей лучше, только мышцы живота болели после бессчетных приступов тошноты. Но сейчас ее больше не тошнило, и она наконец поднялась с кровати. Тяжелая выдалась ночь, но, кажется, худшее уже позади.

Она позвонила Жилю и попросила, чтобы он ждал ее в час дня. Потом заказала себе чай с тостом и подумала, не позвонить ли опять Заку, но вспомнила, что у него сейчас три утра. Странно, что ей порой так хотелось достучаться до него. Какой бы он ни был, но ведь он ее нынешний спутник жизни, пусть лишь на короткое время. Ночью, когда ей было так плохо, она чуть не позвонила ему, как того требовал простой инстинкт. Но не такие у них были отношения, чтобы она обратилась к нему в беде за утешением. У нее было сильное подозрение, что он бы посмеялся над ней или просто отмахнулся. За те четыре месяца, что они вместе, она имела возможность убедиться, что сострадание ему свойственно в минимальной степени. Когда она говорила, что у нее был трудный день и что она устала, он пропускал ее слова мимо ушей и предлагал куда-нибудь пойти, и она несколько раз соглашалась, чтобы доставить ему удовольствие, забывая о себе и думая только о нем... Тимми приняла душ, надела джинсы и свитер, удобные туфли и вышла из отеля. Ее уже дожидался Жиль, как он и обещал ей, и, увидев ее, тут же заулыбался.

Он провез ее по всем ее любимым местам, но к четырем часам она опять почувствовала, что ей плохо. Она дорожила каждой минутой своего времени в Париже, и ей хотелось побывать еще в пассаже Дидье Людо в Пале-Рояле, порыться в его коллекции винтажной одежды, однако она в конце концов решила отказаться от визита туда и вернуться в отель. У нее не было сил ходить по бутикам. И, вернувшись в «Плаза Атене», она сразу же легла в постель. В семь ее опять начало тошнить, выворачивало наизнанку еще более мучительно, чем ночью. Непонятно, что за вирус она подхватила, но вирус этот был скверный, через два часа ей казалось, что она умирает. Она еще раз доплелась до ванной, а возвращаясь в постель, чуть не потеряла сознание. Начала подкрадываться паника, хоть Тимми и не хотелось признаваться в этом самой себе. Проплакав в постели с полчаса, она стала думать, что, наверное, надо найти врача. Конечно, у нее желудочный грипп, это ясно, но уж очень плохо она себя чувствует. И тут она вспомнила о враче, которого ей рекомендовал кто-то из нью-йоркских друзей, — мало ли что может случиться в Париже. В ее записной книжке сохранился клочок бумаги с телефоном его клиники и с номером мобильного телефона. Она не без колебаний позвонила на его мобильный и оставила сообщение, а потом легла и закрыла глаза. Ей было страшно, что она так сильно заболела. Она ненавидела болеть в поездках, вдали от дома. Опять захотелось позвонить Заку — господи, ну какая же она идиотка! Ну что она ему скажет? Что у нее грипп и что ей ужасно плохо? Джейд и Дэвиду она тоже решила не звонить, зачем их тревожить, поэтому просто лежала в постели и ждала, когда доктор ей отзвонится. Отзвонился он очень скоро, буквально через несколько минут, что ее приятно удивило, и сказал, что приедет к ней в гостиницу к одиннадцати часам.

Как только доктор вошел в гостиницу, ей позвонил швейцар и сказал, что он поднимается к ней. Тимми не рвало уже почти два часа, и она надеялась, что это хороший знак и что она идет на поправку. Как глупо было беспокоить доктора по такому явно незначительному поводу, хоть и очень для нее неприятному, тем более что он вряд ли сможет ей чем-то помочь. Она чувствовала себя очень неуверенно, открывая ему дверь после того, как он постучал, и уж совсем растерялась, увидев высокого красивого мужчину чуть за пятьдесят в безупречно элегантном черном костюме и белой рубашке. Его скорее можно было принять за бизнесмена, чем за врача. Он представился — доктор Жан-Шарль Вернье. Она стала извиняться за то, что испортила ему субботний вечер, но он сказал, что был на ужине совсем рядом и она ничуть его не потревожила. Он будет рад ей помочь, хотя вообще не посещает пациентов в гостиницах. Тимми знала, что он врач-терапевт и пользующийся большим авторитетом профессор медицинского факультета Университета Рене Декарта. Прочитав сообщение Тимми в своем мобильном телефоне, он тотчас оставил общество, с которым ужинал, хотя статус его был несколько выше, чем требовалось для того, чтобы оказать любезность нью-йоркскому приятелю Тимми. Тимми была счастлива, что записала тогда имя доктора и номер его телефона и теперь могла позвонить ему, а не вызывать кого-то совершенно незнакомого, кого бы ей предложили в отеле. Как хорошо, что к ней пришел известный в Париже и всеми уважаемый врач.

Он вошел следом за Тимми в гостиную и увидел, что она идет медленно и неуверенно, а лицо у нее, при том что она рыжая и, значит, от природы белокожая, слишком уж бледное. Заметил, что она вздрогнула, садясь, словно у нее все тело болело, и так оно и было на самом деле. Ей казалось, что все ее мышцы кричат от боли. Ведь ее рвало целые сутки.

Доктор был немногословен. Он измерил температуру, прослушал легкие. Сказал, что жара нет, легкие чистые, и попросил лечь. Когда он убирал свой стетоскоп, она увидела на его левой руке обручальное кольцо и не могла не отметить, что он очень красивый мужчина: глаза серо-синие, волосы все еще русые, хотя на висках серебрится благородная седина. И невольно мелькнула мысль, что на нее сейчас страшно смотреть, хотя ей это совершенно безразлично. Слишком ей сейчас плохо, как она выглядит, так и выглядит. Она легла, он ободряюще улыбнулся ей и стал осторожно прощупывать ее живот, потом нахмурился. Попросил ее подробно описать, что с ней было, снова нажимал живот в разных местах и спрашивал, больно или нет. Особенно чувствительным было место вокруг пупка, и когда он к нему прикоснулся, она вскрикнула от боли.

— Это всего лишь грипп, я уверена, — стала убеждать доктора Тимми, хоть и испугалась. Он улыбнулся. Он очень хорошо говорил по-английски, правда, с французским акцентом, да и по внешнему виду можно было сразу сказать, что он француз, только более высокого роста, чем большинство мужчин во Франции.

— Вы к тому же еще и врач? — спросил он ее не без лукавства. — А не только знаменитый модельер? Я должен желать вам всяческого зла, ведь вы меня разоряете. Моя жена и обе дочери вечно покупают вашу одежду.

Она улыбнулась его словам, а он пододвинул стул к кровати и сел, чтобы поговорить с ней. Он видел, что ей страшно.

— У меня что-то ужасное?

Ночью она в какую-то минуту решила, что у нее, наверное, рак или по крайней мере прободение язвы, но когда ее рвало, крови не было. Она надеялась, что это утешительный знак, но его взгляд ей не понравился. Чутье подсказывало, что ей не понравится и то, что он скажет, и чутье ее не обмануло.

— Я не считаю, что у вас что-то ужасное, — осторожно произнес он. Она в волнении теребила длинную прядь своих рыжих волос и в этой огромной кровати вдруг показалась ему испуганной маленькой девочкой. — Однако я немного обеспокоен. Мне бы хотелось отвезти вас сейчас в клинику и сделать несколько анализов.

— Зачем? — Она глядела на него широко раскрытыми глазами, и он понял, что ее страх перерос в панику. — Что это такое, как вы думаете? — К ней вернулась уверенность, что у нее все-таки рак.

— Я ничего не могу сказать определенного без УЗИ и томограммы, но думаю, что у вас, возможно, приступ аппендицита. — Он был почти уверен в этом, но не хотел ставить официальный диагноз без обследования на приборах. — Я бы хотел отвезти вас в Американский госпиталь в Нейи. Это очень приятное место, — сказал он ободряюще, потому что глаза ее стали наполняться слезами. Он знал, что Американская клиника испугает ее меньше, чем Пти-Сальпетриер, где он также работал. Ему была предоставлена привилегия посещать пациентов и в Американской клинике, но он редко пользовался этой привилегией.

— Но мне нельзя! У меня во вторник показ коллекции, а в понедельник репетиция. Я должна быть там, — пролепетала она вне себя от ужаса и увидела, что он нахмурился.

— Поверьте мне, мадам О'Нилл, что если ваш аппендикс прорвется, вы никак не сможете быть на показе. Понимаю, ваш показ очень важная вещь, но не сделать обследования сейчас было бы верхом безответственности.

Он видел, что состояние ее очень тяжелое.

— А если это аппендикс, меня придется оперировать? — спросила она прерывающимся голосом, и он ответил ей не сразу. Его можно было принять за элегантного гостя на чопорном светском банкете в ресторане отеля, который заглянул к ней в апартаменты, но при всей своей светскости говорил он как опытный серьезный врач, и ее испугали его слова.

— Возможно, — наконец произнес он. — Мы будем знать это более точно после обследования. С вами когда-нибудь такое случалось? Или что-то подобное, в последние несколько дней или недель? — Она покачала головой.

В последнюю ночь в Милане ее слегка подташнивало, но она подумала, что это из-за еды. За ужином она ела белые итальянские трюфели с пастой, сумасшедше дорогое блюдо. Джейд и Дэвид тоже чувствовали потом тяжесть в желудке, и все согласно решили, что в ее недомогании повинны белые трюфели. В Милане ее не рвало, а вот две последние ночи... Наутро после ужина с трюфелями она чувствовала себя прекрасно. Доктору она о том случае не стала рассказывать из страха — вдруг он решит, что она больна уже давно, и станет еще решительнее настаивать на немедленном обследовании.

— Мне кажется, я чувствую себя лучше. Меня уже несколько часов не рвало.

Она упрямилась, как ребенок, и его это совсем не умиляло. На кой черт ему сдались несговорчивые пациенты посреди ночи, он не привык иметь дело с иностранцами-знаменитостями и упертыми американками. Жан-Шарль Вернье привык к тому, что его больные и его студенты выполняют все, что он им велит. Он был известный профессор, и к его мнению относились с неизменным уважением. Он сделал вполне правильное заключение, что она одержима своей работой.

— Может быть, мне сейчас стоит отдохнуть, посмотрим, как я себя буду чувствовать завтра, и тогда все и решим? — Она с ним торговалась, и он рассердился, в его взгляде появилось нескрываемое раздражение. Ему было ясно, что она ни за что не хочет ехать в клинику и старается от нее отвертеться. Она же понимала, что если туда попадет и ей сделают операцию, показ во вторник пройдет через пень колоду. У нее не было уверенности, что кто-то другой, даже Джейд и Дэвид, способен провести его с таким блеском, как она. За всю свою карьеру художника-модельера она не пропустила ни одного показа своей коллекции. И к тому же у нее не было ни малейшего желания делать операцию во Франции. Она займется всем этим, когда, бог даст, вернется домой, или хотя бы в Нью-Йорк. — Давайте все-таки подождем еще один день? — попросила она, глядя на него своими зелеными глазами, которые казались очень большими и темными на мертвенно-бледном лице.

— Очень скоро может наступить ухудшение. Если аппендикс и в самом деле воспалился, вы же не хотите, чтобы он прорвался?

От этих слов ее пробрала дрожь. Ее совсем не привлекала перспектива того, что внутри ее что-то разорвется.

— Конечно, не хочу, но, может быть, он и не прорвется. Может быть, у меня что-то другое, не такое страшное, вроде желудочного гриппа? Я вот уже три недели нахожусь в путешествии.

— Вижу, вы очень упрямая женщина, — сказал он, сурово глядя на нее с высоты своего внушительного роста. — Не вся жизнь заключается в работе. Нужно заботиться и о своем здоровье. Вы путешествуете не одна? — деликатно спросил он, хотя было понятно, что в апартаментах, кроме нее, никого нет. Другая половина постели была не смята.

— С двумя помощниками, но они улетели на выходные в Лондон. Я могу полежать в постели до понедельника, и даже если это аппендицит, может быть, приступ пройдет.

— Возможно, но, судя по всему, острое состояние у вас продолжается уже около двух суток. Это плохой знак. Мадам О'Нилл, я должен сказать вам, что, по моему мнению, вам следует поехать в клинику.

Он говорил строго, и по его выражению лица было ясно, что он серьезно рассердится, если она откажется выполнить его предписание. Ее раздражала его настойчивость, а его — ее упорство еще больше. Глупая, непрошибаемая, избалованная особа, думал он, привыкла делать только то, что хочется. Еще одна американка, помешанная на деньгах и на работе. Ему встречались такие пациенты и раньше, хотя трудоголики, которых он лечил, почти все были мужчины. Пренеприятнейшая ситуация. Он — известный уважаемый врач, у него большая практика и нет ни времени, ни желания убеждать больную, которая отказывается от его помощи, пусть она хоть трижды знаменитость. В своей профессии и в своем мире он не меньшая величина, чем она.

— Я хочу подождать, — упрямо повторила она. Он понял, что ее ничем не прошибить. Как это ни глупо, она недоступна доводам здравого смысла.

— Я вас понимаю, но согласиться с вами не могу. — Он достал из внутреннего кармана пиджака ручку и рецептурные бланки из своего докторского чемоданчика. Написал что-то на бланке и протянул его ей, она взглянула на бланк, надеясь, что он прописал ей какое-то чудодейственное средство, от которого она сразу поправится. Но вместо прописи увидела номер его мобильного телефона. Тот же самый номер, по которому она ему звонила. — Номер моего телефона вы знаете. Я высказал вам свое мнение относительно того, что вам следует делать. Если вы не пожелаете воспользоваться моими рекомендациями и если вам станет хуже, позвоните мне в любое время дня и ночи. Но тогда я уже буду настаивать, чтобы вы легли в клинику. Вы согласны поступить так, как я вам предлагаю, если вам не станет лучше и если, напротив того, вы почувствуете себя хуже? — говорил он ледяным тоном и очень жестко.

— Да. Тогда я соглашусь, — подтвердила она. Все, что угодно, только бы выиграть время. Она должна продержаться до вечера вторника и не имеет права допустить, чтобы ей стало хуже. А там, бог даст, все и пройдет. Может быть, у нее и в самом деле всего лишь желудочный грипп и доктор ошибся. Она от души надеялась, что он ошибся.

— Значит, мы договорились, — сухо произнес он, встал со стула и поставил его туда, где он стоял раньше. — Я настаиваю на своей рекомендации ради вашего блага. Звоните мне без колебаний. Я отвечаю на звонки в любое время дня и ночи. — Он хотел, чтобы она осознала, что положение серьезное, но не хотел казаться слишком грозным и слишком уж ее запугивать, ведь тогда она из страха не посмеет позвонить ему, если ей станет хуже.

— А вы не можете мне чего-нибудь прописать на тот случай, если опять станет плохо? Ну, чтобы прекратилась тошнота? — Ее и сейчас подташнивало, подташнивало все то время, что она лежала в кровати и разговаривала с ним, но признаваться ему в этом она не хотела. Она сегодня ночью в клинику не поедет, не поедет, и все. Может быть, он просто перестраховщик, а то и просто трус, не желает рисковать, убеждала она себя. Боится, что ему предъявят обвинение в недобросовестности, если он хотя бы не предложит ей лечь в клинику. Ментальность у нее была предельно американская и совершенно чуждая доктору.

— Это было бы неразумно, — сухо ответил он в ответ на ее просьбу. — Что бы у вас ни было, я не хочу смазывать картину. Для вас это опасно.

— Несколько лет назад у меня была язва, может быть, сейчас она снова открылась?

— Тем больше оснований сделать ультразвуковое обследование. Скажу вам со всей серьезностью: я буду настаивать на этом до вашего отъезда из Парижа. Когда вы уезжаете?

— Не раньше пятницы. Я могу приехать в клинику в среду к вечеру, когда закончится показ. — Она надеялась, что к тому времени окончательно поправится.

— Надеюсь, так вы и сделаете. Позвоните мне в среду утром, я договорюсь об ультразвуковом обследовании для вас. — Говорил он деловито и холодно, и Тимми решила, что его самолюбие уязвлено, потому что она не пожелала последовать его совету.

— Спасибо, доктор, — тихо произнесла она. — Простите, что заставила вас прийти сюда из-за пустяка. — Она говорила так искренне, что у него мелькнула мысль, а может быть, она на самом деле вполне милая, приятная женщина? Бог ее знает, до сих пор он видел только, до какой степени она упряма и как привыкла всегда настаивать на своем. Его это не удивляло, ведь он знал, кто она. И решил, что она, видимо, привыкла управлять всеми и всем в своем мире. Единственное, что ей не подчинялось, это ее здоровье.

— Нет, не из-за пустяка, — вежливо возразил он. — Вы чувствовали себя очень плохо. — Он правильно угадал, что она принадлежит к людям, которые вызывают врача лишь в том случае, когда им кажется, что они умирают или близки к этому. Жан-Шарль согласился посмотреть ее, делая любезность своему нью-йоркскому пациенту, который оказал ей протекцию. И еще потому, что услышал в голосе Тимми отчаяние еще до того, как она назвала ему свое имя.

— Верно, но сейчас мне лучше. Знаете, а вы испугали меня, — призналась она, и он улыбнулся.

— Надо было сильнее испугать, чтобы вы поехали делать ультразвуковое обследование сейчас. Так и надо бы сделать, я убежден. Не ждите, пока станет совсем плохо, звоните сразу. Иначе может быть слишком поздно, и если это аппендикс, он прорвется.

— Постараюсь, чтобы до среды у меня нигде ничего не прорывалось, — усмехнулась она. Он взял свой чемоданчик. Несмотря на все свое дикое упрямство и нежелание считаться с ним как с врачом, она была ему почему-то симпатична.

— Надеюсь, ваш показ пройдет удачно, — вежливо пожелал он, посоветовал ей не вставать до показа с постели, как можно больше отдыхать весь завтрашний день и вышел.

Дверь за ним закрылась, но Тимми продолжала лежать в постели, ей было очень страшно, и при этом она чувствовала, что избежала какой-то катастрофы. Она наотрез отказалась поехать сейчас в клинику. Одна мысль об этом наводила на нее ужас. Она ненавидела больницы и даже, случалось, врачей. Бывала у них редко и то лишь когда чувствовала, что ей совсем плохо, а сейчас, что греха таить, был именно тот самый случай. Тимми полежала не двигаясь несколько минут и позвонила Заку. Ей было очень страшно и одиноко, и она потянулась к нему. Тревожить Дэвида и Джейд в Лондоне не хотелось. А в Лос-Анджелесе сейчас три часа дня, она наверняка застанет его дома. Он часто бывает в это время дома, особенно по субботам. Он уже вернулся из тренажерного зала, и где бы ни собирался провести вечер, идти туда еще рано. Но когда она позвонила сначала на домашний телефон, а потом на мобильный, ей ответил автоответчик, и единственное, что она могла сделать, это оставить ему сообщение, сказать, что она заболела и просит его отзвониться. Ей необходимо было с кем-то поговорить, а поскольку он — мужчина, с которым она спит, то при всей кратковременности их отношений он казался ей самым подходящим собеседником. Хотелось услышать знакомый голос, который утешит ее хоть ненадолго, хотелось, чтобы через темноту к ней протянулась дружественная рука.

Она полежала еще около часа не шевелясь, с тревогой думая о том, что говорил доктор, и наконец примерно в половине второго заснула. Ее за это время ни разу не вырвало. Зак ей не отзвонил. Где он мог быть? Она понятия не имела.

Наутро она проснулась в десять и — о чудо! — почувствовала, что ей стало лучше. Позвонила Жилю и сказала, что сегодня никуда не поедет. Она надеялась побывать в базилике Сакре-Кёр, послушать пение монахинь, которое ей так нравилось, но решила, что разумнее остаться в постели и не провоцировать болезнь. Весь день она спала, просыпалась, снова засыпала, пила куриный бульон, потом чай, и наконец к вечеру заказала немного риса. К тому времени как уже поздно вечером вернулись Джейд и Дэвид, она чувствовала себя лучше. Они были в восторге от поездки, благодарили ее за ужин в «Гарри баре», рассказывали о тусовках, на которых побывали, Дэвида переполняли впечатления от посещения Галереи Тейт. Тимми не сказала им ни слова о том, как ей было плохо, как она вызывала врача, как врач настаивал, чтобы она ехала в клинику на обследование и только благодаря какому-то чуду она избежала этого кошмара. Заснула она рано, а утром в понедельник проснулась с таким ощущением, будто никакого приступа у нее и не было, и потому решила, что доктор ошибся, хоть он и светило в медицинском мире. Ясно, что это всего лишь желудочный грипп. С чувством великого облегчения она надела джинсы, черный свитер и черные туфли-балетки и спустилась вниз, чтобы проводить репетицию в номерах, которые они сняли на двое суток для демонстрации своей коллекции.

Во время репетиции царила полная неразбериха. Но так бывало всегда. Фотомодели опоздали, выходили на подиум не оттуда и шли не туда, никто ничего не понимал, освещение установили не так, как надо, диски с музыкой, которые они привезли с собой, куда-то запропастились, нашли их только после того, как все разошлись. За многие годы Тимми привыкла к подобному хаосу на репетициях и теперь вдвойне радовалась, что не позволила уговорить себя лечь в клинику, где ей, возможно, без всякой необходимости удалили бы аппендикс. Она не доверяла французской медицине. Вечером она даже поужинала с Джейд и Дэвидом в ресторане отеля «Вольтер», и потом они все заглянули на банкет неподалеку. Оплачивал его Диор, и, как всегда на подобных мероприятиях, антураж поражал баснословной роскошью. Под люцитовым полом сияла вода бассейна, всюду расхаживали фотомодели топлес, и в три ночи, когда они наконец вернулись к себе в отель, Тимми едва держалась на ногах и тотчас же легла в постель. И с радостью подумала, что хоть она и смертельно устала, но больной себя вовсе не чувствует. Ни тени недомогания, какое счастье, что доктор ошибся.

Насколько на репетиции все шло вкривь и вкось, настолько гладко, как по маслу, прошла на следующий день презентация. Тимми не уставала радоваться, что сама за всем проследила. Упусти она хоть одну мелочь, в суете обязательно потеряли бы какие-то важные детали, она была в этом уверена. Доверить показ коллекции кому-то другому? Да ни за что на свете! Все они поздравили друг друга, и в восемь вечера Джейд и Дэвид вылетели в Нью-Йорк. Это была последняя демонстрация, им теперь предстоит провести несколько дней в Нью-Йорке, потому что там назначены деловые встречи, и всё — можно наконец возвращаться в Лос-Анджелес.

Тимми планировала вернуться в пятницу и провести субботу и воскресенье в Нью-Йорке, посетив сначала их фабрику в Нью-Джерси. На понедельник и на вторник у нее были назначены деловые встречи, а вечером во вторник они все полетят домой, в Лос-Анджелес. И вдруг в какой-то миг Тимми осознала, что Зак ей так и не отзвонился. Наверняка наказывает ее за то, что не взяла его с собой в Париж, и с большим злорадством, что прослушал ее сообщение на автоответчике, где она пожаловалась ему, что заболела. Мог ли он упустить такой замечательный повод и не поиздеваться над ней, тем более что его пожелание исполнилось. Раз она заболела, значит, ей плохо без него в Париже, зачем же он будет ей звонить. То, что она болеет и, возможно, жизнь ее действительно превратилась в кошмар, давало ему некое чувство превосходства над ней. Грустно, но Тимми знала, что душа у него мелкая и что он способен подолгу таить зло.

Она так устала после презентации и общения с несколькими журналистами и редакторами из «Вог», с которыми пришлось что-то пить в баре, что заказала ужин себе в номер. Джейд и Дэвид уже летели в Нью-Йорк. И Тимми, и ее помощники были без сил после напряженнейших недель представления коллекции готовой одежды. А представление ее не только в Нью-Йорке, но и в Европе, ложилось на них двойной тяжестью, и сейчас Тимми с трудом поднялась к себе. Не прикоснувшись к поданному ей ужину, она рухнула на кровать, не раздеваясь, и заснула.

Когда она проснулась, то не могла понять, который сейчас час. За окнами было темно, и единственное, что она ощущала, это режущую боль в правом боку. Боль была такая сильная, что она не могла вздохнуть, и сейчас у нее уже не было сомнений, что это такое. Доктор Вернье все-таки оказался прав. Она лежала на кровати и плакала, в отчаянии пытаясь нащупать на прикроватной тумбочке листок бумаги с его телефоном. Ее охватила паника, но листок все-таки нашелся, и она, корчась от боли, набрала номер его мобильного телефона. И тут увидела, что часы показывают четыре утра. Знала она только одно: с ней случилась беда, и беда большая. Он ответил после второго гудка, и она с трудом что-то произнесла. Сначала он ее не узнал. Она всхлипывала, борясь с болью и ужасом, но ей все-таки удалось назвать свое имя, и тогда он понял, кто это. И догадался, как минуту раньше догадалась она, что произошло. Аппендикс прорвался или вот-вот прорвется, это ясно как день. Она не звонила ему три дня, и он стал надеяться, что все обошлось и что он ошибся со своим диагнозом. Увы, ничего не обошлось, и он не ошибся.

— Доктор, простите ради бога, что звоню вам так поздно... — бормотала она, задыхаясь и всхлипывая, — я... у меня такие сильные боли... мне...

— Понимаю. — Ей не надо было ничего ему объяснять, он мгновенно проснулся и был собран и спокоен. — Я немедленно высылаю за вами машину «Скорой помощи». Оставайтесь в постели. Не двигайтесь. И не одевайтесь. Когда вы подъедете к клинике, я вас там встречу. — Он говорил ясно, твердо и уверенно, с профессиональным спокойствием, и она почувствовала, что ему можно довериться.

Он понимал, что она в крайнем отчаянии и в большой опасности. В такой ситуации медлить нельзя.

— Я ужасно боюсь... — И она заплакала не таясь, совсем как маленькая девочка. — У меня такие боли... что вы будете делать? — Ей не надо было спрашивать, она и без того все знала, и он не дал ей прямого ответа. Он просто успокаивал ее и говорил, что бояться совершенно не надо.

— Ваши помощники с вами? — Он вспомнил, что в прошлый раз она была одна. Это произвело на него тяжелое впечатление, и он сейчас тревожился за нее. Какая глупость, что она отказалась от обследования три дня назад, но что сейчас об этом вспоминать. Нужно как можно скорее отвезти ее в клинику и передать в руки хирургов. Они обследуют ее уже в операционной, готовя к операции.

— Они улетели в Нью-Йорк, — прошептала она.

— Вы одна?

— Да.

— Пусть кто-нибудь из прислуги отеля побудет с вами. А я вызову «Скорую помощь». Мадам О'Нилл, все будет хорошо, — сказал он уверенно и спокойно, но его уверенность и спокойствие не прогнали ее панику.

— Нет, все плохо, я знаю. — Она плакала навзрыд, как ребенок, и он подумал, что наверняка дело не только в аппендиксе, который вот-вот прорвется, есть еще какая-то беда! Она смертельно испугана, но он не хотел терять время.

— Когда вы приедете в клинику, я вас там уже буду ждать, — произнес он спокойно и разъединился. Выбора у нее не было. Заботясь о ней, он отправляет ее в Американскую клинику, а не в больницу университетского комплекса Пти-Сальпетриер, где работает и преподает сам. И в клинике, и в больнице он пользовался особыми привилегиями.

Тимми вызвала горничную, та через несколько минут пришла, села рядом, заботливо взяла за руку и так просидела с ней до приезда санитаров, санитары уложили Тимми на каталку, накрыли одеялами и быстро покатили по пустым коридорам отеля. Появление санитаров вызвало в вестибюле отеля немалый переполох: когда ее вывозили, вышел дежуривший в ту ночь помощник администратора. Через несколько минут машина «Скорой помощи» уже мчала Тимми по ночным улицам Парижа, а она тихонько плакала. Санитары не говорили по-английски и потому не могли ее успокоить. Наконец приехали и стали выносить ее из машины, ее глаза расширились от непереносимого ужаса, и первое, что она увидела, оказавшись во дворе больницы, был доктор Вернье, который ее уже ждал. Он взглянул на ее лицо, молча взял за руку и так и держал, пока ее быстро катили по коридорам клиники к операционной, где уже готовились ее оперировать.

— Я попросил приехать одного из лучших хирургов Парижа, — негромко сказал он, когда Тимми вкатывали в ярко освещенную операционную, и она поглядела на него глазами полными ужаса.

— Я боюсь, — прошептала она, сжимая его руку, боль была такая сильная, что только на это усилие она и была способна. — Прошу вас, не бросайте меня здесь одну. — И она громко всхлипнула. Он кивнул и улыбнулся ей. В эту минуту к ним подошла сестра с бумагами, которые ей надлежало подписать. Он объяснил Тимми, что это за бумаги, и спросил, кому они должны сообщить, что она находится здесь и что ситуация осложнилась, если она и в самом деле осложнится. Тимми задумалась на минуту и потом сказала, что никому звонить не надо. Ближайшим родственником она назвала Джейд Чин, объяснив им, что она ее помощница и ее можно будет найти в гостинице «Времена года» в Нью-Йорке. Дала номер ее мобильного телефона, но просила позвонить ей только в том случае, если случится что-то непредвиденное. Нет никакой необходимости тревожить ее сейчас, ведь она ничем не может ей помочь из Нью-Йорка. Он слушал Тимми и думал, как грустно, что у этой женщины, которая имеет так много, так знаменита и почитаема во всем мире, нет никого, кроме секретаря, кому можно было бы позвонить и сказать, что она заболела. Как много это открыло ему о ее жизни, о решениях, которые она принимала, и о цене, которую ей приходилось за эти решения платить. Ему стало жаль ее, и пока ей делали ультразвуковое обследование, он держал ее за руку. Диагноз, который он поставил три дня назад, оказался правильным. Ее аппендикс прорвался, и гной хлынул в полость живота.

— Пожалуйста, не оставляйте меня, — прошептала Тимми и судорожно вцепилась в его руку, он ответил успокаивающим рукопожатием.

— Конечно, не оставлю, — тихо проговорил он, наблюдая, как анестезиолог готовит ее к наркозу. Он действовал очень быстро, сейчас было ясно, что положение довольно опасное. Предстояло удалить остатки ее аппендикса и по возможности собрать вытекший гной. Пока анестезиолог говорил Тимми что-то по-французски, а Жан-Шарль переводил, по-прежнему держа ее за руку, она неотрывно смотрела ему в глаза.

— Вы останетесь, даже когда я засну? — спросила она. По ее лицу опять полились слезы.

— Останусь, если вы хотите. — От него веяло таким спокойствием, уверенностью, силой. Весь его облик убеждал ее, что на него можно положиться. И вдруг она почувствовала, что доверяет ему безоглядно.

— Я... да... я хочу, чтобы вы остались... и пожалуйста, зовите меня Тимми... — Переводя ей слова анестезиолога и объясняя, что будет происходить, он называл ее «мадам О'Нилл». Какое счастье, что она ему позвонила! Рядом с ней сейчас находится знакомый человек, она уже встречалась с Жан-Шарлем, ей рекомендовал его ее добрый друг в Нью-Йорке как прекрасного врача. Она знала, что находится в хороших руках, но все равно ей было страшно.

— Я здесь, Тимми, — сказал он, все так же держа ее за руку и твердо глядя ей в глаза своими сине-серыми глазами. — Теперь все будет хорошо. Я не допущу, чтобы с вами что-то случилось. Через минуту вы заснете. А когда проснетесь, я буду рядом с вами, — пообещал он с улыбкой. Как только она заснет, он выйдет и наденет куртку, брюки и колпак хирурга и будет присутствовать при операции, как обещал. Он всегда выполняет свои обещания, его больные знают, что он их не подведет, и Тимми сейчас это тоже почувствовала.

Вот анестезиолог наложил ей на лицо маску. Она все смотрела в глаза Жан-Шарлю, а он все продолжал говорить... несколько мгновений, и она заснула. Он быстро вышел из операционной, облачился в костюм хирурга, надел маску и стал мыть руки, невольно думая о женщине, которую сейчас начали оперировать, о том, как многого она лишила себя в жизни, чтобы добиться своего фантастического успеха, и вот теперь у нее нет ни единого человека, которому она могла бы позвонить в беде и который был бы рядом с ней и держал ее за руку. Когда она уходила в наркоз, он подумал, что никогда не видел таких печальных глаз и такого страха перед одиночеством. И еще ему показалось, когда он стоял рядом с ней, что держит за руку испуганного, всеми брошенного ребенка.

Как и обещал Жан-Шарль, все время, что длилась операция, он простоял возле Тимми. Все прошло удачно, хирург был доволен. Хирургическая бригада собралась уходить, ее повезли в послеоперационную палату, и Жан-Шарль Вернье пошел туда за ней. Он совсем ее не знал, три дня назад сердился на нее за упрямство и глупость, но сейчас он всем сердцем, всей душой, всем своим существом ощущал, что, кто бы она ни была, что бы ни происходило в ее жизни до этой ночи, он не может оставить ее одну. Кто-то должен быть с ней рядом. А кроме него, у Тимми никого нет. Ему открылось великое одиночество и великая неприкаянность ее души.

Когда она очнулась от наркоза в послеоперационной палате, то увидела его, он стоял рядом с ней. Она была еще словно в дурмане от транквилизаторов, которые в нее вкололи, но тотчас его узнала и улыбнулась ему.

— Спасибо, — еле слышно прошептала она, и глаза ее снова закрылись.

— Сладкого сна вам, Тимми, — тихо сказал он. — Завтра я к вам зайду. — И он бережно высвободил свою руку из ее пальцев.

Она уже снова крепко спала, и он вышел из палаты, попрощался с сестрами и спустился к своей машине. То, что он — ее лечащий врач и что за все время не отошел от нее ни на минуту, произвело на всех в хирургическом отделении сильнейшее впечатление.

Сам не зная почему, он испытывал к Тимми огромную жалость. По тому, как она смотрела на него ночью, он понял, что она много чего пережила в жизни и что радостного в этой жизни было мало. Сильная, энергичная женщина, которую знали все и которая так успешно управляла своей империей, не имела ничего общего с испуганным ребенком, которого он увидел ночью. Увидел, как много этому ребенку пришлось перенести и перестрадать, и его сердце откликнулось сочувствием и состраданием. Всю дорогу домой он думал о ней и смотрел, как над Парижем поднимается солнце.

А в клинике в Нейи Тимми спала крепким, спокойным сном. Сам того не зная, Жан-Шарль Вернье отогнал от нее демонов прошлого, которые слетелись к ней ночью, чтобы растерзать. А он увидел их в ее глазах, хотя и сам не мог понять, как это случилось.

Глава 3

Днем прооперированная Тимми лежала в постели и глядела в окно, и тут Жан-Шарль Вернье вошел к ней в палату. Он был в белом халате и со стетоскопом на груди. У него были свои больные в университетской больнице, где он работал, и он сначала посетил их, а потом уже поехал навестить Тимми в Американскую клинику в Нейи. Приехав, он сначала посмотрел ее медицинскую карту, расспросил сестер и узнал, что все идет хорошо. Они сказали ему, что она все еще спит, но утром проснулась в полном сознании и приняла совсем немного болеутоляющих препаратов. Он остался доволен. Ей кололи большие дозы мощнейших антибиотиков, чтобы побороть проникших в организм микробов, хотя он считал, что врачи очень быстро ликвидировали опасность заражения после того, как из прорвавшегося аппендикса хлынул гной. Да, ей было мучительно больно и страшно, но надо признать, что ей редкостно повезло, все могло сложиться во много раз хуже. Он внимательно понаблюдает за ней несколько дней, решил он, а потом она спокойно может вернуться к себе в отель. А пока он сам будет следить за ее состоянием, думал он, с улыбкой входя в ее палату. Всех своих больных он уже посмотрел и теперь может спокойно поговорить с ней, никуда не торопясь. Он сразу увидел, что она еще очень слаба, но выглядит гораздо лучше, чем можно было ожидать после вчерашних мучений.

— Ну что, Тимми, как вы чувствуете себя сегодня? — спросил он, внимательно глядя на нее своими серо-синими глазами. Какой у него заметный французский акцент!

Она улыбнулась, обрадовавшись, что он назвал ее «Тимми». Она думала, что теперь, когда весь этот ужас остался позади, он вернется к прежнему церемонному обращению «мадам О'Нилл». И ей понравилось, как он произнес ее имя, — совсем на французский лад.

— Чувствую себя гораздо лучше, чем вчера. — Она смущенно улыбнулась. У нее болело все тело, шов словно горел огнем, но разве все это можно было сравнить с кинжальной болью, которую она испытывала ночью.

— Вам на редкость повезло, все могло кончиться гораздо хуже, — сказал он, садясь на стул, стоящий возле ее кровати, и потом только спросил: — Можно? — Он был сдержан и в то же время дружелюбен, и она все время помнила, как он держал ее за руку перед наркозом, когда она дрожала от страха. И ни на минуту ее не отпустил. И сейчас она увидела в его глазах то же участие, что и тогда.

— Конечно, — сказала она в ответ на его вопрос. — Я вам так благодарна за вашу доброту ко мне прошлой ночью, — проговорила она смущенно, взглянув своими зелеными глазами в его серо-синие. Они оба так ярко помнили, что он держал ее за руку. — На меня иногда нападает ужасный страх, — призналась она, сделав над собой усилие. — Он из далекого прошлого, из моего детства, вдруг просыпается, оживает, и я никак не могу его прогнать и тогда опять становлюсь пятилетней девочкой. Такое случилось со мной прошлой ночью, когда меня привезли в клинику, и я так вам благодарна, что вы меня встретили и все время оставались со мной. — Эти слова Тимми уже прошептала, глядя ему в глаза, потом отвела взгляд, а он спокойно смотрел на нее, сидя возле кровати на стуле. Нелегко ей было признаться ему, какой беспомощной она чувствует себя порой.

— А что случилось, когда вам было пять лет? — осторожно спросил он. Спрашивал он не совсем как врач, он увидел в ее душе обнаженную кровоточащую рану и сразу понял, что ее до сих пор разрушает давняя травма. Он не мог представить себе, что это могло быть, но ему ли не знать, как часто пережитые в детстве страхи преследуют потом человека всю жизнь.

— Когда мне было пять лет, умерли мои родители, — тихо сказала она и надолго замолчала, а он продолжал сидеть и смотреть на нее. Интересно, расскажет она ему, что с ней было потом, или нет. Хотя и смерти родителей довольно, особенно если их смерть была трагической и потрясла ее или если они умерли у нее на глазах. Немного погодя она стала рассказывать дальше. — Разбились на машине под Новый год. Уехали из дома и не вернулись. Помню, как домой приехала полиция и меня забрали. Не знаю почему, но везли меня в машине «Скорой помощи». Может быть, другой машины в это время просто не было, или они подумали, что я испугаюсь, если меня посадят в полицейскую машину. С тех пор я смертельно боюсь «Скорой помощи». Даже от звука ее сирены у меня ноги делаются ватные. — И конечно же, ночью ее привезла сюда, в клинику, «Скорая помощь», теперь понятно, как нелегко далась ей эта поездка. Но выбора все равно не было, ее состояние было более чем серьезным. Наверняка именно это усилило панический ужас, в котором она была, когда он встретил ее здесь, а может быть, даже и вызвало его.

— Жаль, я не знал. Надо мне было самому увезти вас из отеля, но я хотел приехать сюда раньше и подготовить все к операции. — Она улыбнулась в ответ на его объяснение. С ним еще не случалось такого, чтобы он сам отвозил пациентов в больницу.

— Что за чепуха, откуда вам было знать? Да и вообще мне было не до того, я на это почти не обратила внимания. Меня до потери сознания страшило, что будет потом, когда я приеду сюда. — Он ободряюще улыбнулся ей, и она опять почувствовала то же, что ощутила вчера, когда увидела его здесь и когда он взял ее за руку, — рядом с ним ей не страшно. От него исходили спокойствие, уверенность, теплота, может быть, даже нежность и большая сила. Верный, надежный и по-настоящему хороший человек. Она его почти не знала, но чувствовала, что он ее защищает и что сейчас в ее душе мир и покой. Сколько в нем доброты и деликатности...

— Куда вас отвезла «Скорая помощь», когда погибли ваши родители? — с участием спросил Жан-Шарль Вернье, внимательно вглядываясь в ее лицо, и ему показалось, что он уловил тень какого-то далекого и мучительного воспоминания, промелькнувшего в ее душе. Да, от того, что ожило в памяти прошедшей ночью, трудно было не содрогнуться.

— Отвезли меня в приют для сирот. И я прожила там одиннадцать лет. Сначала мне говорили, что меня очень скоро удочерят, и посылали в дом к разным людям — вдруг я там приживусь. — Глаза у нее были грустные, и хотя он молчал, сердце его сжалось. Сколько же она пережила, когда совсем еще маленькой девочкой вдруг осиротела и осталась одна-одинешенька во всем мире, а потом жила в приюте среди совершенно чужих людей. Какая жестокая судьба выпала ребенку. — У кого-то я жила несколько дней, у кого-то неделю-две, у одних даже чуть не целый месяц, и это время мне показалось нескончаемо долгим. А кто-то возвращал меня в приют через день или два. Думаю, с тех пор мало что изменилось. Все хотят взять еще грудного ребенка, желательно новорожденного. И никому не нужна тощая пятилетняя дикарка с острыми коленками, к тому же рыжая и вся в веснушках.

— По-моему, это очаровательно, — сказал он, и она грустно улыбнулась в ответ.

— Очаровательной меня никто не находил. Я почти все время плакала. И почти все время боялась. Может быть, даже не почти, а всегда. Тосковала по родителям, ненавидела людей, к которым меня посылали. Может быть, они были вовсе не плохие, ничуть не хуже других. Я писалась по ночам, забивалась в темные углы, однажды спряталась под кроватью и не хотела вылезать. На следующий день меня отослали обратно в приют и сказали, что я дикая. Монахини меня отругали и велели, чтобы я старалась понравиться людям. Они пытались пристроить меня в какую-нибудь семью целых три года, пока мне не исполнилось восемь. Ну тут я уже совсем выросла. И была некрасивая. В одной из семей, куда я как-то попала, решили, что с моими косами слишком много возни, и отрезали волосы чуть не у самых корней. А когда я вернулась в приют, там меня бритвой подстригли под мальчика. Каково это маленькому ребенку — превратиться в чучело. У людей всегда находилась причина отказаться от меня и вернуть в приют. Иногда говорили вежливые слова и лгали, дескать, они поняли, что им не по средствам удочерить ребенка, или они переезжают в другой город, или, например, глава семьи потерял работу. Словом, что-то придумывали. Но чаще не говорили ничего, просто качали головой, собирали мои вещи и отправляли обратно. Я всегда догадывалась об этом накануне вечером, ну почти всегда. По выражению их лиц, мне так хорошо это запомнилось. Когда я его видела, у меня холодело под ложечкой. Иногда их отказ заставал меня врасплох, но обычно я бывала к нему готова. Давали пять минут, чтобы собраться, и отвозили. Кто-то дарил мне при этом подарок, медвежонка, куклу, какую-нибудь игрушку — в качестве утешительного приза за то, что не прошла, так сказать, отборочного тура. В конце концов, мне кажется, я к этому привыкла. Хотя разве к такому вообще можно привыкнуть? Сейчас, через много лет, когда я оглядываюсь назад, я понимаю, что каждый раз как меня отправляли назад в приют, у меня сердце разрывалось от горя. И я начинала бояться с самого начала, когда меня кто-то брал к себе. Знала, что все повторится в очередной раз. И так оно и случалось. Можно ли было ожидать другого?.. Когда мне исполнилось восемь лет, меня отдали на патронажное воспитание, как обычно поступают с детьми, которых по каким-то причинам не усыновили. Чаще всего потому, что их собственные родители этого не хотели. Мои родители умерли, но поскольку я никому из усыновителей не приглянулась, то и оказалась у патронатных родителей. В идеале это выглядит прекрасно, считается, что ты вроде бы живешь в семье, а не в сиротском учреждении, и среди тех, кто таким образом заботится о детях, есть действительно замечательные люди. Но и дурных тоже хватает. Они пользуются этой возможностью, чтобы заставить приемышей трудиться как рабов, отбирают у них деньги, которые те заработали, надрываясь на самой грязной и тяжелой работе, которую не желают выполнять их родные дети, держат впроголодь и обращаются как со скотом. Но я придумала, как от них избавляться. Стала вытворять самые немыслимые пакости, чтобы меня поскорее отослали обратно. В приюте мне было лучше. За восемь лет я побывала в тридцати шести семьях. И стала просто притчей во языцех. Кончилось тем, что на меня махнули рукой. Я никому не причиняла забот, училась в школе, делала всю работу, что мне поручали, с монахинями была вежлива. А в шестнадцать лет я вышла из дверей приюта и ни разу не оглянулась. Нашла работу официантки, работала в нескольких ресторанах. В свободное время любила что-нибудь шить из остатков разных тканей. Шила для себя, для своих подруг, таких же официанток, как и я. Мне казалось, что это сродни волшебству: я беру кусок ткани и превращаю его в красивое платье, и в этом платье простая официантка чувствует себя королевой. В последнем кафе, где я работала, я встретила свою счастливую судьбу, и началась моя дизайнерская карьера. Передо мной открылись фантастические возможности, и началась новая жизнь, с тех пор у меня все хорошо, даже великолепно, — ну, почти все, — сказала она, глядя на него своими мудрыми печальными глазами, которые повидали столько горя, что хватило бы на несколько жизней. — Но всю мою жизнь, когда я пугаюсь или когда случается что-то очень тяжелое, или я заболеваю, или сильно расстраиваюсь, прошлое возвращается. Я вдруг чувствую, что мне снова пять лет, я в сиротском приюте, мои родители только что погибли, и меня отправляют жить к незнакомым людям, которые меня не любят и которых я до смерти боюсь. Так было и нынче ночью. Я и заболела, и испугалась, а когда меня привезла сюда «Скорая помощь», я была в такой панике, что начала задыхаться. В детстве у меня была астма. Иногда я притворялась в какой-нибудь патронатной семье, что у меня приступ, чтобы меня отослали обратно в приют. Люди всегда и отсылали. Кому нужна дикая рыжая девчонка, да еще и с астмой в придачу. Сначала приступы были настоящие, потом я притворялась. Я тогда уже не хотела, чтобы меня удочерили. Зачем опять и опять подставлять себя под удар? Мне все эти люди не нравились, и я не хотела, чтобы они заботились обо мне. Они и не заботились. Наконец я ушла из приюта, и это был самый счастливый день в моей жизни. Я начала работать и стала сама распоряжаться своей жизнью, своей судьбой. Теперь уже никто не мог меня запугать, никто не мог никуда отослать. Наверное, сейчас все это кажется вам диким. — И она посмотрела Жан-Шарлю прямо в глаза.

Его поразила искренность ее рассказа и спокойное приятие всего, что с ней происходило в жизни. Мог ли он слушать ее без волнения и не изумляться тому, как высоко она потом поднялась. Люди восхищаются ее успехом, но не знают, что история этого успеха поистине удивительна. Она, по сути, совершила восхождение на Эверест, достигла пика высочайшей вершины успеха, и какой ценой! О ее прошлом знают только несколько самых близких друзей и помощников. Она никому не рассказывала о нем так просто и откровенно, как сейчас рассказала Жан-Шарлю. Но ведь он врач, подумала она, и потому примет все как должное. Наверняка он слышал истории и пострашнее. Для нее в этой истории не было ничего примечательного, но его она и потрясла, и глубоко тронула. После всего, что он сейчас услышал, он стал уважать Тимми еще больше.

— Наверное, вам все это кажется диким, — повторила она, — но я ни за что не хочу, чтобы то время возвращалось. Одна мысль об этом непереносима. Не хочу стараться кому-то понравиться, чтобы меня взяли к себе, не хочу петь для этих людей и танцевать. Не хочу быть рабыней в патронатной семье, пусть мне девять лет, пусть даже тринадцать, но я рабыня, и меня никто никогда не обнимет, не прижмет к себе, я давно забыла, что такое родительская ласка. И я не хочу снова оказаться отверженной. Ни за что и никогда. Не хочу, чтобы меня опять когда-нибудь бросили и отправили в сиротский приют. Уж лучше я останусь одна. — Или с мужчинами, которых она не любит. В глазах Тимми была такая боль, что он мгновенно понял: она говорит о том, что ее больше всего мучит, и его сердце не могло не откликнуться на эту боль. «И самое печальное во всем этом, — подумал он, — что это ее желание исполнилось». Насколько он мог видеть, она и осталась одна.

— Что вы можете сделать, Тимми, что мы все можем сделать, чтобы нас не бросили? — философски спросил Жан-Шарль. — Бросают всех, а не только пятилетних сирот, так уж жизнь устроена. Умирают люди, которых мы любим, расходятся муж и жена, нас увольняют с работы без малейшей провинности с нашей стороны. А любящие люди иногда мучают друг друга, сами того не желая, и тоже страдают от этого. Жизнь жестока, с ней не договоришься. Любимый человек может уйти от нас или, пользуясь вашей метафорой, отослать обратно в сиротский приют. В каком-то смысле все мы в нем побывали. Но вам, конечно, пришлось горше всех. Мне очень грустно, что вам выпало столько испытаний, да еще в раннем детстве. Суровая судьба, самому злому врагу не пожелаешь, — сочувственно сказал он, и она опять улыбнулась. Улыбнулась тихой, слабой, печальной улыбкой, которая подтвердила, что он прав. Она пережила одиннадцать лет беспрерывного кошмара, и воспоминания о нем преследуют ее до сих пор. Поездка в машине «Скорой помощи» выпустила эти кошмары из тайников ее души. Она так ясно помнила ночь, когда погибли ее родители, словно это случилось вчера. И прошедшей ночью, когда ее везла «Скорая помощь», снова обратилась в пятилетнюю девочку. А в клинике, когда Жан-Шарль взял ее за руку, почувствовала себя совсем маленькой и беззащитной.

Днем взрослая женщина воскресла, та маленькая девочка спряталась в прошлом. Сейчас перед Жан-Шарлем была сильная, мужественная Тимми, хозяйка своей судьбы, но ночью он так ясно разглядел испуганного ребенка. И сейчас он смотрел на нее другими глазами, он уже не мог не видеть тень того ребенка, который держал его за руку в операционной и сжимал ее так, будто в ней была его жизнь. Что ж, может быть, и вправду была. Он не представлял себе, где она взяла силы, чтобы пережить те страшные годы в приюте. А она их где-то нашла. И какие бы травмы ей тогда ни нанесли, она сохранила душевное здоровье, сформировалась в цельную личность, была полна энергии, добилась блестящего успеха, творила, созидала, и никто, глядя на нее, никогда бы не догадался, как она начинала свою карьеру и какое у нее было безрадостное детство, сколько горя она тогда пережила и в каких жестоких условиях выросла. Но Жан-Шарль услышал ее рассказ и словно увидел все собственными глазами, и их это сблизило. Он заглянул не только в ее прошлое, но и в ее душу.

Он узнал, что одиннадцать лет своей жизни она терпела беспрерывные мучения, а может быть, даже и дольше. Какое это было важное открытие — жизнь била ее и ломала, а она все же взяла над ней верх. К ней пришел успех, в ее руках власть, она — ярчайший пример победительницы, хотя ее порой и одолевали сомнения, но об этом никто не догадывался. Она-то знала о травмах и ранах своей души. И почти все, что она делала, имело одну цель: защитить свою душу и не позволить ранам открыться. Этого она ни в коем случае не могла допустить. Когда Тимми эти раны наносили, ей было слишком больно. Нельзя их бередить, она никогда и не позволит.

Доктор почувствовал все это ночью, когда она сжимала его руку. Ему было страшно за нее. Он видел ночью и даже сейчас, хоть и не так обнаженно, что в ней плещется океан боли и что если убрать преграду, боль вырвется грозным цунами и затопит все вокруг. Так чуть не случилось ночью. Поездка на «Скорой помощи» в клинику ужаснула Тимми и еще раз напомнила, как она одинока. Казалось, ожили демоны прошлого и отшвырнули ее назад, в ненавистный сиротский приют. И то, что Жан-Шарль был в это время с ней, смягчило ужас той реальности. Хотя бы на краткий миг он помог ей почувствовать, что она не так одинока. Она с благодарностью улыбнулась ему, и прошлое стало уходить в тень. Как ни страшен тот мир, он ведь, в сущности, всего лишь мир призраков, а эти призраки больше не могут причинить ей зла. Все эти годы Тимми не позволяла прошлому догнать себя, ворваться в свою жизнь, остановить и искалечить. Нет, только не это! Она стала слишком сильной, и теперь ее не остановишь. Но иногда прошлое все же пыталось подкрасться исподтишка, как это случилось перед операцией; но она усилием воли отогнала его прочь от себя, туда, где ему и место. Ей был дорог маленький ребенок, каким она была когда-то, но она не могла позволить тому испуганному беспомощному существу распоряжаться своей жизнью. Никогда не позволяла и уж тем более не позволит теперь. Она должна быть очень сильной, это единственное, что ей осталось. Жан-Шарль понял все это, глядя ей в лицо, и как же он восхищался ее силой и мужеством.

— Вы настоящая героиня, — с восхищением сказал он. Она решила, что он иронизирует, и улыбнулась, но он был более чем серьезен. — Я в жизни не встречал такой храброй женщины. — Сейчас он прекрасно понимал, почему она так расстроилась накануне. — У ваших родителей не было родственников, которые могли бы взять вас к себе? — спросил он с глубокой жалостью и состраданием.

Она в ответ покачала головой.

— Я знаю о своих родителях только то, что они были ирландцы и что умерли. Больше ничего не удалось узнать. Когда я была в Ирландии, я думала, может быть, удастся разыскать каких-нибудь родственников. Но в телефонной книге О'Ниллы занимают тридцать страниц, и нет ни единой зацепки. Так что я одна, но, конечно, у меня есть замечательные друзья, которых я очень люблю.

Но оба они знали, что если случится беда, как, например, сейчас, когда у нее прорвался аппендикс, обратиться за помощью ей не к кому, она одна как перст, есть только помощники, которые на нее работают, но у них своя собственная жизнь. Разве можно забыть, как при заполнении документов она в качестве ближайшего родственника назвала имя своего секретаря Джейд. После этого никаких объяснений уже не нужно. Больше у нее в жизни нет никого, на кого можно было бы положиться, и это при том, что она так красива и успешна, такая несуразица с трудом умещалась в сознании Жан-Шарля. Непонятно, как все-таки случилось, что она осталась в таком одиночестве, — разве что сама этого захотела. Что ж, может быть, и в самом деле захотела. Да и ее трудно в этом винить после всего, что ей пришлось пережить в детстве. Наверное, она просто не могла открыться людям, полюбить кого-то, привязаться, поверить. И скорее всего, печально подумал он, она так никого и не полюбила, никому не открылась и никому не поверила. Судьба порой бывает жестокой, Тимми она не помиловала, зато открыла путь к материальному преуспеянию. И чтобы этого преуспеяния достичь, Тимми трудилась изо всех сил. Но оба они знали, что материальный достаток еще не все, он не заменит счастья. Однако он все же был, и она любила свою работу. И считала, что все в ее жизни хорошо.

Сейчас Тимми лежала в постели и разговаривала с Жан-Шарлем, и в выражении ее лица были покой, умиротворенность. Он был растроган ее откровенностью. И вдруг почувствовал, что после операции, которая так сильно на нее повлияла, он словно бы преодолел разделяющее их расстояние и за несколько часов превратился из лечащего доктора в доброго друга, это наполнило его гордостью. Какая она удивительная женщина, думал он. Тимми тоже чувствовала, что они стали гораздо ближе друг к другу, и тоже думала, какой он замечательный врач и какой удивительный человек. Сколько в нем понимания, душевной теплоты. Излучение его доброты и позволило ей открыться перед ним, как она много-много лет ни перед кем не открывалась. Она не любила рассказывать о своем прошлом и, наверное, сейчас и не вспомнила бы, когда в последний раз кому-то рассказывала о себе.

— Простите, что утомила вас этой невеселой давней историей. Я редко кого в нее посвящаю, но понимаю, что просто обязана была объяснить вам, почему впала в такую панику ночью, — призналась она, виновато глядя на него. Она позволила ему узнать так много о себе и теперь почувствовала себя слегка неловко.

— Вы вели себя молодцом, — успокоил ее он, — и не должны мне ничего объяснять. Оказаться под ножом хирурга в чужой стране, да еще когда рядом с тобой нет ни одного близкого человека, — жестокое испытание. Кто угодно испугается. А у вас было больше причин для страха, чем у кого бы то ни было. Вы пережили в детстве такую тяжелую травму. Неудивительно, что у вас нет детей, — осторожно сказал он. — Вероятно, вы боялись причинить кому-то другому боль, которую когда-то перенесли сами. — Многие из его знакомых, кому выпало на долю тяжелое детство, потом не хотели иметь детей. И Тимми, надо полагать, принадлежала к этой категории. Но вдруг он увидел выражение ее глаз и понял, что разбередил еще одну рану. Он готов был откусить себе язык. В ее глазах было такое страдание, что он умолк на полуслове.

— У меня был сын, но он умер, — тихо сказала она, глядя ему прямо в глаза.

— Простите... — Его голос прервался. — Какой же я глупый, как мог подумать... мне и в голову не пришло... когда я спросил вас, вы сказали, что у вас нет детей... я и решил... — У него сложилось впечатление, что она — типичная деловая женщина, полностью посвятившая себя карьере и успеху, женщина, которая не хочет иметь детей, тем более после одинокого детства, полного лишений и невзгод. Он и подумать не мог, что у нее был ребенок. И самое ужасное, что он умер.

— Нет-нет, ничего, не огорчайтесь. Я уже успокоилась. Много времени прошло. Ему было четыре года, и он умер двенадцать лет назад от опухоли мозга. Спасти его не могли. Сейчас, может быть, все сложилось бы по-другому. Сейчас онкология добилась таких успехов, столько открытий, а тогда... Мы сделали все, что было только возможно. — Она грустно улыбнулась Жан-Шарлю, и он увидел, что в ее глазах стоят слезы. Она не могла говорить о сыне без слез. И говорила о нем очень редко. — Его звали Марк.

Она сказала это так, словно хотела, чтобы его помнили. Не просто ребенок, который умер двенадцать лет назад, а мальчик, которого звали Марк и которого она любила и о ком будет хранить память в своем сердце всю жизнь.

После этого ее бизнес стал превращаться в империю, и эта империя все расширяла и расширяла свои границы. Началось это, если быть точным, через год после того, как ее оставил муж. Она пережила еще один тяжелейший период в своей жизни и отчасти еще и поэтому не захотела больше выходить замуж и завязывать серьезные отношения с мужчинами. Покой, любимая работа и время от времени связь с такими мужчинами, как Зак, просто чтобы проводить вместе выходные, — вот все, что теперь ей было нужно. Она не хотела ни слишком привязываться к человеку, ни испытывать боль. Не хотела слишком сильно полюбить мужчину и страдать после разрыва с ним, как она страдала, расставшись с Дерриком, или снова пережить агонию, которую испытала, когда умер Марк, свет ее очей, проживший на свете всего четыре года. Теперь ее жизнь стала куда проще. На дороге встречаются ухабы и рытвины, но со всем этим она легко справляется, и нет никого, кто был бы ей слишком дорог. Нет больших радостей, но нет и горя. Она не хотела снова упасть на дно пропасти и желать смерти, как случилось после смерти Марка и разрыва с Дерриком. Она хотела всего лишь жить, как живет сейчас, смотреть в будущее и не оглядываться на прошлое, думать о коллекциях, которые она создает, устраивать показы прет-а-порте, ценить общество друзей и помощников. Пусть все так и остается, как есть, ничего другого, ничего нового ей не надо. Жан-Шарль прочитал это в ее глазах.

Душа Тимми была крепко-накрепко заперта. Она чуть приоткрыла дверь и позволила ему заглянуть в щелочку, но вообще никогда ее не отпирала. Только так и можно было защитить себя от боли воспоминаний, не позволить старым ранам открыться. Когда она рассказывала ему о сыне, ее лицо словно бы осветилось изнутри; когда упомянула о муже, оно погасло. Все это осталось для нее в прошлом и, надо надеяться, никогда не оживет. Ей выпали на долю тяжелейшие испытания, она пережила их и не сломалась, только с Марком не рассталась, сохранила его в своем сердце. Он так всегда и будет жить в нем. Но ни серьезных отношений с мужчиной, ни даже ребенка в ее жизни не будет. Все это грозит такими мучительными страданиями.

— Понимаю, какое горе потерять сына, — произнес Жан-Шарль. Он был полон искреннего сострадания и участия. — А ваше детство! И все это выпало одному человеку. Да уж, вы поистине избранница судьбы. — Каждое слово ее рассказа живой болью отзывалось в его сердце. И вдруг он почувствовал радость — ведь он встретил эту замечательную женщину, и она к тому же его пациентка. Ею нельзя не восхищаться!

— Вы правы, но судьба мне порой и улыбалась. Надо уметь играть теми картами, которые тебе выпадают. Иногда плохие, иногда хорошие — как повезет. — Тимми устало улыбнулась. Она рассказала ему так много, что ж, пусть узнает и остальное. Она видела по его взгляду, что он задает себе вопрос, почему у нее не было мужа, раз был ребенок, но спросить не решается из деликатности. Он думал, что она, вероятно, вышла замуж, когда ребенок уже родился, а может быть, родила ребенка без мужа, она ведь такая отважная. Его бы это ничуть не удивило.

Тимми рассказала ему историю своего замужества спокойно и просто, без горечи, никого не обвиняя, только факты.

— Муж ушел от меня через полгода после смерти сына. Эта смерть нас обоих раздавила. Мы прожили вместе пять лет, не такой уж долгий срок. Он был дизайнер мужской одежды, я пригласила его, когда начала разрабатывать линию мужской одежды, а он был отличный художник, и нас связывала добрая дружба. Потом мы поженились. Он порядочный человек. Когда Марк умер, я думала, что мы тоже умрем. Наши отношения сильно переменились. Мы оба были так опустошены и убиты горем, что не замечали друг друга. А потом я узнала то, что всем было давно известно. Мой муж был бисексуал и женился на мне, чтобы иметь ребенка. Я забеременела сразу, как только мы поженились. А решили мы пожениться как-то вдруг, неожиданно. Я даже не очень-то и хотела детей, причин было много, и вы их только что назвали. Он меня уговорил, уговорил выйти за него замуж и родить ребенка. И это было самое большое счастье, которое мне выпало в жизни. А потом, когда Марк умер, Деррик сказал мне, что хочет уйти. Объяснил, что женился на мне по одной-единственной причине, — хотел иметь детей. На другого ребенка ни у меня, ни у него не было душевных сил, к тому же у него была своя, тайная жизнь, о которой я не знала. И нам был нужен только Марк. Думаю, его смерть и положила конец нашему браку. Каждый раз, как мы смотрели друг на друга, мы видели Марка... Деррик начал пить, у него появился другой мужчина, он увлекся. Думаю, он не хотел, чтобы я страдала еще и из-за этого, хотел расстаться быстро и без дрязг, и я хотела того же. Наверное, в тех обстоятельствах это было самое правильное. Он перестал работать у меня, мы развелись, и с тех пор они живут в Италии. По-моему, у него все хорошо, и я желаю ему добра, — произнесла она очень спокойно, и Жан-Шарль в очередной раз подивился силе духа этой женщины, так достойно пережившей и эту трагедию. — Я отдала ему значительную долю бизнеса, когда он ушел, потому что именно благодаря ему наша линия мужской одежды получила такое широкое признание во всем мире. Мы расстались, и я снова вернулась к работе, стала работать как одержимая. Работа стала моей жизнью. Сама не знаю как, но я пережила и смерть Марка, и потерю Деррика. Но боль от потери ребенка никуда не исчезает. — Опять ее глаза наполнились слезами. — Деррик иногда звонит. Нам обоим нелегко разговаривать друг с другом. Уж лучше не звонил бы. Да и что я могу сказать ему, а он — мне? Он живет с мужчиной, который работал у нас когда-то моделью. У них все хорошо. А я живу своей жизнью. И когда мы расстались, в моей жизни кончилась целая эпоха. Вот так-то...

Невеселую историю я вам поведала. Думаю, наш брак все равно бы рано или поздно распался. Невозможно долго заставлять себя быть не тем, что ты есть на самом деле. Нас соединял Марк, а когда его не стало, Деррик вернулся к жизни, которую вел раньше и о которой я не знала. Мне время от времени намекали, но я только отмахивалась. А оказалось, все это правда, люди хотели открыть мне глаза. Но я ни о чем не жалею, ведь у меня был Марк, хоть и недолгое время. Это были самые счастливые годы в моей жизни, никакое другое счастье мне не нужно... Странная штука — жизнь, — сказала она со вздохом, — никогда не знаешь, подарит она тебе что-то или отнимет. Марк был подарок, источник чистой, ни с чем не сравнимой радости. Каждая минута, что он прожил, для меня драгоценна, и что с того, что я вышла замуж за Деррика, ведь у нас родился сын. А сейчас в моей жизни нет и следа того, что было, — буднично сказала она.

Он видел, что она приняла все в своем прошлом, все горести и невзгоды. И вопреки всему не сломлена и не только живет достойно, но и помогает так же достойно жить окружающим. А от того, что позволяет себе краткосрочные романы с такими мужчинами, как Зак, никому нет вреда, просто они не дают демонам прошлого приближаться к ней.

Жан-Шарль понимал, что Тимми поистине замечательная женщина, при первой их встрече он ее не разглядел. Да и как разглядеть, когда суть человека скрыта в глубине. Такой силы духа с лихвой хватило бы на сотню человек, а мужества — на тысячу. Они сейчас смотрели друг на друга, и вдруг Тимми осознала, что все это время она опять держала его за руку. Для того чтобы рассказать такую историю жизни, нужна поддержка или присутствие друга, и теперь она считала его своим другом, и он тоже считал себя ее другом. Он на короткий миг вошел в ее жизнь, помогая справиться с неожиданно свалившейся на нее жизненной передрягой, и когда она уедет, то увезет частицу его с собой, ведь так всегда случается, если ты отдал человеку частицу себя. Она открыла ему свои самые сокровенные тайны, впустила в свое израненное, истерзанное сердце. Она любила повторять, что ее сердце похоже на старинную китайскую вазу — сплошь в паутине мельчайших трещин, но прочную и крепкую. И Жан-Шарль тоже почувствовал в ней это качество, да и как не почувствовать, когда услышишь рассказ о такой непростой жизни. И еще он испытывал к ней огромное уважение, какое мало кто в нем вызывал. Удивительная женщина, он никогда такой не встречал, его восхищали ее мужество и отсутствие обиды на жизнь. Как ни мучительны были пережитые ею утраты, как ни болели раны, которые жизнь ей наносила, она принимала все как дар. Ее душа была прекрасна и полна чувства собственного достоинства. В ней нет ни тени злобы, горечи, гнева. А ее раны вызывали у него сейчас глубочайшее сострадание.

— Как грустно, что вы не вышли потом замуж и у вас нет сейчас детей, — с участием сказал он. Он был глубоко взволнован и ощущал ее утраты почти как свои собственные. Подумать только, она потеряла всех, кого любила, кто был ей дорог и близок. Родителей, сына, мужа. И не сломлена, хоть сердце ее истекало кровью. Когда ее сын умер, ей было всего тридцать шесть лет, а когда развелась — тридцать семь. Она вполне могла начать новую жизнь, но не захотела и честно рассказала ему — почему, а он сидел и слушал ее, слушал... «Может быть, она просто боится снова полюбить?» — подумал Жан-Шарль. Да, наверное, ее страх слишком велик. Время летело, они и не заметили, что разговаривают уже чуть ли не два часа и при этом держат друг друга за руки. Он чувствовал, что она стала близка ему, он и подумать не мог, что такое может случиться, но и мысли не мелькнуло усилить эту близость. В его чувстве не было романтической подоплеки. Он просто ощущал, что между ними возникло сильное человеческое притяжение, то же самое ощущала и она.

— Я больше не хочу ни детей, ни мужа, — ровным голосом ответила она. — И раньше не хотела, после того как умер Марк, а Деррик ушел. Ему нужны были новые отношения, а мне нет. Я хотела остаться одна и как-то залечить раны. Залечивала я их долго. Работа удерживала меня на плаву. Все остальное было слишком тяжело.

— А сейчас? — живо спросил Жан-Шарль. Она рассказала ему о себе так много, что он не чувствовал неловкости, расспрашивая ее. — В вашей жизни никого нет?

Тимми пожала плечами и с усмешкой покачала головой: она вспомнила, что Зак ей так и не позвонил. Она оставила ему утром сообщение на автоответчике, сказала, что ей сделали операцию, а он никак не отозвался. И пожалуй, ее это ничуть не тронуло. На Зака ни в чем нельзя было положиться. Слишком он ко всем равнодушен, слишком поглощен собственной особой, слишком жаждет мести за воображаемые обиды. В сущности, человек он не злой, но и добра в нем тоже нет. Он с тобой, только когда у тебя все хорошо, а чуть что не так — его и след простыл, но он никогда и не притворялся другим.

— Никого, о ком стоило бы говорить, — ответила она на вопрос Жан-Шарля. — Люди появляются в моей жизни, потом исчезают. На какой-то короткий срок я иду на необременительные для меня компромиссы. А серьезных отношений после того, как я развелась, у меня не было. И я их не хочу. За них приходится расплачиваться слишком дорогой ценой. Да и стара я уже. — Она смущенно улыбнулась, а доктор в ответ расхохотался.

— Это в сорок-то восемь лет? Не смешите меня. Женщины куда старше вас и влюбляются, и выходят замуж. Для любви не существует возраста. Моя собственная мама овдовела, когда ей было семьдесят девять лет, а в восемьдесят пять снова вышла замуж. Они с мужем прожили уже два года, и она его обожает. Она с ним так же счастлива, как была с моим отцом.

Тимми улыбнулась, представив себе восьмидесятипятилетнюю невесту. Как это прелестно и трогательно!

— Ну разве что когда мне будет восемьдесят пять... — Она иронически усмехнулась, по-прежнему держа его за руку. — Думаю, мне стоит подождать до тех пор. Наверное, я еще слишком молода, чтобы пытаться устроить свою жизнь. Подожду, пока разовьется болезнь Альцгеймера и я забуду обо всех своих страхах. А сейчас память у меня еще слишком острая.

Что ж, она имеет право так говорить, пережив в своей жизни столько потерь и получив столько травм от такого множества людей.

— В вашей жизни, Тимми, есть небольшой пробел, — деликатно сказал Жан-Шарль. — На самом деле это огромный пробел. В вашей жизни нет любви, потому что вы полны страха. Я вас не обвиняю. Но тому, кто живет без любви, если я правильно понимаю, трудно и одиноко. — И с ним случаются приступы непреодолимого страха, какой он наблюдал накануне вечером, когда ее жизнь оказалась в полной зависимости от совершенно незнакомого ей человека.

— Трудно, — согласилась она, — но спокойно. Сейчас мне нечего терять.

«Как грустно слышать такие слова, — подумал он, — особенно из уст такой поистине замечательной женщины».

Они оба вспомнили, кого она назвала в качестве своего ближайшего родственника, когда в клинике заполняли анкету. Да, это было имя ее помощницы, а не мужа, брата или хотя бы любовника. У нее нет не только кровных родственников, но даже единокровных или единоутробных сестер и братьев, даже сводных нет. Когда возникала необходимость назвать кого-то из близких, она особенно остро ощутила свое одиночество, но это была реальность, с которой она давно смирилась. И знала, что эта реальность никогда не изменится. Но иногда провидение посылает ей встречу с людьми, в которых она так нуждается, как, например, Жан-Шарль, который оказался рядом, когда прорвался ее воспалившийся аппендикс. И вот теперь они стали друзьями. Она понимала, что он ею восхищается, но и видела в его глазах некую печаль. Была ли эта печаль вызвана ее рассказом или относилась к чему-то, связанному с его собственной жизнью, она не знала, но спрашивать не хотела. Доверие можно только подарить, как подарила ему свое доверие Тимми, поведав так искренне о себе. Его нельзя вымогать, люди дают его в порыве доброй воли, а она видела, что он еще не готов рассказать ей о своей жизни, может быть, никогда и не расскажет. Ей захотелось поделиться с ним пережитым, но она чувствовала, что в нем, как и в ней, есть сокровенные глубины, которые он охраняет от всех.

— Как же вам удалось не ожесточиться на жизнь? — тихо спросил он. — Она дала вам столько поводов.

Он чувствовал, что в ней нет ни тени злобы, желания отомстить кому бы то ни было. Она всем все давно отпустила. Ему подумалось, что она скорее всего никогда и не таила зла; да, ее душа была опустошена и безрадостна, но обиды в ней не было ни на родителей за то, что умерли, ни на бывшего мужа за то, что ушел от нее, ни на врачей за то, что не сумели спасти ее ребенка. Таких, как она, он никогда не встречал, и ему захотелось быть похожим на нее. Сам-то он не смирялся с причиненным ему злом и горько сожалел о прошлом, порой эта горечь становилась непереносимой. Тимми поразила и воодушевила его, он чувствовал, что будет долго помнить все, что она рассказала ему сегодня. Когда он наконец отпустил ее руку, за окном уже темнело. Они проговорили друг с другом много часов. Сестры заглядывали в палату узнать, как она, и деликатно исчезали. Она была в хороших руках, не надо им мешать. Они понимали, что разговор у них серьезный, оба полностью им поглощены. Но вот доктор заметил усталость на лице Тимми.

— Простите, я вас совсем уморил, — стал извиняться он, спохватившись, что сидит у нее так долго. Но ведь она обаятельнейшая женщина, он никогда не забудет того, что ему открылось, когда он разговаривал с ней. Он знал, что, даже услышав ее имя, будет ощущать в душе глубочайшее уважение и восхищение. И он надеялся, что они еще увидятся, когда она снова приедет в Париж. И вдруг его озарило: а ведь встреча с ней — это чудесный подарок Судьбы. Не дай нью-йоркский приятель Жан-Шарля его телефона Тимми, она никогда бы ему не позвонила, ей пришлось бы вызвать отельного врача, о котором ей ровным счетом ничего не известно.

— Мне было так приятно поговорить с вами, — сказала она, слегка улыбнувшись, и наконец-то положила голову на подушку. — Я уже давно никому о себе не рассказываю. — После смерти сына и разрыва с мужем она много лет ходила к психоаналитику, и наконец они оба решили, что цель достигнута. Они добились максимума того, что можно было в ее случае сделать. С остальным она должна смириться, принять это и жить. От прошлого никуда не денешься, и все же прошлое есть прошлое. — Но мне было очень важно рассказать именно вам. Порой нам кажется, что мы знаем человека, понимаем, почему он поступает так, а не иначе, но как же мы ошибаемся! Никому не ведомо, что он пережил и какой прошел путь, — задумчиво сказала она, и Жан-Шарль кивнул, соглашаясь.

— Вы прошли большой путь, Тимми, — убежденно сказал он.

Он не знал никого, кто достиг бы большего, чем она. Ночь, которую он провел возле нее, чудесным образом их связала. Она этого тоже никогда не сможет забыть. Он был здесь, рядом, мало кто еще когда-либо так заботился о ней. Это был человек, которому можно доверять, и она ему доверилась, рассказав о себе.

— Когда вы позволите мне вернуться домой? — спросила она, увидев, что он встал. Спешить ей было не к кому и не к чему, но и в клинике оставаться долго не хотелось.

— Пока не знаю. Сколько-то времени вам придется здесь побыть. Может быть, неделю. Но сначала я позволю вам вернуться в отель и понаблюдаю, как вы будете себя чувствовать. Вы хотите лететь из Парижа сразу в Лос-Анджелес?

Она покачала головой.

— Мне нужно сначала побывать в Нью-Йорке. На следующей неделе у меня там несколько встреч, и одна в пятницу вечером на этой неделе.

— Не уверен, что вам это будет по силам. Полететь вы сможете через неделю, но на вашем месте я бы отправился прямо домой и отдохнул там еще с неделю. Ведь вам же как-никак сделали операцию.

Тимми кивнула. Она уже подумала, что попросит Джейд и Дэвида провести встречи без нее. Они введут ее в курс дела потом, когда она вернется. Главное — это демонстрация их коллекций прет-а-порте, а демонстрации они провели. Все остальное было для нее сейчас второстепенно, и он видел это по ее глазам. Нет, она совсем не такая, какой он представил ее себе сначала. Она не рвалась как можно скорее уехать, а он-то этого от нее и ожидал. Ожидал, что она будет капризничать, раздражаться, требовать, показывать свой характер, как обычно поступают люди, добившиеся такого успеха. Но ничего подобного. Она оказалась доброй, сильной, мудрой, интеллигентной, доброжелательной и деликатной. Казалось, у нее нет и не может быть ни одной темной мысли. И она была ему очень симпатична.

— Пока я не ушел, что-нибудь нужно для вас сделать? Болеутоляющий укол? — спросил он, но она покачала головой.

— Нет, я стараюсь избегать обезболивающих. Все вполне терпимо. Бывало куда хуже.

Он знал, что бывало, не зря она ему столько рассказала о себе. Она не принимала транквилизаторы, даже когда умер Марк. Не в ее характере было прятаться от жестокой реальности и горя, которое эта реальность несет. Она смотрела жизни в лицо — всегда, с самого детства.

— Если вам что-то понадобится, звоните мне на мобильный, — напомнил он ей, и она улыбнулась.

Он тронул ее за плечо, она еще раз улыбнулась, и он ушел. А Тимми еще долго думала о нем. Она давно ни с кем не разговаривала так искренне и откровенно. Давно? Да она вообще никогда в жизни не открывала никому свою душу. Ей было удивительно легко и просто с ним, она доверяла ему совершенно — наверное, впервые в жизни. То, что произошло ночью, разрушило существовавшие между ними преграды, а ведь не случись с ней этой беды, они так бы и остались далекими и чужими друг другу.

Жан-Шарль шел к своей машине и думал о том же самом. Тимми была одной из редких, удивительных женщин, кому можно рассказать обо всём, довериться, и ему так хотелось довериться ей. Она поделилась с ним самым сокровенным — сможет ли он когда-нибудь поделиться с ней тем, что таит от других? Она открыла перед ним свою душу сегодня, рассказала такую горькую повесть своей жизни. Он понимал, что какая-то рана в ее душе все еще кровоточит, быть может, и всегда будет кровоточить. Другие раны постепенно зажили, но и душа, и сердце покрыты глубокими шрамами. Было такое чувство, будто встреча с ней — одно из самых важных событий в его жизни. И у нее было точно такое же чувство, иначе она не доверилась бы ему. Но ведь довериться ему было так легко и естественно! Удивительно, удивительно...

Она ничуть не раскаивалась в своей откровенности. Когда он ушел, ей вдруг подумалось, как хорошо было бы когда-нибудь встретить такого человека, как он, и связать с ним свою жизнь. С ней такого никогда не случалось. Ее и Деррика связывали интересы ее империи, их ребенок, и это, пожалуй, все. У них с самого начала было очень мало общего, не считая, конечно, работы. Расставшись с ним, она поняла, что почти не знала своего мужа, а он так же мало знал ее. А ровня ей скорее такой мужчина, как Жан-Шарль Вернье, может быть, он был бы ее достойным противником, или союзником, или спутником, которому она бы доверяла. Но тут Тимми напомнила себе, что он, как и все стоящие мужчины, женат. Джейд любила повторять, что хорошие мужчины всегда женаты. Раздумывая об этом в палате Американской клиники тем вечером, Тимми стала погружаться в сон, но мимолетно вспомнила, что от Зака так и не было никаких вестей. Это огорчило ее — разве Зак может не огорчить? — но не удивило. Такие мужчины приносят нескончаемые разочарования. Но Тимми за многие годы свыклась с этим. Она столько пережила в своей жизни, что эти разочарования казались пустяком. Уж ей-то есть с чем сравнить, ей, повидавшей столько горя.

На противоположном полюсе от Заков находятся такие мужчины, как Жан-Шарль. Выдающиеся личности, достойные восхищения и уважения. И доверия. И почему-то всегда по какой-нибудь причине недосягаемые, недостижимые. Чаще всего они, как Жан-Шарль, уже кому-то принадлежат. И все же Тимми была благодарна судьбе за нынешний долгий разговор с ним. Она почувствовала в нем родную душу. Это была такая редкость, такое счастье, что ничего больше ей сейчас было и не надо.

Глава 4

За два дня Тимми заметно окрепла. Стала лучше себя чувствовать, лучше выглядела; Жан-Шарль приходил к ней два раза в день, до начала своей основной работы и после. А в пятницу заглянул еще и поздно вечером, возвращаясь домой после ужина, где он, по его признанию, умирал от скуки. Приоткрыл дверь, заглянул в ее палату и обрадовался, что она не спит. Он был красив и элегантен в своем черном, в тонкую полоску, костюме, как в тот первый вечер, когда она его увидела.

Тимми читала английский журнал, который принесла ей одна из сестер; несколько минут назад она разговаривала по телефону с Заком, но Жан-Шарлю об этом не сказала. Зак, как и следовало ожидать, не проявил ни малейшего сочувствия к тому, что ей пришлось перенести операцию, напротив, поддразнивал ее, как будто она отколола забавную шутку. Участие и забота были ему неведомы, над самыми серьезными проблемами он склонен потешаться. Вот и сегодня он со смехом сказал, что так ей и надо, это ей наказание за то, что не взяла его с собой в Европу, и тут он, конечно, хватил через край. Но ему и в голову не приходило, что ей сейчас может быть тяжело и что ночью она пережила смертельный страх. Чтобы такая сильная женщина, как Тимми, чего-то испугалась, какой-то пустяковой, как он считал, операции? Полная чепуха! Судя по ее голосу, у нее все прекрасно, Тимми и хотела создать такое впечатление. Бодрилась перед ним, не показывала виду. Однако она и на самом деле чувствовала себя сейчас лучше.

Джейд и Дэвид тоже ей сегодня несколько раз звонили. Встречи в Нью-Йорке прошли хорошо, они вполне справлялись с делами без нее. Джейд хотела прилететь к ней в Париж, оба волновались за нее, но Тимми убедила их, что беспокоиться не надо, у нее все отлично. И правда, им вовсе незачем лететь к ней. Ей сейчас нужны только покой, антибиотики и время, чтобы восстановить силы. Она сегодня несколько раз прошлась по коридору, правда, медленно и осторожно, и ей еще трудно было выпрямиться. Только Жан-Шарль знал, какое потрясение она пережила, все остальные видели женщину, которой никогда не изменяют самообладание и уверенность в собственных силах. Она не любила показывать людям, как легко ее можно ранить, она бы тогда чувствовала себя совсем беззащитной.

Когда Жан-Шарль заглянул к Тимми в дверь, она повернула в его сторону голову и улыбнулась. Он вошел — энергичный, с задорным, как у мальчишки, блеском в глазах — и сразу заметил, что она уже не такая бледная, как днем. Тимми рассказала ему о своих прогулках по коридору.

— А что вы здесь делаете в такой поздний час? — спросила она его не как врача, а скорее как друга. Много ли на свете врачей, которые навещают своих пациентов в одиннадцать вечера? Между ними возникла какая-то особенная связь, им было приятно общество друг друга. Он сел возле ее кровати, и они радостно улыбнулись друг другу.

— Я возвращался домой и решил узнать, как ваши дела, — благодушно сказал он. — Вы ведь чрезвычайно важная персона, знаете ли. — Она засмеялась его шутливому тону — пусть шутит сколько угодно, она не против.

— Этой важной персоне ужасно скучно, — отозвалась Тимми, откладывая журнал в сторону. Она была очень довольна, что он пришел. — Надо мне скорей поправляться, — улыбнулась она. — Я уже начинаю чувствовать себя так, будто я в тюрьме. Когда вы меня выпустите?

— Посмотрим, как вы будете завтра. Может быть, я смогу позволить вам вернуться в отель с медсестрой, — ответил он, слегка нахмурившись. Когда она переедет в отель, ему будет не хватать их послеполуденных разговоров, а здесь, в клинике, он может в любое время к ней заехать.

Ему не часто доводилось испытывать такую радость от общения с больными, к тому же было интересно узнавать ее мнение относительно того, что она хорошо знала и в чем разбиралась. Они сделали открытие, что оба страстно любят живопись, и в частности высоко ценят Шагала. У нее даже был его этюд, который она повесила в своей квартире в Бель-Эйр. К тому же Жан-Шарль начал рассказывать ей о себе. Вчера, например, рассказал, почему он стал врачом: когда ему был двадцать один год, его шестнадцатилетняя сестра умерла от кровоизлияния в мозг, и эта внезапная смерть совершенно изменила его жизнь.

— Мне не нужна медсестра, — запротестовала Тимми, любуясь про себя его костюмом и пытаясь угадать дизайнера. Костюм был сшит прекрасно, линии по-мужски строгие, элегантные. Вдруг в голове мелькнула мысль — интересно, он обидится, если она пошлет ему костюм из своих коллекций, или нет? Одевается он безупречно. Ей нравились не только его вечерние костюмы, но и повседневная одежда. Утром он пришел в зеленовато-серых брюках, голубой в полоску рубашке и в блейзере, на ногах коричневые замшевые мокасины. Все это ему шло, стиль одежды был скорее английский, чем французский. И все сидело на нем великолепно, ведь он был высокий и худощавый.

— Медсестра вам обязательно нужна, — твердо сказал он. — У меня есть все основания подозревать, что без присмотра вы тут же начнете бегать, да еще и на улицу выскочите.

Он уже говорил ей, что она должна неделю пролежать в постели, но ей такое предписание начало казаться жестоким и несправедливым наказанием.

— Никто бы не сказал, что я бегала по коридору сегодня днем, — возразила она, и он улыбнулся ей в ответ. Утром она вымыла голову, и сейчас медная кудрявая грива ее волос рассыпалась по плечам поверх больничной рубашки. Гигантских размеров букет, который стоял в палате, был прислан управляющим отеля «Плаза Атене», Жан-Шарль обратил на это внимание. Еще один огромный букет прислали Дэвид и Джейд — заказали по телефону из Нью-Йорка. Палата благоухала, точно сад.

— Приятный был вечер? — спросила она с любопытством ребенка, которого оставили дома с няней, а ему хочется, чтобы хоть рассказали о празднике.

— Безумно скучный. — Он даже скривился. — Никто слова живого не сказал, еда была отвратительная, кто-то пожаловался потом, что вино ужасное. Я не мог дождаться, когда ужин наконец кончится.

Странно, почему он не поехал сразу домой, к жене? Но Тимми его об этом не спросила. Порой ей начинало казаться, что брак у него не такой уж счастливый, но Жан-Шарль никогда ничего о своей семейной жизни не рассказывал. Он предпочитал рассказывать о детях. У него были две дочери — Жюли и Софи, одной семнадцать лет, другой пятнадцать, и сын Ксавье, который учился на первом курсе медицинского университета и хотел стать хирургом. Жан-Шарль не скрывал, что гордится сыном. Он несколько раз упоминал о нем в разговорах с Тимми, и всегда с неизменной гордостью. Старшей дочери было столько лет, сколько могло бы быть ее сыну, и он не раз думал, что, возможно, ей тяжело, когда он говорит о своих детях. Но она сама его расспрашивала, и он не переводил разговора, охотно отвечал ей.

— Я тоже не большая любительница званых ужинов, — призналась ему Тимми. Ей было уютно в ее постели, она радовалась, что он пришел навестить ее в такой поздний час, тем более что она уже чувствовала себя гораздо лучше. И ей совсем не мешала игла капельницы в вене. — Гораздо больше люблю проводить время на моей вилле на берегу океана или сидеть с друзьями в каком-нибудь маленьком кабачке.

Она слишком много работала, и у нее почти не оставалось времени на светскую жизнь, хотя иногда бывала просто вынуждена посещать какие-то важные светские мероприятия в Голливуде. Ведь ее фирма часто шила костюмы для героев фильмов, и у нее заказывали себе платья многие голливудские звезды.

— А где ваша вилла на берегу океана? — с интересом спросил он. Насколько же приятнее разговаривать с ней, чем с гостями, приглашенными на нынешний званый ужин!

— В Малибу. — И она с удовольствием стала рассказывать ему о своей вилле, о том, как любит подолгу гулять по пляжу. О том, что туда приезжает к ней Зак, она умолчала. Не стоит он того, чтобы о нем рассказывать, она вообще избегала разговоров о нем. Не такое уж важное место он занимает в ее жизни, чтобы посвящать Жан-Шарля в их отношения. Это один из компромиссов, на которые ей приходится идти.

— Мне всегда хотелось побывать в Малибу, — признался Жан-Шарль мечтательно. — На снимках там так красиво. А ваш дом в Звездной колонии? — спросил он, показав хорошее знание города, и она с улыбкой кивнула.

— Да, там, — тихо подтвердила она. — Вы должны как-нибудь приехать и увидеть все своими глазами. — Она произнесла эти слова, и оба подумали об одном и том же: а увидят ли они друг друга еще когда-нибудь? Никаких поводов для встречи в будущем у них, собственно говоря, не было, разве что она в очередной раз приедет в Париж и снова заболеет. А может быть, так случится, что, рассказав друг другу о себе так много здесь, в клинике, они станут друзьями?

— Я много лет не был в Лос-Анджелесе. В последний раз летал туда на очень интересную конференцию и читал лекции на медицинском факультете Калифорнийского университета. — Жан-Шарль встал. Уже поздно, а она как-никак его пациентка, и ей пора спать. Все это он ей и сказал, и она в ответ кивнула. Конечно, она утомилась, но как приятно вот так беседовать с ним. — Я приеду навестить вас завтра, — пообещал Жан-Шарль, — и мы вместе решим, когда вам будет можно вернуться в отель. Может быть, в воскресенье, если вы дадите слово хорошо себя вести.

— А как вы думаете, когда мне можно будет вернуться в Лос-Анджелес?

Казалось, прошел целый век, как она улетела оттуда.

— Посмотрим. Может быть, в конце следующей недели или даже в середине, если с вами будет все хорошо.

Джейд предложила Тимми прилететь за ней в Париж и вместе вернуться, но Тимми убедила ее, что в этом нет никакой необходимости, хотя она сейчас и помыслить не могла о том, что ей надо будет поднять ее огромную дорожную сумку. Но это не важно, она полетит в Лос-Анджелес одна, а Джейд с Дэвидом пусть возвращаются туда из Нью-Йорка, так будет разумнее.

— Доброй ночи, Тимми, — пожелал ей Жан-Шарль, взявшись за ручку двери, и она улыбнулась ему в ответ на его пожелание. Потом не без лукавства поблагодарила:

— Очень вам признательна, доктор, за то, что навестили больную.

Он улыбнулся и закрыл за собой дверь.

Она стала засыпать, думая о нем... интересно, какая у него жена, такая же ли утонченная и элегантная, как он, и при этом искренняя и открытая? Как странно в нем совмещаются чопорность и сердечность. Он показывал ей фотографии своих удивительно красивых детей, и Тимми, даже не видя его жену, решила, что она, безусловно, тоже красавица, раз у них такие дети. Тимми и представить себе не могла, что может быть иначе, хотя он очень мало говорил о ней, сказал только, что она по образованию юрист, но никогда не работала, и что они поженились почти тридцать лет назад. На Тимми эта цифра произвела сильное впечатление — шутка ли, такой долгий срок, однако по тому немногому, что она узнала о его жене, было трудно понять, счастливый у них брак или нет.

Что ж, раз они прожили вместе так долго, наверное, счастливый, размышляла Тимми, но ведь он был чрезвычайно сдержан и вообще никак не отзывался о своей жене — ни хорошо, ни плохо. Когда бы разговор ни заходил о ней, он словно бы отстранялся, и одно это побуждало Тимми задумываться о его семейной жизни, о том, счастлив ли он или нет. Он никогда не рассказывал о забавных случаях, в которых принимала бы участие его жена. Говорил о детях, о себе и почти никогда о своей второй половине.

Сколько бы Тимми и Жан-Шарль ни беседовали, какие бы темы ни обсуждали, вплоть до философских, причем часто их взгляды совпадали, в его тоне никогда не появлялось и намека на флирт, и это был для нее еще один повод им восхищаться. Он был всегда деликатен, полон интереса и уважения и никогда не переходил грань. То, что он не пытается флиртовать с ней, давало ей основание думать, что он все еще любит свою жену, хоть и почти не рассказывает о ней, и Тимми считала, что это достойно восхищения. Им трудно было не восхищаться — за его высокий профессионализм, самоотверженность, огромные знания, за его мудрость, образованность, чувство юмора, внимание к больным... Никогда в жизни ни один врач не проявлял по отношению к ней такой заботы, и Тимми уже решила, что перед отъездом сделает ему подарок. Но пока ее не выпустят из клиники и она не вернется в отель, выбрать и купить его она не сможет.

И когда на следующий день утром Жан-Шарль приехал навестить ее в одежде для уик-энда — вельветовые брюки, серый кашемировый свитер, — она снова заговорила о том, что хорошо бы ей переместиться в отель.

— Ну хорошо, хорошо, вижу, вы не оставите меня в покое, пока я не отправлю вас в «Плаза», — шутливо проворчал он. Ей уже достаточно долго делали инъекции антибиотиков, и он решил, что дальше она может принимать их в виде таблеток. Тимми хорошо понимала, что он очень осторожен в своих выводах и действиях и чрезвычайно ответственен как врач. — Перевезем вас в отель завтра, — согласился он, — но вы должны дать обещание, что будете лежать и набираться сил. Думаю, там вам будет удобнее.

Конечно, ей там будет удобнее, но и здесь, в клинике, за ней все четыре дня очень хорошо ухаживали, да и он заглядывал к ней по нескольку раз в день. Он был внимателен, с большой осторожностью применял медикаменты и вникал в мельчайшие подробности.

Перед тем как уйти, Жан-Шарль сказал ей, что уезжает на уик-энд с детьми. Вместо него остается его коллега. Тимми он напомнил, что у нее есть номер его мобильного телефона, и если возникнут какие-то затруднения, пусть она сразу же звонит ему. Она вспомнила, как позвонила ему в ночь на вторник, когда ее терзала непереносимая боль. Сейчас ей казалось, что это было тысячу лет назад, они о стольком переговорили за эти дни и так много узнали друг о друге. Он больше не какой-то чужой и незнакомый доктор, он — друг.

— Завтра, когда я вернусь, я загляну в «Плаза Атене», навещу вас, — пообещал он, и она знала, что он сдержит обещание. Он всегда держал слово. Вот человек, на которого можно положиться! Сильный, надежный. — Я еду в Перигор, у моего брата там дом. Мы с детьми любим там бывать.

Он ушел, и только тогда Тимми сообразила, что он ни слова не сказал о жене, ее это удивило. Что ж, может быть, она в отличие от них не любит Перигор или не слишком ладит с его братом. Все может быть, ведь люди прожили вместе столько лет. У каждого свои привычки, кто-то идет на уступки, а кто-то отказывается встречаться с друзьями или родственниками жены или мужа, которые им несимпатичны. Жан-Шарль не объяснял, почему он никогда не говорит о жене. А Тимми чувствовала, что спрашивать не нужно, хотя они делились друг с другом своими сокровенными мыслями о самых разных предметах, — от политики до искусства, от аборта до воспитания детей, хотя именно этого опыта у нее было очень мало, ведь ей так недолго довелось быть матерью. Размышляя обо всем этом, Тимми вдруг осознала, что завидует ему, потому что он проведет субботу и воскресенье со своими детьми. Как им повезло, что у них такой замечательный отец.

Вечер, когда он не приехал навестить Тимми, прошел очень тихо, она включила телевизор, который стоял у нее в палате, и посмотрела новости по Си-эн-эн. Никаких сенсационных событий не произошло. Звонили из Нью-Йорка Джейд и Дэвид, рассказывали, что дела идут хорошо. В понедельник и вторник у них запланированы несколько встреч, а во вторник вечером они полетят в Лос-Анджелес. Тимми надеялась, что к концу следующей недели она тоже вернется домой, и заранее ужасалась тому колоссальному объему работы, который скопился за время ее отсутствия, и в особенности за те дни, что она болеет. Бог даст, она наберется сил к возвращению домой и со всем справится. А пока еще она чувствовала большую слабость — шутка ли, у нее ведь начинялся перитонит, — и в воскресенье, собираясь переселяться из клиники в отель, она с великим трудом оделась и даже пожалела, что отказалась от предложения Жан-Шарля взять с собой сестру, убедила его, что в отеле для нее будут делать все, что необходимо. За ней приехал Жиль, сказал, что она отлично выглядит и он страшно этому рад, привез огромный букет красных роз, завернутых в целлофан. Выходя из клиники с этим букетом, но все еще на не слишком твердых ногах, она чувствовала себя чуть ли не кинозвездой или оперной дивой. А оказавшись снова в «Плаза Атене», она в очередной раз обрадовалась — как же ей здесь хорошо. Она словно вернулась домой, в ее роскошных апартаментах все было так знакомо и привычно, горничная заботливо помогла ей разобрать вещи и устроиться.

Тимми приняла душ, Жан-Шарль сказал, что уже можно, заказала себе в номер обед, прослушала оставленные на автоответчике сообщения, прочитала посланные Джейд и Дэвидом факсы — никаких событий чрезвычайной важности не произошло, они просто сообщали, что все идет своим чередом. И наконец Тимми блаженно легла в постель, застланную хрустящим, тщательно отглаженным бельем. Какое счастье снова оказаться здесь, ничего роскошнее и придумать невозможно! Конечно, в клинике все проявляли к ней величайшее внимание, заботились о ее удобствах, были любезны и предупредительны, но для нее, Тимми, не было на свете другого такого замечательного места, как отель «Плаза Атене».

Под вечер, когда она, блаженно лежа в постели, пила чай со своими любимыми шоколадными конфетами, позвонил швейцар и сообщил, что к ней пришел доктор Вернье, и через несколько минут Жан-Шарль вошел в ее номер. Вид у него был отдохнувший, он явно радовался встрече с ней. И сразу же сказал, что она выглядит гораздо лучше.

— Наверное, это от шоколада, — улыбнулась она и предложила ему конфету, но он отказался, проявив силу воли, какой у нее не было. — Хорошо отдохнули с детьми в Перигоре? — спросила она, но не призналась, что ей его не хватало, она и сама этому удивлялась. Со вчерашнего утра, когда он пришел в клинику проведать ее перед отъездом, ей не с кем было поговорить, она скучала по интересному собеседнику.

— Отлично, — ответил он. — А как вы здесь себя чувствуете? Так же, как вчера в клинике, или успели истратить все силы? — Спросил он это сурово, и она засмеялась в ответ, так что он вынужден был улыбнуться. Смеялась она заразительно, как и всегда, он был доволен, что в ее глазах опять появилось чуть озорное выражение. Он решил, что выглядит она очень хорошо, это не могло не радовать.

— Нет-нет, я жила в полном безделье. С тех пор как я сюда вернулась, только и делаю, что лежу и ем.

— Именно то, что вам нужно. — Он несколько раз говорил Тимми, что, на его взгляд, она слишком худая, хоть его это и не удивляло, — недаром же она конструирует одежду. Все американские кутюрье казались ему анорексичными, но худоба Тимми все же не доходила до такой крайности.

Однако легко было заметить, что за последнюю неделю она потеряла несколько фунтов, да и как не потерять после такой операции. И так же легко было заметить, как она рада, что снова вернулась в отель, где ее окружает такой комфорт, лежит в своей привычной кровати и на ней ее собственная ночная рубашка. Она даже надела бриллиантовые серьги и днем сделала маникюр. Ее снова окружала роскошь, здесь она чувствовала себя в привычной обстановке, и ей легче дышалось, чем в клинике в Нейи. Теперь, когда он позволил ей уйти оттуда, она очень скоро улетит в Америку. А когда улетит, он будет скучать по ней, он это знал, хоть и не хотел сам себе в этом признаваться. Она была замечательная собеседница, ему нравилось ее общество. Страх, который охватил Тимми в ту ночь, когда ей делали операцию, давно рассеялся, она снова улыбалась и была уверена в себе. Перед ним была сильная, обладающая большой властью женщина, она снова чувствовала себя в своей стихии. Удивительно ли, что, поднявшись так высоко, она более чем за двадцать лет успеха привыкла к изысканной роскоши. И когда она предложила ему выпить бокал шампанского, он со смехом покачал головой и стал подтрунивать над ней за ее пристрастие к роскоши.

— Я очень редко пью. — Отказался он легко и непринужденно, бутылка шампанского «Кристалл», на которую она ему указала, ничуть не привлекала его. — И к тому же я сегодня ночью дежурю.

— Вы не пьете? — удивилась она. Человек без дурных привычек, умный, добрый, предан жене и детям — можно ли желать большего? Она не могла не подумать в очередной раз, как повезло его жене. Такие мужчины, как Жан-Шарль Вернье, великая редкость, и они почти никогда не бывают свободны. Во всяком случае, Тимми таких не встречала. Они до конца жизни живут со своими женами. Она даже представить себе не могла, чтобы Жан-Шарль был один или завел роман с молодой женщиной того сорта, которые так привлекают знакомых ей мужчин, — это в основном старлетки, фотомодели, глупенькие сексапильные красотки. Сама мысль об этом казалась абсурдом. Жан-Шарль не выдержал бы и десяти минут в обществе такой женщины. Без сомнения, его требования очень высоки, и он истинно порядочный человек.

Тимми предложила ему чашку чаю, и он опять отказался. Он не предполагал, что она будет угощать его. Ведь он не гость, а ее врач, о чем и напомнил ей с улыбкой.

— А я думала, что мы с вами друзья, — возразила она огорченно, и он засмеялся.

— Верно, друзья. Я тоже так считаю. Мне очень нравится с вами разговаривать, — признался он и потом произнес слова, которые ее удивили: — Когда вы уедете, мне будет вас недоставать.

Он и правда полюбил их беседы философского характера о человеческой природе, о людских слабостях и пристрастиях, о политике, которую проводят их страны, его до глубины души тронула ее искренняя исповедь, в которой она поведала ему о своей жизни. Трудно было без волнения слушать ее рассказ о детстве в сиротском приюте, в приемных семьях, такие испытания сломили бы многих, а она из них вышла только еще сильнее. А сын? Она потеряла сына, и Жан-Шарль глубоко сострадал ей в этом горе. Он любил своих детей и понимал, что нет на свете ничего страшнее, чем смерть ребенка.

Но она пережила и это горе, а после него еще и предательство мужа. Прошла столько кругов ада и не утратила себя. Беседуя с ней после операции, он начал испытывать к ней глубочайшее уважение и сейчас согласился с ней, что они друзья, хотя вначале такое не могло бы прийти в голову ни ему, ни ей. Но сейчас это вовсе не казалось странным, в особенности ему. У него не было обыкновения завязывать дружеские отношения со своими пациентами. Но от Тимми исходило обаяние доброты и сердечности, она была необыкновенная женщина, и это его притягивало, вызывало желание поделиться с ней своими мыслями. И сейчас, сидя в ее апартаментах и болтая с ней, он чувствовал себя удивительно легко и непринужденно. Она встала с постели и вышла к нему в гостиную, сплошь заставленную цветами, которые прислали ее знакомые из мира моды, узнав, что ей сделали операцию. Весть об этом распространилась точно пожар, искру бросили находящиеся в Нью-Йорке Джейд и Дэвид.

— Итак, что же вы собираетесь делать? — улыбаясь, спросил он. Вид у него сейчас был заметно более беззаботный, чем до поездки с детьми в Перигор.

— Это зависит от вас, доктор. Когда мне можно будет вернуться домой?

— Вы так спешите?

— Нет, — призналась она честно, — но возвращаться-то все равно надо. У меня дела, — напомнила она ему, хотя он и сам это отлично знал, знал, как она занята и сколько ей придется трудиться и наверстывать, когда она окажется дома.

— Четверг вас устроит? Выдержите четыре дня? — Он не хотел, чтобы она спешила с отъездом, но и понимал, что не может удерживать ее в «Плаза Атене» вечно.

— Вполне. — У Дэвида и Джейд будет день, чтобы подготовить все к ее приезду после того, как они сами вернутся в Лос-Анджелес. — А можно мне будет выйти погулять? Совсем ненадолго. — У нее был некий план, о котором он, естественно, и понятия не имел.

— Думаю, можно. Только не гуляйте слишком долго и не уходите слишком далеко. И не носите ничего тяжелого. Ведите себя разумно, и все будет хорошо.

— Прекрасный совет на все случаи жизни, — сказала она, и он улыбнулся в ответ. — Я на свою беду всегда веду себя разумно. Мне слишком много лет, чтобы позволить себе быть неразумной. — И это в общем-то была правда, хотя и не полная правда.

— Возраст здесь ни при чем. И вы достаточно молоды, чтобы делать время от времени глупости, если вам вздумается. Это пойдет вам на пользу. — Он мог только вообразить себе, в каком огромном нервном напряжении она живет, при ее-то работе, и как многократно возрастает это напряжение, когда что-то пошло не так. Модный бизнес штука жестокая, Жан-Шарль догадывался, что в этом мире нужно не покладая рук трудиться и уметь сражаться, если хочешь занимать ведущие позиции, а Тимми их занимает вот уже двадцать три года. Впереди всех, и всегда старается опередить себя. Нелегкая это задача.

Тимми заметила, а может быть, ей показалось, что ему сегодня не хочется уходить, — ведь уже наступил вечер. И она решила как бы невзначай задать вопрос, возможно, слишком личного характера. Если он не захочет на него ответить, то и не ответит, подумала она. Он не мальчик, сумеет оградить себя от нежелательного любопытства, а ей очень хотелось узнать ответ.

— Ваша жена ездила с вами и с вашими детьми в Перигор? — вдруг спросила она, смутив и озадачив его.

— Почему вы спросили?

Его поразила ее интуиция. Такое впечатление, будто ей все ведомо, а что неведомо, о том она безошибочно догадывается, — удивительная женщина, она в отличие от многих доверяла своему чутью.

— Не знаю, — честно призналась она. — Вы никогда не говорите о ней. Это показалось мне странным.

— Нет, она с нами не ездила. У нее с моим братом натянутые отношения. — Натянутые отношения — это еще мягко сказано! И он рассказал Тимми, что они на самом деле уже много лет смертельно враждуют из-за дома, который достался Жан-Шарлю и его брату в наследство и который они вынуждены были продать, потому что никак не могли договориться, кто и когда будет в нем жить. Жена Жан-Шарля с тех пор не разговаривает с его братом и отказывается ездить к нему и его жене в Перигор.

— Мне представилось что-то подобное. — Тимми покачала головой. Она правильно угадала, причиной и в самом деле оказалась семейная ссора.

— Мы редко ездим куда-нибудь вместе, — сказал Жан-Шарль, и уголки его губ едва заметно дрогнули. Нет, он что-то утаивает. Тимми посмотрела ему в глаза, пытаясь понять, что именно. — Мы оба очень независимые люди, и у нас совершенно различные интересы. Если я еду с детьми туда, она остается дома.

— А в тот вечер в Нейи вы были на званом ужине один? — Ее любопытство уже граничило с бесцеремонностью, она понимала, что не имеет права задавать такие вопросы. Интересно, что он ответит, когда придет в себя от изумления? А он в очередной раз подивился ее проницательности.

— В общем-то да, один. Эти люди ей тоже не очень-то нравятся. Мы редко бываем в обществе вместе, да и друзья у нас тоже разные. Почему вы спросили?

— Сама толком не знаю. Меня это совершенно не касается, и мне стыдно за мое нахальство, — церемонно извинилась она, пытаясь осмыслить отношения супружеской пары в таком браке. В общем-то все это очень по-французски. У французов муж и жена остаются в браке до самой смерти, а конфликты решают, живя каждый своей собственной жизнью, предпочитают не разводиться, не то что в Штатах, где чуть что, супруги и разбежались.

— Нисколько вам не стыдно, — подколол ее он. — Вам хотелось знать. Вот вы и узнали.

— Наверное, нелегко так жить, когда у каждого свой круг общения и разные представления о том, где проводить выходные? — Интересно, есть ли у него любовница и встречается ли он с другими женщинами? Но конечно же, Тимми никогда не осмелится спросить его об этом. Ей казалось, что у него никого нет. Не похож он на человека, который ведет беспорядочную жизнь. С ней он был почтителен и деликатен. Нет-нет, он не флиртует с женщинами, во всяком случае, со своими пациентками.

— Если люди очень разные и им трудно друг с другом, они могут сохранить брак, когда каждый живет своей собственной жизнью. Все мы меняемся, а тридцать лет большой срок, — спокойно объяснил он. Было видно, что он смирился со своей жизнью и его она вполне устраивает.

— Да, наверное, — вежливо согласилась Тимми. — Хотя не мне судить, у меня нет такого долгого опыта семейной жизни.

— Пять лет не так уж мало. Очень печально, что люди не пытаются наладить отношения и просто расстаются. — Жан-Шарль немного помолчал и потом добавил: — Я считаю, люди должны оставаться вместе ради детей. Это их долг перед детьми, как бы им ни было тяжело и трудно.

— Не знаю, — честно призналась Тимми. — Я вовсе не убеждена, что для детей это такое уж благо, когда их родители ненавидят друг друга и тем не менее продолжают жить вместе. Все равно ведь кончается тем, что родители начинают обвинять детей за те жертвы, которые они ради них принесли. И детей это ранит так же больно, как родительский разрыв. Так что какой смысл жить до конца жизни с человеком, которого ты не только не любишь, но порой и просто ненавидишь? А дети — что детям дает жизнь в такой семье? Они сами проникаются той же ненавистью, которую испытывают родители, а это, я считаю, ужасно несправедливо по отношению к детям.

— Мы не всегда получаем от жизни то, чего хотим, — уклончиво заметил Жан-Шарль, — или то, что надеялись получить. Но это не оправдание для того, чтобы все бросить и бежать. У людей есть долг по отношению друг к другу, и тем более по отношению к детям.

— Мне кажется, это слишком уж суровое отношение. Я считаю, что нужно сделать все возможное, чтобы наладить отношения, но ни в коем случае не обрекать себя на страдания до конца жизни. Порой бывает лучше признать, что ты совершил ошибку или что обстоятельства изменились. Знаете, я сейчас даже уважаю своего бывшего мужа за то, что он честно во всем признался, хотя тогда мне было очень тяжело. Не откройся он мне, мы бы так и продолжали жить во лжи. Нет, лучше уж одиночество, чем ложь.

Жан-Шарль, судя по выражению его лица, был с ней не согласен. Он защищал свои жизненные принципы и выбор, который сделал, — быть вместе и в радости, и в горе, покуда смерть не разлучит их. В последние годы горя было куда больше, чем радости...

— Иногда человек должен смиряться, — сказал он, беря шоколадную конфету; Тимми не сводила с него внимательных глаз. Она сразу почувствовала, что он многое скрывает от нее.

— Я с вами не согласна, — спокойно возразила Тимми. — У смирившихся жалкая участь.

Ей было бы невмоготу оставаться с Дерриком после того, как она узнала, что у него есть любовник. В конечном итоге Деррик поступил правильно, оставив ее, хоть ей их разрыв причинил мучительную боль. И все равно так было чище, она пережила катастрофу и теперь испытывала к нему уважение.

— В жертве есть своего рода величие, — философски заметил он, и она задумалась над его словами.

— Никакой награды за жертву никто не обретает, — упрямо возразила Тимми. — Мы просто стареем раньше времени, теряем и душевные, и физические силы, глядя, как умирают наши мечты. Зачем обрекать себя на такое прозябание? Можно жить гораздо более полной и богатой жизнью.

Он ничего не ответил и словно бы задумался. Во время их бесед она не раз высказывала интересные суждения, он потом подолгу размышлял над ними. Несмотря на все, что ей довелось пережить, она все еще верила, что любовь возможна, — нет, не для нее, но хотя бы для других. Сама она смирилась со своим одиночеством и не питала никаких иллюзий относительно себя. Но знать, что в жизни есть любовь, было отрадно — особенно если Тимми видела ее в жизни других. Ее судьба и судьба Жан-Шарля были, в сущности, очень похожи, хотя он женат, а она не замужем. Оба они, как и множество других супружеских пар, смирились с тем, чего в их жизни нет, и старались жить достойно, заполняя время работой, работой, работой... У него были дети, ее ночи иногда скрашивали такие мужчины, как Зак.

Они поговорили еще немного, и наконец он неохотно встал. Как хорошо сидеть вот так рядом с ней в «Плаза Атене» и болтать, сидел бы и сидел, не замечая времени, но впереди столько дел... Прощаясь, Жан-Шарль пообещал навестить ее завтра к вечеру. В Париже ей осталось пробыть еще три дня.

Когда она на следующее утро встала и оделась, то поняла, что чувствует себя гораздо более слабой, чем ей хотелось бы признаться даже собственному доктору. Конечно, силы возвращались, но до прежней легкости и бодрости было далеко. И все же она заставила себя выйти на улицу. Цель ее прогулки находилась всего в нескольких ярдах от отеля, это был магазин на авеню Монтень, где продавалось лучшее, что можно было купить в Париже. Тимми хотела сделать подарок Жан-Шарлю перед отъездом. Он проявил по отношению к ней такое удивительное внимание, так заботился о ней, и ей хотелось выразить своим подарком свою благодарность, хотя она знала, что он ничего подобного не ожидает. Пусть это будет жест признательности и дружбы, решила она.

Тимми спустилась вниз около полудня и медленно, как старуха, побрела к магазину часов на авеню Монтень. Какое отвратительное ощущение — она словно постарела на сто лет за последнюю неделю! Тело все еще не оправилось после интоксикации, вызванной гнойным аппендицитом, от антибиотиков, которые она продолжала принимать, слегка подташнивало. Но, оказавшись в магазине, она сразу же отвлеклась от собственного болезненного состояния и стала с увлечением рассматривать предложенные ей на выбор турбийоны, среди которых нашла именно то, что ей и хотелось ему подарить: великолепный «Бреге» в простом платиновом корпусе и с черным циферблатом, она надеялась, Жан-Шарль будет доволен. Продавец, который с ней занимался, заверил ее, что если часы не понравятся, их можно будет поменять на те, что придутся больше по вкусу.

Тимми побрела обратно, радуясь своей покупке. Вот наконец и отель, она прошла по вестибюлю и поднялась к себе в апартаменты — наконец-то она дома, какое облегчение... Короткая прогулка — всего-то час времени! — отняла у нее все силы. Это был ее первый выход на улицу после операции. Она перекусила, немного поспала, и после этого ей стало лучше.

А вечером, когда Жан-Шарль зашел, по обыкновению, навестить ее, она чувствовала себя уже совсем хорошо, и он заметил, что в лице ее заиграли живые краски. Она рассказала ему, что совершила небольшую прогулку по авеню Монтень, но о покупке умолчала. Она задумала подарить ему турбийон перед самым отъездом из Парижа, когда он придет к ней с последним визитом.

Пока Жан-Шарль сидел у нее, ему несколько раз звонили по мобильному телефону, и было понятно, что несколько его пациентов находятся в тяжелом состоянии. Он сказал ей, что не сможет сегодня посидеть и поболтать. А вечером позвонил, желая еще раз справиться о ее состоянии. Она заверила его, что чувствует себя отлично. А наутро так оно и оказалось — силы прибывали не по дням, а по часам. Она снова прогулялась по авеню Монтень и, вернувшись в отель, легла вздремнуть. Сегодняшняя прогулка оказалась для нее благотворной. Даже Жан-Шарль порадовался, глядя на нее, когда пришел навестить во второй половине дня. И даже не пожурил, узнав, что прогулка была довольно долгой.

— Если завтра вы еще немного удлините свой маршрут, думаю, можно будет считать, что вы достаточно окрепли, чтобы в четверг лететь домой.

Именно так они и планировали.

Из-за операции Тимми пришлось прожить в Париже лишнюю неделю, но как же ей было грустно покидать любимый город, хотя каждый день у нее был на счету и она, конечно же, предпочла бы остаться здесь по более приятной причине. К тому же здесь она познакомилась и подружилась с доктором Вернье, и ее чрезвычайно заинтриговали его отношения с женой. Было несомненно, что его семейная жизнь — это цепь компромиссов, на которые он идет ради детей и считает, что эти компромиссы оправдывают себя. Догадавшись о чем-то подобном из его высказываний, когда они беседовали во время его воскресного визита, она сейчас окончательно убедилась, что он несчастлив в браке, но намерен сохранять его до самого конца. Тимми считала, что он поступает глупо, но разве не меньшую глупость совершает она, вступая в недолгие отношения с недостойными ее мужчинами из страха одиночества?

Когда Жан-Шарль говорил о своих детях, его лицо словно бы освещалось изнутри, и Тимми это трогало. Иногда очень глубоко. И несмотря на все это, между ними не проскользнуло и тени чего-то неподобающего, двусмысленного взгляда, слова, намека. Он не пытался ни увлечь ее, ни понравиться ей. Она видела лишь очень много работающего, порой одинокого, страстно преданного своему делу врача. Но была уверена, что нравится ему не только как приятная пациентка, что он любит разговаривать с ней, обсуждать самые разнообразные темы.

В последний раз он пришел навестить ее в среду, в пять вечера. Он был со своим докторским чемоданчиком, в серых брюках и блейзере, на шее очень красивый галстук от Гермеса. Выражение лица профессионально серьезное, глаза грустные. Интересно, подумала она, у него что-то случилось, или он так же огорчен ее отъездом, как она необходимостью расстаться с ним и с любимым Парижем?

— Когда вы теперь опять приедете в Париж? — спросил он, садясь на кушетку. Ее подарок лежал на столе, но ни он, ни она не произнесли по этому поводу ни слова. Футляр был завернут в простую темно-синюю бумагу и обвязан золотой бумажной ленточкой в завитках.

— Только в феврале, — ответила она. — Привезем очередную коллекцию прет-а-порте. Но я буду ее представлять только в Париже и Милане, ну и, конечно, в Нью-Йорке. В Лондон не поеду. Мои помощники и без меня справятся. Четыре города — это многовато, поверьте. Нынешнее турне чуть не доконало меня, я выдохлась еще до того, как взбунтовался мой аппендикс.

— Надеюсь, наши пути когда-нибудь еще раз пересекутся, — вежливо сказал он, и она огорчилась. Он уже стал чуть-чуть другой. Сдержанный, скованный, словно чувствовал себя неловко в ее апартаментах наедине с ней, озабоченный, казалось, его мысли заняты чем-то другим. Она знала его недостаточно хорошо и потому не осмелилась спросить, чем он так озабочен.

Они очень мило побеседовали сколько-то времени, и наконец он сказал, что ему пора. Его ждет пациент, он и так уже к нему опаздывает, потому что заболтался с Тимми. Неужели они сейчас простятся и расстанутся? Сердце ее сжималось. Она знала, что когда увидит его в следующий раз, их отношения изменятся еще больше. Возникшая между ними непринужденность объяснялась в значительной мере тем, что она осталась в Париже совсем одна и заболела. Это позволило им познакомиться друг с другом поближе и даже подружиться.

Ей было приятно думать, что в Париже у нее остается друг, но она не была уверена, что Жан-Шарль именно друг. Да, он ее доктор, лечил ее, заботился о ней, был очень внимателен. И как бы ей хотелось, чтобы он стал добрым другом! Она надеялась, что когда они снова увидятся в феврале, их отношения упрочатся, но кто знает, хочется ли того же ему, может быть, она была для него всего лишь очередной пациенткой, а его внимание — всего лишь профессиональным отношением хорошего врача?

Он встал и сделал шаг к двери, и тут она протянула ему завернутую в синюю бумагу коробочку. Он остановился в недоумении и растерянно посмотрел на нее.

— Что это?

— Знак благодарности за вашу доброту ко мне, — тихо сказала она. Она открыла ему душу, рассказала то, чем никогда до сих пор не делилась ни с кем. Доверилась ему и как доктору, и как доброму другу. А он ничего от нее не ждал, ему было довольно того, что они могли проводить время вместе. Сама возможность разговаривать с ней казалась ему подарком. И он несказанно удивился, увидев протянутую ему коробочку, даже помедлил минуту, прежде чем взять.

— Никакой доброты не было, — сдержанно ответил он, — я просто выполнял свой долг.

Просто долг? Нет, для Тимми он сделал гораздо больше. Он поддержал ее, вдохнул в нее силы, терпеливо и заботливо выхаживал ее, никто и никогда раньше так не заботился о ней. Она чувствовала, что от него исходят неиссякаемое тепло и сострадание, и ей хотелось поблагодарить его за все, подарить вещицу, которая бы напоминала ему об их искренних, задушевных беседах.

— Очень тронут, — сказал он, переложив подарок в левую руку, в которой держал чемоданчик, и протянул правую для рукопожатия.

— Благодарю вас, — тихо произнесла Тимми, — благодарю вас за то, что слушали меня, за то, что были рядом... держали меня за руку, когда мне было так страшно...

За что она его благодарит? Она пережила в своей жизни столько поистине тяжелого и трагичного, и то, что он для нее сделал, — сущий пустяк, хоть в ту минуту ей это, возможно, казалось важным. Но ему-то это ничего не стоило. И уж конечно, он не заслуживает подарка в знак благодарности.

— Ведите себя хорошо, — сказал он, улыбаясь. — Побольше отдыхайте. Когда вернетесь домой, не перегружайте себя работой. Вы еще сколько-то времени будете уставать.

Теперь он снова был только доктор, и выражение лица у него было озабоченное. Он не любил прощаний, а ее подарок к тому же выбил его из колеи. Он никак не ожидал ничего подобного, хотя Тимми не умела поступать иначе, но откуда ему было это знать?

— Берегите себя. — Он еще раз улыбнулся. — И звоните, если что.

— Может быть, когда я приеду сюда в феврале, со мной опять что-нибудь случится, — сказала она с надеждой и засмеялась.

— Надеюсь, что нет! — возразил он и указал на ее подарок. — Благодарю вас. Но не стоило этого делать.

— Мне так хотелось. Вы были сама доброта.

Он подумал, что в коробке, наверное, серебряная ручка или еще что-то в этом роде, что обычно дарят ему пациенты. Его ждал огромный сюрприз.

А она вдруг в неожиданном порыве приникла к нему и обняла, потом поцеловала в обе щеки. Он улыбнулся.

— Бон вояж, мадам О'Нилл.

Он поклонился ей, открыл дверь и вышел. Она стояла и смотрела ему вслед... вот он подошел к лифту, нажимает кнопку... Лифт тотчас появился, из него вышли два живших в отеле японца, Жан-Шарль вошел, помахал ей на прощание рукой и исчез, а Тимми вошла в свои такие привычные апартаменты. В горле у нее стоял ком. Как она не любила расставания! Когда она прощалась с симпатичными ей людьми и глядела, как они уходят, ее охватывало ощущение, будто ее бросили, — так же случилось и сейчас. Глядя вслед Жан-Шарлю, она чувствовала привычную горечь, от которой сжалось сердце. Господи, ну как же все это глупо! Он всего лишь врач-француз, а не ее возлюбленный. Долгий жизненный опыт научил ее, что все хорошее в жизни рано или поздно кончается, даже дружба.

Глава 5

Вечером Тимми собрала свои вещи, а проснувшись утром, позвонила Заку сказать, что после обеда вылетает домой. У него все еще был вечер среды, а у нее уже утро четверга. Перелет в Лос-Анджелес займет одиннадцать часов, она выиграет девять часов. Самолет из Парижа вылетает в обед, а дома она будет в начале второй половины дня.

— Привет, — небрежно бросила она, когда он ответил. Голос у него был тягучий, будто спросонья, но он сказал, что не спал. — Я сегодня прилетаю, звоню спросить, не хочешь ли составить мне здесь компанию. — Они не виделись целый месяц, но связь друг с другом поддерживали более или менее регулярно, хотя участия к Тимми во время болезни Зак не проявил. Он звонил несколько раз, пытался шутить, говорил, что скучает, скорее бы она возвращалась. Она и не ожидала от него большего, потому что слишком хорошо его знала, хотя как было бы приятно, если бы он изменил своей натуре и стал более внимательным. Но нет, на такое он не был способен. Их отношения всегда были легкими и поверхностными. И это была, пожалуй, главная причина, почему она вот уже десять лет их поддерживала, — с ним или с другими, точно такими же, как он. Она напомнила себе об этом накануне вечером после того, как простилась с Жан-Шарлем. Зак был существо другой породы. Ни глубины мысли, ни силы воли, да он никогда этого и не скрывал. Хотелось ему только одного — приятно проводить время, именно то, что Тимми было от него нужно. И сейчас она снова напомнила себе об этом. Приближаются праздники, гораздо приятнее проводить их с Заком, чем в одиночестве.

— Жаль, Тимми, боюсь, не получится, — неопределенно ответил Зак в ответ на приглашение Тимми заехать к ней вечером, когда она вернется. Его отказ в очередной раз напомнил ей, что у каждого из них своя, отдельная от другого жизнь. Нет, он не был верным любовником, который ждет не дождется возвращения подруги. Он живет своей собственной жизнью. Как и она.

— Досадно, — равнодушно отозвалась Тимми. Она привыкла к таким ответам. Они встречались, когда это было удобно и когда позволяли обстоятельства. Зак был избалован женщинами, они ему буквально прохода не давали. Но он ни ради одной не поступился бы своими малейшими удобствами, хотя связь с Тимми льстила его тщеславию. Ему нравилось рассказывать направо и налево, что он встречается с Тимми О'Нилл.

— Мне надо в Сан-Франциско, повидаться с одним парнем, мы с ним несколько лет назад играли в одной пьесе, — объяснил Зак. — Он только что позвонил. Я не знал, что ты возвращаешься. — Она и в самом деле не стала звонить ему раньше и договариваться о встрече, решила, что позвонит, когда прилетит в Америку. А он не пожелал ради нее перенести поездку в Сан-Франциско. Она подозревала, что это он так мелочно мстит ей за отказ взять его с собой в Европу. Да уж, злопамятности ему было не занимать.

— Обидно. Значит, встретиться нам не удастся. Но может быть, пересечемся в аэропорту, — сказала она. Ее ничуть не задел его отказ. Она ведь тоже не особенно рвалась его увидеть. Просто приятно было бы встретиться после месяца разлуки, но и только.

Она слушала его голос и думала, как отличается их разговор от ее недавних бесед с Жан-Шарлем. И разница не только в интеллекте, главное — это интерес, который они испытывали друг к другу, и общность взглядов. Она встречается с Заком уже несколько месяцев, спит с ним, но глубины в их отношениях нет и, вероятно, никогда не будет. Она чувствовала, что Жан-Шарль ей намного ближе, чем Зак, и это ее удивляло.

— Увидимся, когда я вернусь, — небрежно бросил Зак. — Я туда всего на пару дней. Как собираешься проводить уик-энд? Поедешь в Малибу?

— Может быть. Все зависит от того, как я буду себя чувствовать. Я всего два дня как из клиники, — напомнила она ему. Прошел всего месяц, а у нее было такое чувство, будто она разговаривает с совершенно чужим человеком, да, в сущности, так оно во многих отношениях и было.

— Звякни мне, если туда поедешь. Я возвращаюсь в субботу. Звони на мобильный, я из Сан-Франциско буду возвращаться на машине. Расскажешь мне о своих планах.

Она знала, что его гораздо меньше потянет в Бель-Эйр, если она все еще будет там. Господи, как много она о нем знала! Он обожал проводить с ней выходные в Малибу, на берегу океана, но ненавидел ездить туда один.

— Благополучного полета, — небрежно пожелал он.

— И тебе благополучной поездки.

Она положила трубку. Ей было грустно. Несмотря на всю свою решимость не привязываться слишком серьезно к Заку, она невольно ждала от него нежности и тепла. Как приятно вернуться домой, где тебя ждет любящая и преданная душа.

Она оделась и через несколько минут вышла из отеля, смутно надеясь, что Жан-Шарль еще раз позвонит пожелать доброго пути, но он, конечно, не позвонил. Да и зачем ему звонить? Он попрощался с ней накануне вечером и расстался, как расстаются с очередным пациентом. Интересно, развернул ли он ее подарок и понравились ли ему часы? Она надеялась, что понравились.

Она щедро одарила чаевыми дежурного на ресепшене, швейцаров и портье, и Жиль помчал ее в утреннем трафике будничного Парижа к аэропорту Шарль-де-Голль. Сдал ее багаж, что обыкновенно делал Дэвид, когда они летали вместе, и прикатил тележку для ее тяжеленной сумки. После нескольких дней в клинике расстояние, которое ей пришлось пройти по терминалу, показалось ей непривычно далеким, но боли она не чувствовала, просто устала больше, чем всегда. У выхода на посадку ее встретил служащий вип-зала, проводил до самолета и нашел ее место в салоне первого класса. Все прошло как нельзя лучше.

Она уселась поудобнее, вынула из сумки книгу, которую собиралась читать, взяла предложенные стюартом журналы, откинула голову на подголовник и закрыла глаза. У нее было такое ощущение, будто после ее отлета из Америки прошло сто лет. Из-за неожиданно свалившейся на ее голову операции она задержалась в Париже всего на несколько дней, но прожила здесь в общей сложности больше двух недель. Как ни любила она этот прекрасный город — конечно, желательно не болеть, когда ты приехала сюда, — все же приятно возвращаться домой. Она знала, что в офисе ее ждут горы писем. Ей придется принимать несметное множество решений, касающихся направлений следующего сезона. Они планировали разработать еще одну линию духов, были перспективные идеи, связанные с косметикой. От всего этого голова шла кругом. Но вот самолет взлетел, и не прошло и получаса, как она заснула и проспала первые пять часов полета.

Когда Тимми проснулась, подали обед, потом она посмотрела фильм, разложила свое кресло, легла, укрылась пледом и проспала сладким сном до самого Лос-Анджелеса. Стюард разбудил ее перед самой посадкой:

— Мадам О'Нилл?

Он легонько тронул ее за плечо, и она, услышав свое имя, произнесенное голосом француза, на мгновение подумала, что она снова в клинике и с ней рядом Жан-Шарль. Но тут же все встало на свои места. Стюард попросил ее сложить сиденье, и она увидела в окно, что они подлетают к Лос-Анджелесу.

Тимми пошла в туалетную комнату, почистила зубы, умылась, причесала волосы и вернулась к своему месту перед самой посадкой. Самолет остановился, и она спустилась по трапу одной из первых со своей тяжелой сумкой аллигаторовой кожи. Обслуживающий вип-зала тотчас взял у нее эту сумку из рук, едва она ступила на землю. Она очень быстро прошла через иммиграционный контроль, декларировать ей было нечего. То немногое, что она купила, увезла с собой Джейд, или же оно было отправлено прямо в город. Тимми терпеть не могла терять время на таможне и потому редко возила что-нибудь с собой.

Выйдя из дверей иммиграционного контроля, она увидела встречающую ее Джейд. Шофер Тимми ждал их у выхода. Джейд взяла у служащего вип-зала тяжелую сумку Тимми из аллигаторовой кожи и пошла с ней по залу аэровокзала. Дэвид тоже хотел приехать встречать Тимми, но у него работы невпроворот, объяснила Джейд.

— И вы вдвоем повезли бы меня домой — только этого не хватало!

Тимми улыбнулась и крепко обняла Джейд.

— Как ты себя чувствуешь?

Джейд заметила, что Тимми похудела и побледнела. В обрамлении рыжих волос ее лицо сейчас казалось чуть ли не прозрачным.

— Вполне хорошо, — ответила Тимми, сама удивляясь тому, что и в самом деле отлично себя чувствует и что ей совсем не хочется спать после долгого перелета. Да и то сказать — она почти все время полета спала. Как, впрочем, и всегда.

— Я жутко расстроилась из-за твоего аппендикса. Была готова вернуться.

— Совершенно ни к чему. Все прекрасно обошлось. У меня был очень хороший врач, а уж как меня выхаживали в клинике — лучше не придумаешь. Все случилось как гром средь ясного неба, но после того как я опомнилась, я просто лежала и отдыхала, хотя, конечно, предпочитаю отдыхать иначе.

Теперь, когда Тимми шла рядом со своей помощницей по аэровокзалу, по ее виду было и не догадаться, что она только что после операции.

— Ты такая храбрая, — с восхищением сказала Джейд. — Я бы совсем растерялась — заболеть в чужой стране, да еще так серьезно, перенести операцию... Я в последний раз болела два года назад.

Тимми засмеялась, и Джейд слегка смутилась. А Тимми была просто счастлива — Джейд снова с ней, она снова в привычной обстановке. И как замечательно будет лечь в свою собственную постель в Бель-Эйр, пусть она не так роскошна, как в ее апартаментах в отеле «Плаза Атене». Она вернулась, она дома!

— А я пять лет назад, — призналась Тимми. — Не могу представить себе человека, которому бы нравилось болеть на чужбине. Если учесть все обстоятельства, мне на редкость повезло. Врач был превосходный. И он держал меня за руку. — Тимми улыбнулась.

— Мне бы пришлось колоть транквилизаторы дней десять, не меньше, — сказала Джейд, когда их автомобиль уже втиснулся в плотный поток трафика. Шоссе было забито, и это тоже было привычно.

— Что у нас запланировано? — спросила Тимми, и Джейд рассказала, какие встречи она наметила для Тимми на следующую неделю. С тех пор как Тимми заболела, Джейд старалась как можно меньше нагружать ее. По обычным меркам и в применении к обычным смертным составленное ею для Тимми расписание встреч показалось бы чрезмерно напряженным. Но Тимми справлялась со всем играючи, во всяком случае раньше. На пике формы ее энергии хватало на десятерых, и она надеялась, что скоро снова обретет эту форму. Но сейчас, после долгого перелета, у нее возникли сомнения. Она все еще жила по парижскому времени, а в Париже и, стало быть, для нее, сейчас около часа ночи. Чтобы адаптироваться к местному времени, окончательно оправиться после операции и прийти в себя после путешествия, Тимми потребуется несколько дней. Однако чувствовала она себя на удивление бодрой. Она намеревалась завтра разобраться с завалом документов на своем рабочем столе и на субботу и воскресенье уехать в Малибу, опять же захватив с собой какую-то часть работы.

Дамы радостно прощебетали всю дорогу до Лос-Анджелеса, и вдруг Тимми в последнюю минуту решила сначала заглянуть к себе в офис, а потом уже ехать домой. Никто ее там не ждал, но ей хотелось взглянуть на свой письменный стол и понять, какой Эверест бумаг ждет ее возвращения.

— Стоит ли? — с тревогой спросила Джейд. — Разве ты не должна как можно больше отдыхать и беречься?

Но Тимми была Тимми. Любой другой женщине не терпелось бы приехать домой, принять душ, разобрать вещи, нырнуть в постель и спать, спать, спать... любой другой, но только не Тимми. Десять дней она ленилась и отдыхала, и теперь накопившаяся в ней энергия должна была вырваться со всей мощью. Джейд это чувствовала. Тимми засмеялась в ответ на ее слова и заверила, что чувствует себя отлично. Выглядела она тоже отлично, и настроение у нее было прекрасное.

Штаб-квартира фирмы «Тимми О» была расположена в фешенебельном квартале делового центра Лос-Анджелеса, в комплекс входили пять зданий и склад, где перед отправкой товара выполнялись таможенные формальности. Неподалеку находились еще несколько складов, еще была фабрика в Нью-Джерси, текстильные мануфактуры и швейные фабрики, которые она купила много лет назад за границей, главным образом в Малайзии и Таиланде. Сейчас она вела переговоры о покупке еще одного предприятия в Индии. Машина подъехала к зданию, где находилась штаб-квартира Тимми, и она с улыбкой огляделась вокруг.

— Добро пожаловать домой, — прошептала она, радуясь, что вернулась в свою привычную жизнь. Здесь она чувствовала себя сильной и уверенной. Всегда знала, что происходит, твердо держала в руках все бразды правления своей империей и радовалась, что именно она правит бал. Последние десять лет ее империя стала главным в ее жизни, и у нее не было и тени сомнений, что это лучшее ее творение. Как же приятно знать, что ты делаешь что-то по-настоящему хорошо. Необходимость руководить гигантским конгломератом компаний, разрабатывать линии и направления никогда ее не пугала, наоборот, дарила чувство уверенности и надежности. Огорчало все прочее за пределами ее империи, но сама империя — никогда. Тимми с самого начала нашла себя в работе, почувствовала свои огромные возможности и свой незаурядный талант. В последние годы ее личная жизнь не ладилась и приносила много боли. Она давно запретила себе надеяться на что-то серьезное. Главное — полностью сосредоточиться на своей работе, тогда все идет прекрасно. Когда Тимми вошла в здание, Джейд подумала, что она просто ожила на глазах, точно засыхающее растение, которое наконец-то полили. И даже словно бы стала выше ростом, пока поднималась в лифте на третий этаж. Официально сотрудники ее здесь не ждали, однако были предупреждены. Дэвид сказал, что Тимми, может быть, заглянет по дороге домой, и, как всегда, оказался прав.

Минуту спустя Тимми вошла в его кабинет, сияя радостной улыбкой.

— Ну что, соскучился?

Она крепко обняла его, он прижал ее к себе. Он так же, как и Джейд, сильно волновался за нее. Однако оба повиновались ей и остались в Нью-Йорке, чтобы провести назначенные встречи.

— Еще как! — с улыбкой признался он. — Больше мы тебя одну никуда не отпустим. Это же надо так людей перепугать!

— Ничего такого страшного не произошло, — отмахнулась она, и вдруг ей показалось, что Париж переместился куда-то далеко, словно бы на другую планету, как и ее операция, и даже Жан-Шарль Вернье. Она совсем забыла о нем, хотя целых девять дней подолгу с ним разговаривала. Теперь все это осталось в прошлом. Она вернулась в волшебное царство «Тимми О», которым так прекрасно правила и ради которого жила. Снова стала той Тимми, какой была, когда с ней случился первый приступ аппендицита и какая вызвала у Жан-Шарля антипатию, той Тимми, в жизни которой существует только работа и которая готова жертвовать ради нее всем, даже собственным здоровьем, какую бы дорогую цену за это ни пришлось платить. Так уж она была устроена.

— Только не надо пудрить нам мозги, — вспыхнул Дэвид. — Прорвавшийся гнойный аппендикс — очень страшная штука. Ты могла умереть.

— Не повезло вам, — засмеялась она. — Я слишком вредная, не захотела умирать. Так что живем дальше. Я еще не видела своего письменного стола. Скажите заранее, какой завал там меня ждет, а то вдруг прямо на пороге со мной инфаркт приключится.

— Нет-нет, никакой завал тебя не ждет, — поспешил успокоить ее Дэвид. — Я сегодня разобрался с массой неотложных дел, но это все были мелочи. У нас проблемы с тайваньской фабрикой, я написал тебе отчет, ты его получишь электронной почтой, но и они вполне решаемы. Мне кажется, я понимаю как. Прочтешь сегодня вечером. Ткани, которые мы заказали в Пекине, получены, трикотаж из Италии тоже. Все это уже в Нью-Джерси. Если честно, по-моему, тебе решительно не о чем тревожиться, хотя ты, конечно, найдешь повод.

И Дэвид снова засмеялся, радуясь, что Тимми опять с ними. Она была для него словно бы старшей сестрой, его учителем, человеком, которым он безмерно восхищался. Восхищался всем, что она делает, вот уже шесть лет, с тех пор как она его «открыла» и взяла под свое крыло. Она научила его всему, что знала о бизнесе сама. Перфекционистка, дотошно вникающая во все мельчайшие мелочи, она держала в своем поле зрения все без исключения, была гением маркетинга, знала свою клиентуру и обладала безошибочным вкусом и чувством стиля, которое ей никогда не изменяло. Неудивительно, что она занимает такое высокое положение в своей империи. Ее работа — единственное, что действительно имеет для нее ценность. «Тимми О» — ее дитя, она заботится о нем, балует его, воспитывает, бранит, наказывает, защищает и любит больше всего на свете.

— Я вернусь через минуту, — сказала Тимми Дэвиду и прошла из его кабинета в свой. Там ее ждала Джейд с чашкой чаю и аккуратными стопками документов, требующими ее внимания. Папки, брошюры, факсы, коробки с образцами тканей и множество других вещей занимали весь стол Тимми. Она села и принялась все это разбирать, словно перед ней был один из ее любимых китайских пазлов. В семь вечера она все еще сидела за работой, и Джейд трудилась вместе с ней.

За это время они уже почти со всем разобрались, кроме того, Тимми приготовила огромную кипу документов взять домой и прочитать ночью. Тимми была счастлива. Она снова вернулась в свою родную стихию. Работа была ее любимым спортом, а она была спортсменкой олимпийского класса.

Прошел еще час, а Тимми по-прежнему сидела за своим рабочим столом вместе с верной помощницей Джейд.

— Не хочу на тебя давить... — деликатно сказала Джейд в начале девятого. Она, как и всегда, была готова работать с Тимми допоздна, исключение составляли только дни, когда у нее было намечено что-то важное, например, интересное свидание, в таких случаях Тимми ее отпускала. Но сама, уйдя с головой в работу, о времени напрочь забывала. И сейчас, услышав голос своей помощницы, поглядела на нее таким взглядом, будто медленно возвращалась с небес на землю. — Но для тебя сейчас пять утра. Не пора ли домой?

Джейд волновалась за Тимми, ведь она только что перенесла операцию, а ведет себя так, будто и думать о ней забыла, — кстати, она и в самом деле вот уже несколько часов не вспоминает об операции.

— Да, конечно... — рассеянно проговорила Тимми, вытягивая из кипы образцов приглянувшийся ей лоскут. — Я спала в самолете.

— Ты на ногах уже почти сутки. Тебе надо ехать домой и отдыхать.

Джейд заботилась о ней, точно мать о ребенке, хотя, казалось, должно бы быть наоборот, и Тимми это трогало до глубины души.

— Знаю, знаю... Я сейчас, еще минуту... Только хочу просмотреть еще один файл...

Она была точно ребенок, которого невозможно оторвать от игрушек и заставить идти обедать, или ложиться спать, или принимать ванну. Работа была для нее точно наркотик — и сейчас, и всю жизнь. Начав какое-то дело, она уже не могла остановиться. Но все же в половине девятого она положила последнюю папку на высящуюся кипу, взяла все в охапку и, сопровождаемая Джейд, пошла к выходу. Водитель Тимми все еще ждал ее, ждал уже пять часов. Он привык ждать, ведь он часто возил ее, хоть она и была чрезвычайно независима и по большей части ездила сама, но в аэропорт, на важные приемы и светские мероприятия вызывала водителя.

По дороге они подбросили домой Джейд, хотя она хотела ехать к Тимми. В четверть десятого Тимми уже была дома, в своей квартире в Бель-Эйр. Она выключила охранную сигнализацию, и водитель внес в дом ее вещи. Она зажгла всюду свет и огляделась. Ей казалось, она не была здесь сто лет, а дом — она даже забыла, какой он красивый! Гостиная была в бежевых тонах, почти без мебели, просторная и полная воздуха, с прекрасными полотнами современных художников на стенах. Здесь были Виллем де Кунинг, Поллок, Раис Оливейра. Был даже один из ранних «мобилей» Александера Колдера, в углу стояла скульптура Луизы Буржуа. Все здесь было просто, элегантно и успокаивало душу. Спальня у нее была белая, кухня голубая с желтым.

Тимми купила дом, когда Деррик ее бросил. Она хотела оставить прошлое в прошлом, и ей это почти удалось. В книжном шкафу стояла фотография ее сына, но она никогда не объясняла, кто это, не слишком близким людям, которые бывали в доме. Ее помощники знали, что спрашивать не следует, а мужчин, которые появлялись в ее жизни и потом исчезали, мало интересовал снимок четырехлетнего ребенка. Их интересовали овальный бассейн, горячая ванна, сауна. В спальне наверху у нее был полный набор тренажеров, но она редко на них занималась. Физические упражнения ей заменяла прогулка по пляжу в Малибу, где она любила собирать ракушки. Тренажеры наводили на нее скуку, зато гости с удовольствием на них занимались. Например, Зак, когда приезжал к ней. Возле кухни была большая открытая веранда, где она любила завтракать. Для нее это был идеальный дом. Здесь был рабочий кабинет, столовая, гостевая спальня, фантастического звучания музыкальный центр и огромные гардеробные. Она вошла в кухню, открыла холодильник и заглянула в него. Домоправительница набила его продуктами — Джейд позвонила ей и сказала, что Тимми возвращается. Но Тимми поняла, что есть ей не хочется, она слишком устала, и потому закрыла дверцу холодильника и налила себе стакан воды. Приняла душ, надела ночную рубашку и легла, но сна не было ни в одном глазу. В Париже сейчас восемь утра, время завтрака. И тут в первый раз за все время после отъезда из Парижа она подумала о Жан-Шарле — что-то он сейчас делает? Интересно, понравились ли ему часы, или он поменял их на какие-то другие?

Прошел час, другой, третий, а сон все не шел, и тогда Тимми стала читать бумаги, которые привезла домой из офиса. Заснула она, когда в Париже был полдень. Но она закончила всю работу. В Лос-Анджелесе было три утра, и ее кровать вдруг показалась ей огромной. Казалось, за то время, что ее не было, она стала еще больше. Тимми лежала и смотрела в потолок и думала при этом, почему Зак уехал в Сан-Франциско в тот самый день, когда она вернулась. В самом ли деле так сложились у него обстоятельства, или он все нарочно подстроил, потому что продолжает злиться на нее за отказ взять с собой в Европу. Да, в сущности, какая разница? Тимми это безразлично. Мысли стали уплывать куда-то, глаза закрылись, она начала погружаться в сон. И последний образ, который промелькнул в сознании перед тем, как она заснула, был Жан-Шарль в Париже. И странно — она на мгновение почувствовала в своей руке его руку, представила, что он здесь, в Лос-Анджелесе, рядом с ней, и на душе стало отрадно, тепло. Увидит ли она его еще когда-нибудь? Вряд ли, ведь она вернулась к себе, в свой мир.

Глава 6

Заснула Тимми под утро, но проснулась рано. Сделала себе тост, съела полбаночки йогурта и выпила чашку чаю, потом приняла душ, оделась и вышла из дома — ее уже ждал водитель, чтобы отвезти в офис. Она расстроилась, когда Жан-Шарль сказал ей, что после операции минимум месяц нельзя будет водить машину. Но она не потеряла даром ни минуты, пока они ехали, сделала несколько звонков в Нью-Йорк и дочитала оставшуюся корреспонденцию. Она везла все взятые вчера домой документы обратно в офис со стопкой заметок для Джейд. И как только вошла в кабинет, сразу же их ей протянула. Дэвид взглянул на Тимми в изумлении.

— Как, ты все прочитала? — Она с улыбкой кивнула, а он только покачал головой. — Ну, знаешь! Ты что же, совсем не спала?

— Спала немножко, — возразила она, глядя на экран его компьютера. Она проспала четыре часа, и ей этого было более или менее довольно. Ей редко удавалось проспать больше пяти часов, но даже трех хватало, чтобы целый день работать. Казалось, в ней был неиссякаемый источник энергии, поистине перпетуум-мобиле, и все же к концу рабочего дня в пятницу разница во времени между Европой и Америкой сказалась, она готова была заснуть прямо за своим письменным столом. Здесь, в офисе, она увлеклась и напрочь забыла и об операции, и о том, что ей предписан щадящий режим. Работала в полную силу, как прежде, но в пять решила остановиться. В конце концов, наступает уик-энд! Она даже не стала брать работу домой, она почти все успела, а та малость, что осталась, подождет до понедельника. Кажется, ей придется лететь на Тайвань, улаживать возникшие там проблемы. Бульвар Санта-Моника был забит, и она добралась до дому только около шести. В Малибу она поедет вечером. Зак из Сан-Франциско не позвонил, она ему тоже не звонила, некогда было, да он и сам позвонит, когда появится в городе, она это знала. В восемь, когда на дорогах стало посвободнее, водитель отвез ее в Малибу, и она там осталась, сказав, что позвонит в воскресенье, когда пора будет возвращаться в Бель-Эйр, а может быть, ее отвезет Зак. Чуть позже она вышла на свою открытую веранду и стала смотреть на океан, вдыхая живительный морской воздух, а ветер играл с ее волосами. Тимми любила бывать здесь. Вилла была декорирована в бело-голубых тонах. Полы белые, чисто белые китайские фарфоровые вазы, кофейный столик из белого мрамора, белая мебель больших размеров. Огромная белая кровать с балдахином из тончайшего белого льняного полотна. Потолки небесно-голубые. Все на этой вилле в Малибу напоминало о лете. Здесь Тимми всегда было хорошо, и это было одно из немногих мест, где она действительно отдыхала.

Скорее бы наступило утро, тогда она наконец пойдет гулять у кромки воды. Ну и что, что она здесь одна, ей и одной неплохо, подумала она, и в эту минуту зазвонил телефон. Звонил Зак, он возвращался домой — на день раньше.

— Ты уже на вилле? — спросил он удивленно. — Я думал, ты там будешь только завтра утром. А я проезжаю Бейкерсфилд, до города часа два. Хочешь, приеду к тебе сегодня?

Она подумала и решила, что, пожалуй, это будет совсем неплохо. Услышав его голос, она поняла, что хочет его видеть, хоть и настроилась провести ночь одна.

— И в самом деле, почему бы тебе не приехать? — шутливо поддержала его она. С ним было очень удобно проводить уик-энды, ей никогда не приходилось уделять ему внимания, и именно это ей больше всего в нем нравилось. Он приходил, уходил и не ждал, что она будет заботиться о нем, и она радовалась этому, особенно когда сильно уставала к концу долгой недели. Он просто был где-то в доме или на пляже. Случалось, они по полдня не перебрасывались и словом.

— Я приеду около двенадцати. Если ты устала, ложись, только не запирай дверь.

— Может быть, и лягу, — сказала она зевая. — Я совсем без сил. Весь день работала, а живу все еще по парижскому времени. — Впрочем, она не хотела сыпать соль на раны.

— Ладно, я уж как-нибудь сам.

Судя по голосу, он был в отличном настроении.

Она приняла ванну в своей белоснежной мраморной ванной, из окна которой открывался вид на океан. Потом хотела было приготовить ему что-нибудь поесть, но бросила это занятие и на всякий случай оставила дверь кухни незапертой. Пошла к себе в спальню и очень скоро уже крепко спала в своей кровати под балдахином. Она не слышала, как он вошел, не почувствовала, как он, по обыкновению, скользнул в постель и улегся с ней рядом. Их отношения скорее напоминали отношения супругов, проживших много лет в браке, а не любовников. Кто-то лежит рядом с тобой в постели, и тебе не так одиноко. Проснувшись рано утром, Тимми увидела его возле себя, он спал, и его длинные светлые волосы разметались по подушке, как у ребенка. Спящий, он и сам был похож на большого прелестного ребенка, и она несколько минут с улыбкой любовалась им. До чего же он красив! Она никогда не могла понять, какие чувства испытывает к нему, да и зачем ей это понимать? Их отношения не заслуживают того, чтобы их анализировали. Он сейчас с ней, и этого довольно. Большего она от него не ждет, да ей ничего другого и не нужно.

Она тихонько встала с кровати, стараясь не разбудить его, и вышла босиком в кухню, а потом на веранду. Октябрьский день был великолепен. И вдруг она с изумлением поняла, что ведь завтра День всех святых. Дул легкий ветерок, и было необычно тепло для этого времени года. Тимми торопливо натянула джинсы и спустилась на пляж. Океан был тих, его гладкая поверхность напоминала гигантское зеркало, песок был чистейший, мягкий. Казалось, сейчас не осень, а весна.

Она налила себе чаю, приготовила кофе для Зака и вышла на октябрьское солнышко. Было девять часов. Она устроилась в шезлонге и закрыла глаза. Через час на веранду вышел Зак в шортах, взлохмаченный, заспанный и немыслимо красивый. Ну просто кинозвезда или фотомодель Кельвина Кляйна. И какое же у него великолепное, безупречное тело.

— Привет, — сказала Тимми, улыбаясь ему со своего шезлонга. — Я не дождалась тебя, заснула. Ты когда приехал?

Он не поцеловал ее, просто стоял на другом конце веранды и сонно улыбался, потом лениво потянулся и зевнул. Он не умел быть ласковым, но, кажется, сейчас радовался встрече с ней, и она тоже почувствовала, что рада его приезду.

— Точно не знаю, кажется, около часа. Я по дороге перекусил. Решил, что ты уже будешь спать. А ты неплохо выглядишь, Тим, по тебе нипочем не скажешь, что была больна.

Глядя на них, можно было подумать, что они давние приятели или однокашники, которые давно не видели друг друга и вот теперь случайно встретились. Он был напрочь лишен душевной теплоты. Они жили каждый своей отдельной жизнью, пути их шли параллельно друг другу, иногда пересекались, но очень редко сближались. Не будь у нее таких отношений раньше, она сочла бы это очень странным. Зак не проявлял по отношению к ней ни страсти, ни нежности. Порой ей казалось, что они просто добрые приятели, не более того. Он был дружелюбен, но от него не исходило тепла, ему просто нравилось проводить с ней время. Лишь иногда, не слишком часто, они предавались любви, если вдруг найдет стих. Секс его мало интересовал. Поглядишь на него и невольно подумаешь, что в постели ему нет равных, но, увы, ничего подобного. Красавец, глаз не оторвать, но люди ему безразличны, сосредоточен он исключительно на самом себе. Зак растянулся рядом с ней на шезлонге и закрыл глаза, подставив лицо утреннему солнышку. Тимми он даже не поцеловал. Это ему и в голову не пришло, хоть он не видел ее больше месяца. Впрочем, он был доволен, что приехал к ней. Красавец-фотомодель с великолепной фигурой — вот он, весь как на ладони, большой избалованный ребенок, любит дуться и капризничать, как дулся целый месяц, пока она была в Европе, а вообще-то довольно занятное существо. Никогда не знаешь, чего от него ждать, у него все зависит от настроения. Нынче утром он сонный, умиротворенный и, как всегда, красивый. Вот он повернул к ней голову и улыбнулся, чуть приоткрыв один глаз на ярком солнце.

— Ты ведь вряд ли расположена готовить мне завтрак? — спросил он и наконец-то наклонился к ней и поцеловал. Вернее, слегка прикоснулся к ее губам губами, точно клюнул.

— Может быть, и приготовлю, — сказала Тимми, улыбнувшись ему в ответ. — Хорошо, что ты приехал. — Они не виделись месяц. — А лучше приготовь-ка что-нибудь для меня ты, — поддела она его. Если надеяться, что он будет заботиться о еде, они оба умрут от голода, уж она-то это знала.

— Я скучал. — Он заглянул своими голубыми глазами в ее зеленые глаза. Он не часто делал такие признания. — Скверно, что ты попала в эту передрягу. А сейчас-то ты как себя чувствуешь? — И о ее здоровье он тоже осведомлялся редко. Но в какой великолепной форме сейчас он сам! Разве кто-то дал бы ему сорок? Двадцать пять, не больше. И все повадки у него, как у юноши. Да и общается он в основном с людьми вдвое моложе себя.

— Прекрасно. В Париже пришлось помучиться, но сейчас все хорошо. Я просто устала после перелета. Удачно съездил в Сан-Франциско?

— Не слишком. Потому и вернулся. — Она не сомневалась, что так оно и было. Если бы ему больше повезло, он не спешил бы к ней. Она не питала иллюзий на его счет. — Снялся на этой неделе в двух роликах. Серьезная реклама, будет показываться по Национальному телевидению.

Он был явно доволен собой и хотел рассказывать ей о себе. Что ж, она все это время давала ему хорошие деловые советы.

— Неплохо.

Они часто обсуждали его дела и очень редко ее. Так повелось по ее инициативе, а не по его. Не тот он был человек, чтобы она рассказывала ему о своих проблемах, да ей и не хотелось. Ей просто было легко с ним, и к тому же смотреть на него приятно. Она отлично понимала, какую высокую цену платит за его красоту. Такие привлекательные мужчины редко проявляют внимание по отношению к женщинам. Они считают, что женщины, с которыми они общаются, должны ухаживать за ними, и Тимми в общем-то ухаживала, хоть и не слишком.

— Ты что хочешь на завтрак? — спросила она, вставая. Ей нравилось готовить для него завтрак в выходные, это давало ей ощущение дома, семьи. По будням они редко виделись. Она была слишком занята, и при его богемном образе жизни он ей мешал — и по утрам, когда она спешила на работу, и вечером, когда без сил возвращалась домой. Совсем другое дело, когда они проводили вместе выходные в ее вилле на берегу.

— Апельсиновый сок, яичницу из двух яиц, бекон, тост и кофе. Как всегда.

Он редко вызывался приготовить завтрак для Тимми, но ей этого и не хотелось. Повар он был никудышный, а ей нравилось готовить для него, проводить вместе уик-энды, лежать рядом на солнышке, бродить по пляжу, держась за руки. В его обществе ей было легко, просто, отрадно. Досадовала она на него, только когда он начинал упрекать ее, что она мало для него делает, не протежирует для него фотосессии и не берет с собой на тусовки. Но сейчас он не собирался ее упрекать. Она только что вернулась из Европы, а он еще не совсем проснулся.

Она ушла в кухню готовить ему завтрак и через двадцать минут снова появилась на веранде, неся еду на подносе.

— Как вы и желали, ваше высочество, завтрак в постель, — весело пропела она. Он с улыбкой сел и взял у нее поднос. Ей доставляло удовольствие в кои-то веки за кем-то поухаживать. Тимми положила на поднос большую полотняную салфетку, поставила белые тарелки, расписанные ракушками. Здесь, в своем доме, ей нравилось разыгрывать роль хозяйки, она редко могла позволить себе проявить эти свои таланты. И уж тем более в будние дни.

За завтраком он рассказал ей о кастингах и кинопробах, в которых принимал участие, и посвятил во все перипетии разыгрывавшихся в его мире интриг. Она рассказала ему о демонстрациях своей коллекции в Европе, и на этот раз он воздержался от укоров, что она не взяла его с собой. Позавтракав, они пошли гулять по пляжу. Собирали ракушки у самой кромки воды, он смешил ее забавными анекдотами, потом побежал, а она продолжала идти не спеша, в свое удовольствие. Но даже от этой неспешной ходьбы ее только что заживший шов стал болезненно ощущаться, и она села на песок, а он все бежал по мелководью под октябрьским солнышком. На него было приятно смотреть, издали он казался совсем мальчишкой. Потом он побежал обратно, к ней. Они вернулись домой и снова легли на открытой веранде. Она устала от прогулки.

День тянулся блаженно медленно. Они засыпали, просыпались... Вместе приготовили обед, вечером он поджарил им на гриле стейки. Ни о чем серьезном они не разговаривали, мировые проблемы решать не пытались. Он смотрел спортивные передачи по телевизору, она заснула на веранде с книгой. Потом они посмотрели видео, а в десять легли и заснули крепким сном. Он не пытался заняться с ней любовью, просто заснул, обняв ее, и ей стало теплее, легче на душе. Именно на такой взаимной поддержке добрых приятелей и строились их отношения. Впрочем, когда они проснулись утром, он хотел было заняться с ней любовью, но она сказала ему, что пока нельзя, шов еще слишком свежий. Он отнесся к этому добродушно и велел в таком случае приготовить ему завтрак, что она и выполнила. Им было легко и просто друг с другом. Они провели весь день на веранде, хотя воздух стал холоднее, а в шесть он отвез ее в Бель-Эйр. Там он позанимался в спортзале и полежал в горячей ванне, а она проверила электронную почту.

Ужинать с ней он не остался, так уж у них повелось, что по воскресеньям он встречался вечером с друзьями, и Тимми, оставшись дома одна, занялась работой — надо было подготовиться к предстоящей неделе.

— Какие у тебя планы на эту неделю? — как бы мимоходом спросил ее Зак, прощаясь.

Он всегда хотел знать, предстоят ли ей какие-нибудь интересные светские мероприятия, и добивался приглашения на тусовки, ему непременно надо было, чтобы его видели, но Тимми редко где-нибудь появлялась. Она, как правило, работала допоздна все дни недели. В Европе она не пошла на знаменитый благотворительный бал «Карусель надежды», который устраивала Барбара Дэвис, оставила без внимания приглашения, которые положила ей на стол Джейд. Для Тимми они не представляли никакого интереса, а вот Зак о них мечтал.

— Вроде бы ничего особенно важного, — сказала Тимми, глядя, как он укладывает в сумку свой спортивный костюм. — Я посмотрю. Придется много работать, меня ведь не было больше месяца.

Он никогда не понимал, какой колоссальный объем работы она выполняет, не догадывался, в каком напряжении сил проходит каждый день ее жизни.

— Скажешь потом мне, — попросил он.

Ей ли было не знать, что он устроит очередную истерику, если она не возьмет его с собой на какое-нибудь важное светское мероприятие. Он бывал мил только тогда, когда знал, что не упустил ни одного из них. Однако она не всегда ему потакала. Если уж она решала куда-то пойти, то шла одна. Не любила афишировать их отношения, зачем людям о них знать, но Заку это было совсем не по душе. Ему редко удавалось вытащить ее на тусовки, он всегда говорил, что она слишком много работает, так нельзя, она охотно с ним соглашалась — конечно, нельзя, но менять что-то в своей жизни отказывалась. Тем более ради Зака.

Да, с ним было приятно проводить время у нее на вилле, но и только, и только! Сейчас, после месяца разлуки, она особенно остро почувствовала, как неглубоки их отношения. И еще ее в очередной раз поразило, как обманчива внешность. Любая, взглянув на Зака, решит, что он фантастически хорош в постели. И ошибется: в постели он не изобретателен и эгоистичен. Никакого огня, даже искра редко вспыхивает. И все равно было в нем что-то такое, что держало Тимми в плену. Уж очень он был красив, глаз не оторвать, это в нем больше всего и привлекало.

— Я тебе позвоню, — пообещал Зак и еще раз клюнул Тимми в губы, оставляя ее одну в воскресный вечер. — Спасибо за приятный уик-энд.

Что ж, хотя бы уик-энд прошел приятно. Приятно, безмятежно, легко. Но когда он ушел, на душе у Тимми стало холодно и пусто. Он ей не нагрубил, они не поссорились. Ей было приятно спать рядом с ним — почти всегда было приятно. Он согревал и ее тело, и душу. Удивительно, какое огромное значение приобретают такие вещи, когда ты остаешься одна. Как отрадно, когда тебя просто обнимут или нежно возьмут за руку, для нее это гораздо важнее, чем секс. Порой отрадно просто заснуть рядом с человеком. Не проводи Зак с ней выходные, она бы тосковала просто по теплу человеческого тела. В ее жизни не было больше никого, с кем рядом она могла бы заснуть и кого могла бы взять за руку. Иногда она думала: «А ведь я готова продать душу за ласковое человеческое прикосновение». В последние годы страх одиночества ее буквально преследовал. Зак худо-бедно спасал ее от этого страха.

Дверь за ним бесшумно закрылась, и Тимми услышала, поднимаясь по лестнице к себе в кабинет, как отъезжает его раздрызганный за десять лет службы «Порше». Двух ночей с Заком оказалось более чем довольно. Думая о нем, она поняла, что за время разлуки они стали еще более чужими друг другу. Что ж, такие отношения, как у них, в конце концов умирают естественной смертью.

Когда уже было совсем поздно, ей позвонила Джейд, она писала ответы на пришедшие по электронной почте письма.

— Как ты провела выходные? — бодро спросила Джейд. Она хотела удостовериться, что с Тимми не случилось ничего плохого. Она часто звонила в воскресенье вечером.

— Знаешь, я вполне довольна, — сказала Тимми, — отдыхала, ленилась. Уехала на побережье, и ко мне приехал Зак.

— Ну и как? Он все еще на тебя злится?

— Мы этой темы не касались. Мне кажется, он все-таки пережил обиду, хотя, подозреваю, уехал в Сан-Франциско нарочно, не хотел быть здесь, когда я вернусь. Все точно рассчитал. Явился ко мне на виллу в пятницу вечером.

Джейд негодовала, что Тимми соглашается на такую малость, и она много раз говорила ей об этом, когда речь заходила о Заке, но сейчас промолчала. Ведь Тимми достойна всего самого лучшего! Сколько раз они все это обсуждали... Тимми утверждала, что такие женщины, как она, на современном рынке не котируются, и искренне в это верила. Сколько-нибудь стоящих мужчин интересуют женщины гораздо более молодые. Все достойные мужчины женаты. А в ее возрасте трудно найти хотя бы и недостойного. Вон даже Джейд никак не может встретить человека, с которым ей было бы интересно, и постоянно грозится, что пойдет на интернет-сайт знакомств, как только выберет минутку, хотя Тимми предупреждала, что это очень опасно. А таким, как Тимми, и вовсе не на что надеяться. Она даже и подумать не может о том, чтобы выставить свое фото на сайте знакомств. В ту же самую минуту вся «желтая пресса» об этом затрезвонит. И потому она довольствовалась Заком.

— Вчера у меня было свидание «вслепую», — со вздохом призналась Джейд, и Тимми улыбнулась. За тот год, что прошел после того, как Джейд рассталась со своим женатым возлюбленным, у нее было не перечесть сколько свиданий «вслепую», и ни одно не имело продолжения, но Джейд хотя бы искала, Тимми не могла не отдать ей должное.

— Ну и как? — с интересом спросила Тимми. Она нежно любила обоих своих помощников.

— Полное дерьмо, как и всегда. Мальчишка, сопляк! Привел меня в спорт-бар, приставал к официантке, напился в стельку, я уехала домой на такси, с ним даже не попрощалась. На днях Дэвид поможет мне зарегистрироваться на сайте знакомств. Докатилась, дальше некуда.

Тимми засмеялась.

— Есть, и еще как! Не сегодня завтра ты встретишь хорошего парня, выйдешь за него замуж, вы переедете жить в Де-Мойн и нарожаете шестерых детей.

— Я бы согласилась на Лос-Анджелес и двоих детей, даже на одного, — грустно вздохнула Джейд и тут же пожалела, что поддержала разговор о детях. Случалось, она забывала о Марке. Тимми никогда о нем не говорила, а Джейд начала у нее работать, когда он только что умер. То был страшный период в жизни Тимми: полгода она отчаянно пыталась спасти ребенка, борясь с его неизлечимой болезнью, его смерть стала горем, от которого нет утешения. Джейд слишком хорошо помнила то время, непереносимую тоску в глазах Тимми. Эта тоска появлялась в них снова и снова, и потому Джейд старалась избегать разговоров о Заке. Уж она-то знала, что, когда человеку нужно удержаться на поверхности, привередничать не приходится. Ей хотелось, чтобы у Тимми был другой мужчина, не такое ничтожество, как Зак, но она понимала, почему Тимми поддерживает с ним отношения. За двенадцать лет работы и дружбы с Тимми Джейд повидала несколько таких Заков.

— Все так и будет, увидишь, — заверила ее Тимми. Она всегда старалась подбодрить Джейд, которой очень сочувствовала, особенно после того, как та рассталась со своим женатым возлюбленным. Радости ей этот роман принес мало, а разлука и вовсе разбила сердце, Джейд чуть не целый год приходила в себя.

Сейчас Джейд с трудом верилось, что ее отношения с ним тянулись десять лет. Он все время обещал ей, что уйдет от жены, чуть не до последнего дня. Но всегда что-то этому мешало, постоянно возникали какие-то препятствия, которые не позволяли ему уйти. Болезни детей, мать, которая все умирала и никак не могла умереть, нездоровье и психическое расстройство жены, финансовые затруднения, неудачи в бизнесе, диабет у ребенка, которого убьет известие, что отец оставил семью, депрессия у жены... Так продолжалось год за годом, и в конце концов Джейд порвала с ним. Тимми знала от Дэвида, что он все еще звонит Джейд, но она на его звонки не отвечает. Он был для нее чем-то вроде наркотика, но она все-таки сумела излечиться от этой зависимости. Она растратила на него впустую десять лет — десять лет! — своей жизни и теперь боялась, что потеряла надежду завести семью и детей. Было еще не поздно, но время идет неумолимо, и Тимми очень хорошо ее понимала. Джейд не могла позволить себе легких отношений с такими мужчинами, как Зак, ей нужен был серьезный человек, который хочет жениться и родить детей.

— Твой суженый появится, когда ты меньше всего этого ждешь. Вот посмотришь.

— Поживем — увидим, — иронически заметила Джейд и заговорила о встречах, назначенных на следующую неделю. Тимми уже была готова работать в прежнем форсажном режиме, проведенный на берегу океана уик-энд вернул ей силы. Неделя после операции в Париже казалась уже древней историей. Чувствовала она себя отлично и даже слегка загорела в выходные. Казалось, на дворе весна, а не осень.

Они пожелали друг другу спокойной ночи и положили трубки. Тимми, ложась в тот вечер спать, думала о Заке. Воскресными вечерами ее кровать казалась ей особенно пустой, но в понедельник она уже с этим свыклась. Так оно все и шло.

В понедельник утром Тимми проснулась в свое обычное время и начала работать в своем обычном темпе. Ей нужно было сделать миллион звонков, провести тысячу встреч, переговоров, дать сотню интервью, повидать десяток представителей разных фирм. Она встретилась со своими помощниками-дизайнерами, обсудила множество вопросов, касающихся весенней коллекции, предотвратила несколько катастроф, чудом сумела уладить конфликт с тайваньской ткацкой фабрикой, так что отпала необходимость лететь туда, и к середине недели уже не могла поверить, что у нее начинался перитонит и ей делали операцию. Выглядела она прекрасно, работала, как и всегда, с азартом, и очень мало спала. Во вторник позвонил Зак, сказал, что хочет приехать к ней вечером, но она вернулась домой только к полуночи, и, когда позвонила ему, он уже крепко спал. В четверг она решила ему позвонить, но тут Джейд принесла ей почту, и она увидела письмо со штемпелем Франции и прочитала имя Жан-Шарля Вернье. Сама не зная почему, она дождалась, когда Джейд выйдет из кабинета, и только тогда его открыла. Свою личную корреспонденцию она всегда открывала сама. Она села, долго глядела на конверт и наконец разорвала его. И удивилась. Она ожидала, что письмо будет написано на бланке его университета, но в конверте оказалась открытка — закат солнца над океаном. Перевернув открытку, она увидела, что снимок сделан в Нормандии. «Как это необычно для него», — подумала она и прочла короткое письмецо. Как странно — снова официальное обращение... И все письмо показалось ей странным, она не знала, что и думать, как все это понять. Учтивое, сдержанное, оно почему-то наводило на мысль о записке в бутылке, которую он бросил в море в Париже или где-нибудь еще, и эта бутылка каким-то чудом попала ей в руки. Тимми в полной растерянности читала и перечитывала письмо, представляя себе Жан-Шарля. Вот что он написал своим четким, твердым почерком:

«Дорогая мадам О'Нилл!
Меня совершенно обескуражил Ваш непомерно щедрый подарок. Он прекрасен, хоть я его никак не заслужил. Очень рад, что операция прошла благополучно, и надеюсь, что никаких осложнений после нее не возникло и что Вы быстро поправляетесь. Буду думать о Вас, когда буду надевать часы, я их в высшей степени не достоин, но буду носить с удовольствием. Надеюсь, у Вас все хорошо.
Искренне Ваш
Жан-Шарль Вернье».

Какое формальное письмо... И все же Тимми было приятно, что часы ему понравились. Она не могла понять, почему письмо такое сухое, — оттого ли, что он писал по-английски, или сознательно этого хотел. Письмо своей чопорностью так отличалось от их бесед в клинике, когда он сидел возле ее кровати или забегал проведать после званого ужина. Она хорошо помнила все, что он говорил о семейной жизни. Как непоколебимо верил, что в браке нужно мириться с разногласиями и разочарованиями. Ей тогда хотелось спорить с ним, но она не могла, слишком мало его знала. Но чувствовала, что в его семейной жизни не так все просто. Ей хотелось прочесть между строк, о чем он думал, когда писал письмо, проникнуть в его мысли. Кто она для него — не более чем богатая американка, у которой случился приступ аппендицита в Париже и ей пришлось делать операцию, а потом она подарила ему дорогой подарок, который для него ничего не значит? Или их доверительные разговоры все же не прошли для него бесследно? Господи, какая же она глупая, ну какое все это имеет значение, зачем она огорчается, что письмо такое холодное? А чего еще она могла ждать? У нее нет решительно никаких прав на что-то надеяться, это она должна крепко-накрепко запомнить. Он ее врач, более того, — он женат. И вдруг Тимми задала себе вопрос: а зачем она подарила ему часы — в знак благодарности или желая найти дорогу к его сердцу? Она больше не доверяла себе, не доверяла своим чувствам по отношению к нему. Может быть, ее побуждения были не так бескорыстны, как ей представлялось? Но если и так, она все равно знала, что целится не в ту цель. Она совершенно не интересует Жан-Шарля как женщина. Это ясно как день. Но ведь она ждала этого от него, ей этого хотелось? Она строго спрашивала себя и не находила четкого ответа. Жан-Шарль красив, корректен, элегантен, женат, имеет троих детей и живет в стране, где люди редко разводятся, тем более что он сам противник разводов. Да, он держал ее за руку, перед операцией и во время операции, слушал рассказ о ее жизни и о бедах, которые выпали на ее долю, но в конце концов он всего лишь женатый француз, доктор, приславший ей несколько сухих слов благодарности на открытке с видом солнечного заката над гладью океана. И все это ничего не значит, он и не хотел, чтобы значило.

Если здраво рассудить, Тимми для него очередная пациентка, не более того. Просто она решила, что доверительные разговоры имели необычный, глубокий смысл. Но даже если так, Жан-Шарль не потерял голову. Она внушала себе, что в своем письме Жан-Шарль просто хотел поблагодарить ее и именно это и сделал. Сама не зная почему, она захотела ему ответить. Поставила открытку на стол и стала на нее глядеть, словно открытка с ней разговаривала и произносила слова, которых Жан-Шарль не осмелился написать, да и никогда не осмелится. Да что же это такое, что она выдумывает? Письмо со словами благодарности, только и всего. Конечно, конфузно было осознать, что она влюбилась в доктора-француза, — если и в самом деле влюбилась. Она не признавалась в этом себе, когда он каждый день приходил навещать ее и часами беседовал с ней. А сейчас вдруг прозрела, что для нее это были не просто визиты доктора и приятные беседы с ним, но как она могла допустить такое? Нафантазировала бог весть что на пустом месте, влюбилась, как девчонка, а на самом деле ничего и не было. И он очень ясно это показал, благодаря ее в письме за подарок. Единственное, что казалось странным, это открытка. Закат над океаном... он словно взывал к ней, хоть она и понимала, что это всего лишь ее воображение, ничего другого и быть не могло. Просто ей очень хотелось так думать.

Нет, Тимми не может ему написать, да ничего писать и не надо. Ответить на такое письмо — значит поставить себя в неловкое, неприятное положение, он наверняка подумал бы, что она не в себе. Она подарила ему часы, он ее поблагодарил. Открытка красивая, ну и что из того? Она ровным счетом ничего не значит. И уж тем более это не послание в бутылке. Короткое официальное письмо со словами благодарности от парижского доктора, который взял ее под свою опеку, когда она там заболела. Тимми прочла открытку в последний раз, ничего не прочла между строк и поняла, что ничего там и не должно быть. Взглянула в последний раз на снимок с закатом, сказала себе, что она идиотка, и бросила открытку в мусорную корзину. Ее поблагодарили — учтиво и официально. Что бы она ни чувствовала к Жан-Шарлю, пусть даже сама о том не зная, все исчезло, как ее аппендикс. Она чуть не засмеялась вслух над своей глупостью, надеясь, однако, что он не подумал, будто она с ним флиртует. А если и флиртовала? Неужели это так уж глупо? Увы, да, призналась самой себе она, и как раз в эту минуту в кабинет вошла Джейд и сразу же увидела, какое у Тимми растерянное лицо.

— Что-то случилось?

Она хорошо знала Тимми.

— Нет-нет, что ты, — запротестовала Тимми, пытаясь убедить не столько Джейд, сколько себя.

— Следующая встреча здесь. Это маркетологи, ты просила Дэвида пригласить их. Они пришли на пять минут раньше. Как ты хочешь, чтобы я их задержала, или пусть войдут, ты готова?

Тимми заколебалась, борясь с непреодолимым желанием достать из мусорной корзинки открытку с закатом. Глупо, смешно, и она это понимает. Она не может себе позволить даже думать о Жан-Шарле и не позволит. Но на какой-то безумный миг ее охватила мучительная потребность увидеть его, вернуть то время, когда они часами разговаривали друг с другом. Нет, она сошла с ума. Пусть открытка так и останется в мусорной корзинке. Тимми пристально посмотрела в глаза Джейд, стараясь сосредоточиться на том, что она говорит ей.

— Проси их, — сказала она, и Джейд вышла из кабинета, а Тимми снова вернулась мыслями к письму, которое он ей написал. Письму, в котором парижский доктор просто благодарил ее. Только официальная благодарность в нем и была, ничего другого просто и быть не могло. И главное: Тимми была уверена, что все это пустяк и ровным счетом ничего не значит ни для него, ни для нее.

Глава 7

Два следующих уик-энда Тимми провела с Заком, и провела их на удивление приятно. Они побывали на выставке живописи, на презентации нового фильма, на которую Тимми достала билеты, Зака там фотографировали рядом с ней, а это для него было важное событие. Пошли на открытие ресторана, гуляли по пляжу и каждый раз в конце уик-энда занимались любовью, и это было важное событие для них обоих. И потом, как всегда, воскресным вечером оба возвращались каждый к своей жизни. Всем остальным, что происходило в ее жизни, Тимми управляла сама. В делах ей помогали Джейд и Дэвид, заведующие отделами, менеджеры, консультанты, эксперты, юристы. От Зака ей было нужно только то, что он мог ей дать, — теплое тело рядом в постели по выходным, спутник для похода в кино, с которым можно есть поп-корн, приятель, который рассказывает что-то смешное. Ей было нужно так мало! Слишком мало, по мнению Джейд. Она всей душой любила Тимми, искренне ею восхищалась, и ей невыносимо было видеть, что Тимми довольствуется теми крохами, которые бросает ей Зак. Зак, этот самовлюбленный избалованный мальчишка, проходимец! При Тимми она держала язык за зубами, но с Дэвидом давала волю своему негодованию, как только речь заходила о Заке.

— Имени его не могу слышать! — полыхала Джейд в кабинете Дэвида, куда им принесли в три дня обед из кулинарии. До этого у них не выдалось и минуты свободной. Тимми наконец-то уехала в центр встречаться с юрисконсультами и главным исполнительным директором по поводу изменений в их пенсионном фонде. — Ну как она может терпеть такое ничтожество, я бы его выгнала взашей. — И Джейд откусила кусок сэндвича с яичным салатом, Дэвид же заказал себе сэндвич с пастрами. Он был голоден как волк, но не мог оторваться от работы ни на миг, пока Тимми была в офисе. Она без конца что-то подкидывала и подкидывала ему, но именно такая работа Дэвиду больше всего и нравилась. Он знал, что получает неоценимый опыт и перед ним открываются неоценимые возможности, каких ему больше нигде не найти, и потому готов бежать за Тимми со скоростью двухсот миль в час, хоть сама она бежит в два раза быстрее.

— Бездарность, Джейди. Но ты к нему слишком сурова. Он неплохой парень, хотя, конечно, звезд с неба не хватает. Актер, фотомодель, смазливая физиономия и роскошное тело, потому он ей и нравится. А чего ты хочешь?

— Хочу, чтобы рядом с ней был умный мужчина, умный и добрый и к тому же мужик настоящий. Ей нужен менш[*], а Зак подонок.

Дэвид усмехнулся, услышав еврейское словечко. В предках Джейд текла азиатская кровь, но она нахваталась еврейского жаргона, когда работала в Нью-Йорке на Седьмой авеню, где Тимми с ней познакомилась и потом наняла к себе на работу. Она любила говорить, что они все занимаются шмоточным бизнесом, торгуют тряпками. Дэвид всегда говорил, что Джейд знает идиш лучше, чем его бабка, которая выросла в Пасадене и вышла замуж за протестанта, принадлежавшего к епископальной церкви. Но он хорошо понимал, что означает в устах Джейд слово «менш». Она хотела, чтобы Тимми встретила человека надежного, твердого, честного, доброго. Зак под эти критерии никак не подходил, но Дэвид считал его парнем безобидным, а у Тимми не было иллюзий на его счет, хотя и он, и Джейд считали, что Зак всегда урвет всюду, где можно. Он хотел быть на виду, рекламировать себя на светских тусовках и получать приглашения на кастинги, вечно пытался увязаться за Тимми на разные светские мероприятия, чтобы его видели рядом с ней, это было полезно для его карьеры и помогало завязывать личные контакты. Он почти и не скрывал своих амбиций. Но Тимми умела защищать себя. Ей был хорошо известен этот тип мужчин.

— Он хотя бы не вытягивает из нее деньги и не требует, чтобы она устраивала его дела.

Оба они хорошо помнили, что именно так поступал предшественник Зака. Он хотел, чтобы Тимми купила ему художественный салон, а он продавал бы там свои собственные картины. Тимми любезно уклонилась от этой чести и потом полтора года была одна, пока не появился Зак.

Сначала Зак был мил, забавен, обворожителен, засыпал Тимми цветами и сувенирами, так что в конце концов она согласилась брать его с собой на вечеринки, и теперь вот уже скоро пять месяцев, как они проводят уик-энды вместе. Если их отношения будут развиваться по привычной схе-

---

[*] Благородный, порядочный человек (*идиш*).

ме, то долго им не продлиться, и Дэвид, и Джейд это знали. Рано или поздно он зарвется, начнет слишком откровенно использовать Тимми в своих целях, давить на нее, а то и изменит ей, и тогда Тимми спокойно найдет себе кого-то другого, если только Зак не сделает того же раньше. Между ними нет той истинной близости, которая накрепко связывает людей, нет глубокого уважения, нет понимания — того надежного якоря, который удержал бы их в самый сильный шторм. Они просто приятно проводили время вместе. Тимми больше не хотела ни на кого рассчитывать, только на саму себя.

— Не понимаю, почему она не может найти себе кого-то настоящего, одного с ней возраста, того же круга, чтобы был достоин ее.

Все в окружении Тимми презирали Зака.

— Перестань, Джейди, — отозвался Дэвид. Он съел маринованные огурчики со своего сэндвича и взял один с ее сэндвича. Он всегда ел ее огурчики, а ей отдавал свой картофель фри. Так уж у них издавна повелось. — Мы все хотим найти кого-то настоящего. И я хочу. А время у нас для этого есть? Мы работаем по пятнадцать часов в сутки, а то и целыми сутками, бросаемся тушить назревающие конфликты, летаем по всему земному шару. Черт, у меня уже два года нет девушки, едва я кого-то встречу, как Тимми меня тут же пошлет на месяц в Малайзию, или я полечу в Нью-Йорк решать проблемы нашего рекламного агентства, а потом мчись в Париж и Милан, гоняй фотомоделей с голыми сиськами по подиуму, помогай им укладывать волосы. А я нормальный мужик! Какая «достойная меня» женщина станет терпеть такое? Они хотят, чтобы я всегда был рядом, водил бы их в пятницу вечером в ресторан, по уик-эндам возил бы кататься на лыжах. Я после колледжа ни разу не катался на лыжах, хотя в прошлом году шесть раз заказывал номер в отеле на озере Тахо и потом каждый раз вынужден был отказываться. Я три года не отдыхал. А Тимми работает в десять раз напряженней, чем мы с тобой. Какой мужчина такое потерпит? У мужчин, которые должны бы быть рядом с Тимми, есть свои собственные Заки, только женского пола и именно по тем же причинам. Хорошенькое личико, великолепная фигура, беззаботные уик-энды — когда выдастся время. По-моему, для мужчин такие отношения еще полбеды. А вот если так живет женщина, мы в шоке. Будь Тимми мужчиной, а Зак девушкой, ты бы считала, что все это в порядке вещей.

— Нет, не считала бы, — упрямо возразила Джейд. — Тимми достойна неизмеримо большего, и ты тоже это знаешь. Мне просто поперек горла все, что за ним стоит, и то, что его не интересует никто, кроме собственной персоны. Я, конечно, не спрашивала Тимми, но уверена, что он не позвонил ей ни разу в Париж, когда она там лежала после операции. А когда прилетела в Лос-Анджелес, его здесь не было. Плевать ему на всех, ему важен только он, любимый.

Дэвид не стал возражать, он смотрел, как она ест его картофель фри.

— Такова его животная природа. Когда люди работают так, как мы, у нас нет шансов познакомиться с кем-то достойным. Таким людям нужно больше, чем мы можем им дать. У меня нет ни времени, ни сил, мне тридцать два года. Как ты думаешь, что Тимми может дать мужчине при той жизни, которой она живет? И сама она это знает, и я знаю, и ты. Может, потому ты и жила десять лет с женатым парнем. Когда все по-настоящему, нельзя встречаться раз в неделю, и то если выкроил минутку.

Он коснулся больной темы, и Джейд ничего не ответила, задумалась ненадолго, потом покачала головой.

— У меня со Стэнли был совсем другой случай. Я его любила. А он мне лгал. Хуже того, он лгал себе. Все время обещал мне, что уйдет от жены. Но не уходил, а потом его жена заболела. А когда он сказал, что хочет развестись, у обеих дочерей началась булимия, и они сели на антидепрессанты. Отцу делали операцию на сердце, сыну пришлось провести год в реабилитационном центре. Дела его пошли хуже некуда. Все покатилось под откос, так до сих пор и катится. Одна из дочерей наркоманка, у жены рак, ей удалили матку. Все эти десять лет все бесконечно лежали по больницам, и он все время просил меня подождать — ну немного, скоро этот тяжелый период кончится... Одно кончалось, начиналось другое. Как мне было соперничать с такой лавиной бед? Может, надо было проявить твердость... Не знаю...

Когда Джейд вспоминала свой роман, у нее до сих пор на глазах выступали слезы. Она чуть не покончила с собой, когда ее любовник наконец сказал ей, что не может оставить жену и детей. Расстаться с ним ей помог ее нынешний психиатр. Даже она уже поняла к тому времени, что расстаться необходимо, иначе Джейд потеряет и физическое, и душевное здоровье. Десять лет слишком большой срок. Дэвид согласился с ней: да, насколько он понимает, Стэн ее любил, но от жены уходить никогда не собирался. Понимал Дэвид и то, какого рода отношения были у Стэна с Джейд, и подозревал, что эти отношения его не слишком устраивали. Она говорила, что хочет иметь мужа и детей, но она также хотела сделать карьеру. А Стэнли хотел иметь просто жену и остался с той, которая у него была.

— Итак, когда мы зарегистрируем тебя на сайте знакомств?

Дэвид с улыбкой откинулся на спинку стула. Надо было переключиться с неиссякаемой и болезненной темы Стэнли на что-то другое. Джейд переполняла горечь, и она была готова в любую минуту разразиться монологом, обличая женатых мужчин, которые калечат жизнь женщинам. Один из миллиона в конце концов женится на своей любовнице, утверждает она, остальные остаются у разбитого корыта, они отдали свою молодость человеку, который никогда и не собирался бросить жену, и упустили возможность встретить кого-то порядочного, с кем можно бы было связать жизнь.

— Когда скажешь, я готова. — Джейд неуверенно улыбнулась, потом нахмурилась. — А как мы узнаем, что они не женаты и не врут, будто у них никого нет?

Джейд больше никому не верила, хотя Стэнли никогда от нее не скрывал, что у него семья. Он даже не слишком твердо обещал, что женится на ней. Просто говорил, что попытается освободиться. А она готова была рискнуть. Теперь-то она за долгие годы об этом забыла. Зато теперь рисковать не желает и правильно делает, считал Дэвид.

— Нужно как можно больше о них узнать и доверять своему чутью. Это все, что мы можем сделать. Потом можно все проверить, если тебе от этого станет легче. Можешь нанять частного детектива. Некоторые нанимают. Но по крайней мере интернет-знакомства расширяют круг общения.

Джейд взглянула на свои часики, готовясь заняться тем, что предложил ей Дэвид.

— Ну хорошо. Показывай. — И она с озорной усмешкой указала на свой компьютер.

Дэвид удивился.

— Прямо сейчас? Ты серьезно?

— Более чем. Тимми вернется не раньше пяти, да она и вообще возражать не будет. Мы сделали всю работу еще до того, как она уехала. Мне осталось написать три письма, которые понадобятся ей только завтра. Итак, маэстро, введите меня в мир интернет-знакомств. Какого черта, ведь это не страшнее того, что я выискиваю себе сама. Еще одно свидание «вслепую» с таким же недоноском, и я за себя не отвечаю.

Дэвид с улыбкой сел к своему компьютеру и открыл один из самых популярных сайтов службы знакомств. Когда-то раньше он и сам им пользовался, но уже с год, как все забросил, — по причинам, о которых говорил, пока они с Джейд перекусывали. Главным образом из-за отсутствия времени. Вообще-то Дэвид переписывался с девушкой, которую повстречал на сайте выпускников Гарварда в разделе, где они ведут чат между собой. Она только что окончила бизнес-школу и жила в Сан-Франциско. Они один раз встретились, но, как Дэвид потом говорил, она оказалась для него слишком «здравомыслющей», хотя и умнейшая девушка, он давно такой не встречал. Вскоре она поступила в Беркли и написала ему, что живет с девушкой, у них серьезные отношения. Судьба не предназначила их с Дэвидом друг для друга, это очевидно. Он ответил ей, написал, что желает ей счастья, и перестал о ней думать — некогда было, и больше он подобных попыток не предпринимал. Он особенно и не спешил с поисками, хотя тоже хотел в будущем жениться и иметь детей. Сам он любил еврейский сайт знакомств, потому что в глубине души мечтал встретить чистую еврейскую девушку. Но для Джейд выбрал сайт с большим количеством претендентов из разных стран и стал задавать ей разные вопросы, чтобы уточнить ее предпочтения по поводу возраста ее будущего партнера и где он должен жить.

— Это как это? — Джейд на миг растерялась. Процесс приятно волновал ее, но и пугал немного. — Что, даже город можно выбрать?

— Не только город, — ответил Дэвид, готовясь печатать. — А даже насколько близко этот человек от тебя живет. Тот же район. Тот же город, тот же почтовый индекс, в десяти милях от твоего дома, в пяти, в одной? В том же штате? Или можно сельского жителя? Или только обитателей крупных городов?

— Черт, откуда мне знать. Может быть, Лос-Анджелес с пригородами? Не слишком ли большое «покрытие»? — Возможности открывались безграничные. Джейд больше интересовали образование человека и его профессия. Она признавалась, что придает значение статусу и работе, сама-то она училась в Беркли.

— Решать тебе. Я предпочитаю тот же самый почтовый индекс, ненавижу торчать в пробках на шоссе, приходится тратить не меньше часа, чтобы добраться до места свидания. Сейчас-то я, можно сказать, вне игры, так, иногда балуюсь, чтобы просто не забыть, как нужно разговаривать с девушками, когда хочешь их закадрить.

— Давай остановимся на Лос-Анджелесе с пригородами, — решила Джейд. У нее было такое чувство, будто она заказывает продукты в службе «Гросериз экспресс», — именно оттуда доставляли ей еду, она делала заказ по телефону из офиса, а консьерж получал его и клал в ее холодильник. Мир как раз и создан для того, чтобы заботиться об удобствах деловых людей, у которых нет времени для низкой прозы жизни, они целиком отдаются важной работе, путешествиям, интересным каникулам, а если вдруг выдается свободная минута, они тотчас бегут в спортзал.

После того как Дэвид напечатал то, что захотела Джейд, а также предпочтительный возраст — от тридцати пяти до пятидесяти двух, на экране появилось множество маленьких фотографий, эдакое роскошное меню, и Дэвид жестом пригласил ее сесть поближе, чтобы хорошенько их рассмотреть. Лица мужчин в длинных рядах — смешные, красивые, что-то среднее между тем и другим, с описанием своего характера и пожеланиями к партнеру. Некоторые пожелания были фантастически глупые, до полного идиотизма. Прочитав: «Пылкий сексуальный папик», — Джейд застонала, и Дэвид объяснил ей, что некоторые такие характеристики они придумывают не сами, а просто ставят галочку в уже заготовленном на сайте списке качеств. Когда Джейд понравились один из снимков и краткая характеристика под ним, они вызвали более подробное описание, где сообщалось о религиозных предпочтениях, сексуальных привычках, предыдущих браках, указывалось число детей, назывались любимые виды спорта, рассказывалось о татуировках и пирсингах или об их отсутствии, а также о том, чего они ждут от женщины. Некоторые хотели, чтобы предполагаемая партнерша была той же религии, что и они, другие желали, чтобы она имела спортивные достижения не ниже олимпийского уровня, третьи упоминали сексуальные фантазии. Перечисляли профессии, даже указывали диапазон заработной платы, который опять-таки выбирался галочкой в соответствующей графе, образование. Потом они коротко рассказывали о себе, и, читая эти короткие строки, Джейд то и дело ужасалась. И все же шестеро в этом паноптикуме ей понравились. Симпатичная внешность, разумная характеристика, приличная работа, хорошее образование, двое разведены и у них маленькие дети, она от этого не в восторге, но ничего страшного, все шестеро утверждают, что хотят познакомиться с женщиной, имеющей профессию, примерно ее возраста, любящей путешествовать и желающей завязать серьезные отношения, и признаются, что в перспективе хотят жениться и иметь детей. Один говорил, что отдает предпочтение восточным женщинам, и Джейд сочла это если не сигналом опасности, то во всяком случае предупреждением — видимо, он наивно надеется найти покорную партнершу. Один из претендентов даже окончил Беркли в том же году, что и Джейд, но лицо на снимке показалось ей незнакомым, впрочем, ничего удивительного, ведь в Беркли почти сорок тысяч студентов. Он был архитектором и жил в Беверли-Хиллз.

— Что не так со всеми этими людьми, почему они не могут найти себе пару? — с подозрением спросила Джейд, и Дэвид в ответ засмеялся.

— Кто это сказал, что он ни за что не вступит в клуб, который приглашает его? То ли Вуди Аллен, то ли Марк Твен, не помню. Пойми, они в таком же положении, что и мы. Мы работаем как каторжные, у нас нет свободной минуты, нас воротит от извращенцев, с которыми нас знакомят друзья, а родных, которые познакомили бы нас с друзьями своих сыновей и дочерей, у нас нет, а те, что есть, лучше бы ни с кем не знакомили... Откуда мне знать? Многие кого-то все же находят. Попробовать стоит. Я и сам знакомился по Интернету, пару раз на такое напоролся, что не приведи господи, но все остальные девчонки были очень симпатичные. С одной или даже с двумя можно было построить серьезные партнерские отношения, но у меня не было ни времени, ни желания строить что-то серьезное. Мне было вполне хорошо с девушками, с которыми я встречался. Тут все четко и ясно. Ты переписываешься с ними по электронной почте, сначала не говоришь им своего домашнего адреса, не даешь ни своего мобильного телефона, ни даже рабочего. Вы несколько раз где-то встречаетесь на людях, ты к ним присматриваешься, полагаясь на свою интуицию и избегая неловких и потенциально опасных ситуаций, и ждешь, что из этого получится. А что, в самом-то деле, мы ведь ничего не теряем, верно?

— Вроде бы нет, — согласилась Джейд. Она все еще сомневалась, хотя была страшно заинтригована. Почему бы не рискнуть?

— Хочешь написать кому-то из этих шести ребят? Можешь воспользоваться моим аккаунтом. Но если ты настроена серьезно, тебе нужно завести собственную страничку и вывесить свои личные фото. Можно так настроить вид этой страницы, что она будет доступна для просмотра лишь каким-то определенным людям. Тогда твое фото не будет видно всем подряд на главной странице сайта знакомств. Итак, ты хочешь написать этим ребятам?

Джейд задумчиво кивнула. Судя по характеристикам, ей пока больше всех нравился архитектор. Он писал, что разведен, был женат шесть лет и детей не имеет. Живет в Беверли-Хиллз. Увлекается европейской литературой и живописью, а у Джейд в университете живопись была основным предметом специализации. Любимые города Париж, Венеция и Нью-Йорк, два из этих трех у них общие. Это значительно суживает круг поисков. И намного больше того, что удалось найти ее приятельницам. В выходные он любит кататься на лыжах, ходить в турпоходы, в театр и в кино, стряпать вместе с девушкой, с которой встречается, или даже для нее, если она не умеет готовить, и Джейд сказала, что ее это очень и очень привлекает. Ее кулинарные достижения ограничивались супом из пакетика и спагетти из пакетика же «Рамен» или салатом из супермаркета «Сейфвей». А когда никто не видел — «Хостесс Твиннис». У нее всегда в ящике стола лежал такой кекс вместе с пакетом орешков в шоколадной глазури на тот случай, если некогда поесть по-настоящему. Джейд называла все это здоровой пищей. Все шестеро кандидатов показались ей интересными, она придвинула свой стул поближе к Дэвиду, и они послали каждому письмо с краткими сведениями о ней. Она поняла, что должна зарегистрироваться на сайте знакомств и открыть свой собственный аккаунт, чтобы вывесить там свои снимки и характеристику, однако сначала надо посмотреть, какие ее избранники пришлют ей ответы.

Волнуясь, она отправила последний е-мейл и нервно засмеялась, глядя на усмехающегося Дэвида, и тут в комнату вошла Тимми.

— Что это вы тут, ребятки, натворили? — спросила она, заметив озорное выражение на лицах своих помощников. Тимми, конечно, знала, что ничего плохого они натворить не могут. Им полезно в кои-то веки отвлечься от работы, пока ее нет. Сейчас Тимми не в цейтноте, сама она тоже позволила себе перевести дух. Встреча с юристами по поводу пенсионного фонда была очень содержательной и прошла хорошо. —

Ладно, колитесь. Вы похожи на кошек, которые слопали канарейку, — сказала она, улыбаясь.

— И даже не одну канарейку, а целых шесть, — призналась Джейд. Она знала, что Тимми подозрительно относится к службе знакомств, включая и электронную сваху, но секретов от Тимми у Джейд не было.

— Объясни, — попросила Тимми и, увидев на экране компьютера ряды мужских мини-фото с несколькими строчками характеристик, с нежностью на них поглядела. — Вот оно что! Осторожно, нам только серийных убийц не хватало. Вы мне оба нужны живые и здоровые.

Джейд и хотела бы посоветовать Тимми, чтобы та тоже сделала попытку, но знала, что она ни за что не согласится. Даже если Тимми дала бы вымышленное имя, ее лицо знают во всем мире, у нее очень яркая, запоминающаяся внешность. Длинные рыжие волосы и зеленые глаза сразу же ее выдадут, ведь ее лицо уже много лет постоянно появляется в журналах и в рекламных роликах. Во всех бизнес-школах изучают историю ее успеха, на нее молится весь мир моды. Помести Тимми свою фотографию на одном из сайтов знакомств или даже обратись в бюро по подбору партнера, чьи услуги пользуются все большим спросом, и через десять минут «желтая пресса» раструбит об этом по всему свету.

Эпоха подбора женихов и невест на заказ вернулась, все стало как было, только сейчас через Интернет, и это доказывало, как трудно в наше время всем найти себе спутника или спутницу, как бы вы ни были молоды, хороши собой и успешны. Все мужчины, которым написала Джейд, подпадали под эту категорию и все писали, что ищут серьезных, прочных отношений и, как мы убеждаемся, не могут найти себе пару сами. И Тимми не может найти себе ровню, она в этом не одинока, но у нее особые сложности — ее возраст и ее известность. Это большая помеха, и потому ей приходится довольствоваться тем, что она способна найти сама, а попадается ей не бог весть что, тому свидетельство Зак и мужчины, которые были у нее все одиннадцать лет, прошедшие после развода. От свиданий «вслепую» Тимми отказалась много лет назад. Считала, что это слишком унизительно и слишком хлопотно.

— Будь очень осторожна, — еще раз попросила Тимми Джейд и вошла в свой кабинет, Джейд пошла за ней.

Дэвид обещал Джейд сказать, когда придут ответы, — если они придут. Он проверит почту в выходные. Взволнованная Джейд улыбнулась в ответ и ушла к Тимми просматривать письма. У Тимми тоже было отличное настроение.

Она уехала из офиса в шесть — для нее это было рано, а около семи появился Зак. До Дня благодарения оставалась неделя, и они решили провести эти выходные тихо и уединенно. На завтра она наметила какие-то дела, и хотя это была суббота, Зак не выразил недовольства. Он знал, что раз или два в месяц она бывает занята первую половину дня по субботам. Ему она говорила, что эти ее дела связаны с работой, и он тогда шел в фитнес-клуб или занимался на ее тренажерах и обедал с приятелями.

Они поужинали в знаменитом ресторане «Волшебная дверца» — одном из ее любимых — и потом пошли в кино. Смотрели триллер, который Заку давно хотелось посмотреть. Тимми он не понравился, и на обратном пути она съязвила, что хотя бы поп-корн доставил ей удовольствие. Впрочем, ей было все равно — хороший фильм или плохой, ей было просто приятно выйти с ним на люди. У обоих было хорошее настроение. На этой неделе его пригласили сниматься в небольшом клипе, и он ждал, что ему предложат роль в рекламном ролике, который будут показывать по самым крупным каналам и который откроет перед ним все двери. Он всегда радовался, когда получал работу, и впадал в уныние, если его обходили. Такая уж у него была профессия. Его счастье, что он выглядел так молодо. Тимми, впрочем, знала, что он прилагает к этому усилия. Несколько лет назад он подтянул себе веки, регулярно вкалывает ботокс и коллаген, подкрашивает волосы — от природы он не такой светлый блондин, и к тому же он несравненно более тщеславен, чем она. Она никогда ничего подобного с собой не делала и не станет делать, насколько приятней стариться достойно, к тому же успех ее работы не зависит от того, насколько молодо она выглядит, не то что у него.

В субботу утром Тимми встала в семь. Полчаса позанималась на тренажерах, приняла душ и сделала себе легкий завтрак — йогурт, овсянка и чай. Она уже собиралась выйти из дома, как вниз спустился завернутый в полотенце Зак. Он чмокнул ее в губы, взял газету и направился в кухню. Мирная домашняя сцена, она вызывала у нее иллюзию близких супружеских отношений, которых никогда не было и не будет.

— Я оставила тебе кофе в кофейнике! — крикнула она ему вслед.

— Спасибо. Ты когда освободишься?

— Я вернусь к трем.

— Буду ждать тебя здесь, — рассеянно бросил он. Где ключ, он знал, и Тимми бесшумно закрыла за собой дверь. Ее всегда изумляло, что он ни разу не спросил ее, что у нее за дела в субботу утром, когда она проводит время не вместе с ним. Наверное, считал, что это и в самом деле связано с ее работой. О себе он тоже рассказывал ей далеко не все. И ее отлучки не казались ему слишком долгими. Он не сетовал, что она так сильно занята.

Тимми надела старый свитер, джинсы и джинсовую куртку, кроссовки, волосы забрала в «конский хвост», никакого макияжа, и при этом выглядела на удивление хорошо, особенно если учесть, что было раннее утро. Она мало заботилась о своей внешности, и потому все видели, как она красива и молода, несмотря на возраст.

Ехала она в Санта-Монику, слушала по дороге музыку и улыбалась самой себе. На душе было хорошо. Она любила эти свои утренние поездки и с нетерпением их ждала. Часто их совершать у нее не было времени, и все же она старалась по возможности выкроить несколько часов. Они давали Тимми душевные силы, и ей хотелось отблагодарить за это мир, хотя сама она получала больше, гораздо больше. И она знала, что никогда от этого своего дела не откажется, ни ради кого и ни ради чего. Такова была глубинная потребность ее сердца.

Бель-Эйр остался позади, двадцать минут по шоссе, и она оказалась в Санта-Монике, где и остановилась возле свежепобеленного здания. Это был особняк в викторианском стиле, как видно, отреставрированный и модернизированный. Старинный фасад сохранили, перед ним была велопарковка, сплошь заставленная яркими новенькими велосипедами; во дворе за домом отличный детский игровой комплекс. Судя по всему, в доме жили дети. Тимми, улыбаясь, вошла в незапертую парадную дверь. В холле она увидела двух женщин с загорелыми обветренными лицами, короткой стрижкой и мягким взглядом, они стояли и разговаривали, еще одна сидела за столом.

— Доброе утро, сестры, — приветливо сказала Тимми.

Беседующие женщины были гораздо старше ее, та, что сидела за столом, казалась совсем еще подростком. Все трое были монахини, хотя, глядя на их одежду, никто бы об этом не догадался, — на них были свитеры и джинсы. При виде Тимми они радостно заулыбались.

— Как вы тут все?

— Мы так и думали, что вы сегодня приедете, — сказала самая пожилая из женщин. В юности она принадлежала к ордену кармелиток, но потом перешла в доминиканский и стала работать в пригороде Лос-Анджелеса Уоттсе, где много молодежных банд. Сорок лет она отдала работе с детьми из неблагополучных семейств городских гетто, сначала в Чикаго, потом в штатах Алабама и Миссисипи и, наконец, в Лос-Анджелесе. Она руководила приютом Святой Цецилии.

В этом приюте жили сироты, которые по тем или иным причинам — чаще всего из-за болезней или неподходящего возраста — не подлежали усыновлению или их просто никак не удавалось ни отдать на усыновление, ни устроить в патронатную семью. Сестра Анна давно мечтала создать такой приют и, услышав много лет назад о благотворительной деятельности Тимми и о ее особенной заботе о детях, пришла к ней и рассказала о своей мечте. Тому, что произошло дальше, сестра Анна до сих пор верит с трудом. Не задав ни единого вопроса, не выразив ни малейшего сомнения, Тимми выписала чек на миллион долларов и протянула его ей — чтобы она купила помещение, набрала штат сотрудников и начала принимать детей. Произошло это десять лет назад, и все эти годы Тимми их содержит. Приют Святой Цецилии существует на средства Тимми О'Нилл, хотя это хранится в строжайшей тайне, посвящены в нее только Джейд и Дэвид. Тимми не хотела, чтобы пресса кричала о ее благотворительной деятельности.

В штате воспитателей было шесть монахинь, число детей колебалось между восемнадцатью и двадцатью пятью. Сейчас в приюте жил двадцать один ребенок, и Тимми знала, что в ближайшее время поступят еще двое. Младшему мальчику было пять лет, старшей девочке восемнадцать. Мальчиков всегда было примерно столько же, сколько и девочек, такое же соотношение более или менее сохранялось между белыми и цветными детьми. Сестры всеми силами старались найти детям приемных родителей, но удавалось это далеко не всегда и по тем самым причинам, вследствие которых они попали в приют Святой Цецилии, и потому большинство детей жили здесь годами. Дольше всех здесь прожила слепая девочка — семь лет, устроить ее в семью на удочерение было невозможно, и приют Святой Цецилии оказался для нее спасением, подарком судьбы, как и для многих других. У троих детей был ювенильный диабет, который отпугивал желающих усыновить ребенка, еще у одного нарушена психика из-за жестокого обращения. Несколько поступили с хроническим ночным недержанием мочи, которое тоже было следствием жестокого обращения, но через несколько месяцев в приюте они совершенно от этого излечились. Были дети просто некрасивые, были трудные. Воровали деньги у своих приемных родителей, и их отправили в исправительную колонию. Некоторые были слишком застенчивы и не могли найти общего языка с родными детьми в приемных семьях. Всех причин не перечислить, но от детей раз за разом отказывались и возвращали в приют как негодный товар, а сестры всегда их с радостью принимали и окружали заботой. Они дарили детям любовь, защиту и тепло родного дома.

Тимми любила бывать здесь и приезжала при малейшей возможности, чаще всего в субботу утром. Все дети называли ее «Тимми», и при этом даже они не знали, какого рода связь существует между ней и их приютом, и уж тем более о том, что всем своим благополучием они обязаны именно ей.

— Мы слышали, вам в Париже удалили аппендикс, — сказала сестра Маргарет, участливо глядя на Тимми. Это была монахиня, что сидела за столом, ей было двадцать пять лет, в восемнадцать она пришла в монастырь послушницей, что в нынешнее время случается нечасто, и только недавно приняла монашеский обет. Она звонила в офис Тимми и разговаривала с Джейд, хотела узнать, когда Тимми вернется из Европы, Джейд рассказала ей об операции, о своих парижских злоключениях, и все в приюте испугались за нее и расстроились. — Как вы себя чувствуете?

— Отлично, — улыбаясь, сказала Тимми. — Я словно заново родилась. Хотя сначала немного струсила, но все обошлось. — За последние две недели она обо всем так прочно забыла, будто никогда ничего и не было. — Какие новости? — спросила она с живым интересом. Она любила знать, какие дети сейчас находятся в приюте и почему сюда попали, ее до глубины души волновала судьба каждого ребенка. Приют Святой Цецилии был ее любимым детищем, но почти никто не знал, почему она им так дорожит, хотя много лет назад она рассказала о своей жизни сестре Анне, когда они вместе трудились, делая в помещении ремонт. Тимми помогала им приводить его в порядок всего лишь два года спустя после смерти своего сына и год после ухода Деррика. Тимми честно признавалась, что приют спас ей жизнь.

— Мы ждем еще двух новеньких, но они поступят не раньше следующей недели. Никак не могут оформить. Надеемся, что ко Дню благодарения они уже будут у нас. — До праздника оставалось всего пять дней. Сестры всеми силами старались вырвать детей из системы опеки и попечительства и дать им дом, где они могли бы жить совсем другой жизнью, — и почти всегда так и происходит. Но иногда это случается слишком поздно, дети, которые к ним попадают, уже успели ожесточиться, пережили слишком тяжелую травму или тяжело больны и нуждаются в медицинской или психиатрической помощи, которую здесь им не могут оказать, и потому их помещают в лечебные учреждения. Приют Святой Цецилии был не колонией, не больницей, не психиатрической лечебницей для детей, а полным любви домом, который создала для них Тимми, чтобы они могли жить здесь в довольстве и радости, пользуясь возможностью приобретать знания и получать образование, которой они не нашли бы больше нигде. Как жаль, что ничего подобного у самой Тимми не было сорок лет назад, ведь ее жизнь могла бы сложиться по-другому.

Она, по обыкновению, провела все утро в доме, переходя из комнаты в комнату, разговаривала с детьми, которых знала, знакомилась с теми, кто поступил к ним в последние два месяца, кого-то из них она уже видела, но побеседовать не успела. Говорила она со всеми с ними деликатно и с уважением, позволяя им самим решить — хотят они открыться перед ней или нет. Потом сидела с сестрами на веранде и смотрела, как младшие дети играют во дворе, а старшие собираются в гости к друзьям или занимаются повседневными делами. У нее было такое чувство, будто все они ее родные дети и у нее довольно сил, терпения, понимания, чтобы их вырастить, и, конечно же, довольно любви.

Перед обедом к ней подошел мальчик, которого она знала, и заговорил. Девятилетний афроамериканец с одной рукой. Отец зверски избил его, а потом выстрелил в него и в его мать. Ребенку пришлось отнять руку, а мать умерла. Отца приговорили к пожизненному заключению. Джейкоб жил в приюте с пяти лет и очень ловко управлялся со всем одной рукой. Его привезли к ним прямо из больницы, где он лежал после отцовских побоев и выстрелов. Социальные работники понимали, что устроить его в патронатную семью не стоит даже пытаться. Усыновить его тоже было невозможно, потому что отец не желал подписывать документы об отказе от отцовских прав, да и вряд ли кто-нибудь захотел бы усыновить такого калеку. Сестры из приюта Святой Цецилии сразу же все оформили и привезли мальчика к себе. Сейчас он принес Тимми свой рисунок — фиолетово-красный кот, улыбающийся широкой улыбкой. Дети, давно живущие в приюте, были в общем-то вполне счастливы. Новеньких можно было сразу узнать — они вели себя как испуганные зверьки, и в глазах у них была боль. Требовалось время, чтобы они поняли, что здесь им ничто не грозит и что пережитый ужас остался в прошлом.

— Спасибо, Джейкоб, — сказала Тимми, улыбаясь ему, и взяла рисунок. — У кота есть имя?

— Да, Гарри, — объяснил довольный Джейкоб. — Это волшебный кот. Он умеет говорить по-французски.

— Да что ты? А я в прошлом месяце как раз была во Франции. В Париже. Мне там удалили аппендикс, — рассказала она ему, и он кивнул с серьезным выражением.

— Знаю. Было больно, когда удаляли?

— Нет, меня усыпили. Потом несколько дней болело. В больнице все очень хорошо ко мне относились. И все там говорят по-английски, так что я их понимала. И нисколько не боялась.

Он кивнул с понимающим видом и вернулся к ребятам играть.

Тимми осталась на обед и с удовольствием болтала с монахинями, чьим обществом дорожила уже много лет. Все они трудились здесь с самого начала. Одна, правда, уехала год назад в Южную Америку и работает сейчас с индейскими детьми в Перу, другая довольно скоро уехала в Эфиопию, но большинство монахинь остались в приюте Святой Цецилии, они любили детей и с радостью трудились ради их блага.

В два часа Тимми простилась с обитателями приюта и поехала в Бель-Эйр. В душе у нее были покой и радость, как и всегда после визита в Санта-Монику. Когда она вошла в дом, Зак смотрел какое-то видео. Он не спросил ее, где она была, а она не стала рассказывать. Эта радость принадлежала только ей, она не хотела ни с кем ею делиться. И ей не хотелось, чтобы о приюте знали средства массовой информации, ей не нужны были награды, признание, восхваления, слава. Она просто делала что-то очень важное для себя самой.

— Я тебе звонил на мобильный. У «Фреда Сигала» распродажа. Хотел договориться встретиться с тобой там.

— Я выключала телефон, — ответила Тимми с улыбкой. После поездки к детям она всегда улыбалась, а когда находилась там, не хотела, чтобы ее отвлекали, в ней жила потребность отдавать детям все свое внимание. — Извини. Хочешь поехать туда сейчас, или рванем сразу на виллу? — Теперь она до конца выходных в полном его распоряжении, и ей решительно все равно, что делать. В городе было холодно, а на побережье, она знала, будет еще холоднее, да еще и ветрено.

— Поедем на распродажу, — обрадовался Зак. Он выключил свой фильм, она пошла на кухню выпить воды, и через пять минут они уже ехали в ее «Мерседесе» на распродажу в магазин «Фред Сигал». Тимми считала, что ездить в древнем «Порше» Зака смертельно опасно, он может развалиться на ходу, хоть и не говорила ему этого, он совсем не следил за машиной — денег не было. Зато как же он любил водить ее «Мерседес»! Это был спортивный автомобиль последней модели. Она сделала себе этот подарок летом. «Мерседес» летел по Мелроуз точно ласточка. В магазине «Фред Сигал» было столпотворение. Там всегда было столпотворение во время распродаж, и все же Заку удалось выбрать себе целую кучу вещей, которые пришлись ему по вкусу, и Тимми тоже нашла себе что-то нужное — несколько кашемировых свитеров с капюшоном, чтобы гулять в них по пляжу, золотистый жакет в бутике «Марни», чтобы носить с джинсами на работу, две пары туфель. В полном восторге от покупок они понесли свою добычу к машине. Почти за все свои вещи Зак заплатил сам, за исключением кожаной куртки, в которую буквально влюбился, но она оказалась ему не по карману, и Тимми сделала ему подарок. Он был счастлив. Купила Тимми также несколько книг по искусству — подарочные издания с массой иллюстраций, в магазинчике деликатесов они взяли уже приготовленную пасту, чтобы не возиться вечером с ужином. Какой замечательный день, лучше и желать нечего! Когда они вернулись домой, Зак снова устроился перед телевизором досматривать свой фильм, а Тимми стала просматривать последние номера «Уолл-стрит джорнэл», которые копила всю неделю. Она по выходным обычно наверстывала все, что не успела прочитать в будние дни.

Фильм кончился, Зак посмотрел на нее и расхохотался.

— Ну знаешь, Тимми, я, конечно, тебя люблю, но ты вообще-то настоящий мужик.

Он не хотел ее обидеть, хотя выразился довольно грубо, и она посмотрела на него с удивлением. Это было мало похоже на комплимент.

— Как это понять?

— Много ли ты знаешь женщин, которые читают «Уолл-стрит джорнэл»?

— Много, — сказала она, стараясь не показать, как ее задела его реплика, сильно отдающая мужским шовинизмом. И уж если на то пошло, много ли женщин руководят такими огромными корпорациями, как ее империя? Ей во многих отношениях нет равных. И утро, которое она провела в приюте Святой Цецилии, лишний раз выделило ее из всех, но он об этом и не догадывался. Тимми подумала, услышав его сомнительный комплимент, что потому-то они так редко и занимаются любовью, раз он считает ее «настоящим мужиком». И от этой мысли сразу почувствовала себя неуверенно. — Почему интерес к «Уолл-стрит джорнэл» превращает меня в «настоящего мужика»?

— Взгляни на себя, ты же магнат в мире бизнеса. У тебя миллион подчиненных я не знаю во скольких странах мира, твое имя знают в каждой семье. Много ли женщин поднимаются хотя бы вполовину так высоко? Они сидят дома и рожают детей или работают секретаршами, делают себе силиконовые сиськи. Женщины мыслят совсем не так, как ты, поступают не так, как ты, работают не так, как ты. Пойми меня правильно, мне это нравится. Но многих мужчин отпугнет, — честно признался он, и Тимми вздохнула. Ей стало грустно. Его слова лишь подтвердили то, в чем она была убеждена много лет. Да, так все и есть, как он сказал.

— Всегда отпугивало, — печально подтвердила она. — Думаю, у них не умещается в голове, что можно быть успешной в мире мужчин, работая по двадцать четыре часа в сутки, и все же оставаться женщиной. Не понимаю, почему должно быть или — или.

— Тебе и не понять. Именно об этом я и говорю. Ты отличный парень. — Тяжело Тимми было это слышать, хотя ничего нового он не сказал. Она была уверена, что почти все мужчины, с кем она встречалась, так к ней и относились, хоть и не говорили этого, как сказал Зак. — Да ты не расстраивайся, — стал успокаивать ее он, — ты мне нравишься такая, какая ты есть. — Но он ее не любил. Вот в чем беда. Ни один мужчина никогда ее не любил и никогда не полюбит. Муж бросил ее и ушел к любовнику, а все остальные, кто у нее был, или использовали ее в своих интересах, или очень скоро убегали прочь, или относились к ней как Зак — считали славным парнем. Да, Зак никогда не потеряет голову от любви к ней, скорее уж у него вырастут крылья и он полетит, как птица. Да Тимми и не хочет, чтобы он в нее безумно влюбился, напомнила она себе. Немного погодя она поставила купленную пасту в микроволновку разогреть. Его слова сильно ее расстроили, хоть она и не призналась Заку в этом. Не любила ему показывать, как она уязвлена. Вместо упрека она спросила его, что он собирается делать в День благодарения, и он, к ее удивлению, сказал, что его не будет в городе. Ей не приходило в голову спросить его раньше. Она была уверена, что он будет здесь, с ней, а сама она никуда уезжать не собиралась.

— Тебя не будет в городе? Ты мне ничего не говорил.

Тимми было очень больно, но она старалась не показать вида. Она порой забывала, как они далеки друг от друга, как мало их связывает. Они просто иногда спят друг с другом последние пять месяцев, только и всего.

— Ты не спрашивала. Я лечу в Сиэтл, проведу День благодарения у своей тетушки. Я каждый год к ней летаю, если, конечно, не занят здесь. Ты ничего не говорила, я и подумал, что у тебя какие-то свои планы.

Она отметила, что он не зовет ее с собой в Сиэтл. А у нее никаких своих планов нет. Нет и семьи, одни только друзья да работа.

— А что, у тебя на примете что-то интересное? — оживившись, спросил он. Ради праздничного ужина с кем-то из ее знаменитых друзей он может и отказаться от поездки к тетушке на День благодарения.

— Вообще-то нет, — не кривя душой, призналась она. Праздники всегда были для нее по вполне понятным причинам самыми тяжелыми днями в году, и она старалась не думать о них до последней минуты, когда неотвратимое уже наступало. В этом году ничего не изменилось, в последние несколько недель она была слишком занята, ей было некогда подумать о празднике. Конечно, хорошо прятать голову в песок. Она почему-то считала само собой разумеющимся, что раз они вместе проводят выходные, он будет с ней и в День благодарения. И он не так уж и виноват, ведь она не заводила разговор о празднике, вот он и придумал что-то свое, хотя было бы, конечно, приятно, если бы он сказал ей об этом раньше. Они провели вместе три последних уик-энда, и он хоть бы словом обмолвился. — Я почти никак не отмечаю ни День благодарения, ни Рождество. Праздники потеряли для меня свою привлекательность. — Она не стала углубляться в подробности, чем их в этом случае меньше, тем лучше. Год назад Зака не было в ее жизни, откуда ему знать ее привычки.

— Я тоже не слишком их люблю, потому и езжу всегда к тетушке. — Он не спросил ее, есть ли кто-то, к кому она пойдет, — был уверен, что есть. Ему и в голову не приходило позвать ее с собой к тетушке. Тетушка жила в поселке для престарелых в пригороде Сиэтла, Белльвю, муж ее работал охранником в тюрьме. Не слишком изысканное общество, он не мог представить себе Тимми в окружении своих родных, не мог представить, как бы они стали реагировать на нее. Проще всего ни о чем не спрашивать. — Наверное, вернусь не раньше понедельника. Когда я бываю там, встречаюсь с двоюродными братьями и сестрами. Надеюсь, ты придумаешь что-нибудь интересное.

— Спасибо, — ответила Тимми, стараясь не показать своей досады. Она, в сущности, не сердилась на него. Просто была огорчена и слегка задета. Он даже не спросил, хочет ли она, чтобы он провел с ней выходные после того, как отпразднует День благодарения с родственниками. Очередное доказательство того, как мало для него значат их отношения. Но если Тимми хочет быть честна сама с собой, то должна признаться, что и для нее их отношения значат ничуть не больше. Просто ей тяжело остаться одной в День благодарения. Он не виноват, и она тоже не виновата. Просто ей надо было подумать и позаботиться обо всем раньше.

Оставшееся время они провели легко и мирно. Рано легли спать вечером, а утром после завтрака он уехал. У него были намечены встречи с друзьями. Он всегда с ними встречался, если они не шли гулять по пляжу. Уезжал он обычно рано, и в том обществе, куда он потом попадал, Тимми было нечего делать. Почти всем его приятелям было от двадцати до тридцати лет, и Тимми очень скоро поняла, что у нее с ними нет ничего общего. Единственным связующим звеном был Зак, и Заку было с ними гораздо проще, чем ей. Она не скрывала от него, что ей его друзья не нравятся. Они накачивались наркотиками, пили, почти все из них были фотомодели и актеры, но работали в Голливуде официантами и барменами, дожидаясь своего великого шанса. Даже Зак был для них староват, хотя выглядел так же молодо, как они все. Он уже давно прикладывал массу усилий, чтобы оставаться в их среде. Вечный Питер Пэн. А Тимми в их обществе чувствовала себя древней старухой и непереносимо скучала.

Вечером в среду он позвонил ей перед тем, как лететь в Сиэтл, пожелал хорошо провести День благодарения — ладно хоть позвонил, — но она не сказала ему, что с праздником у нее ничего не получилось. Все, кого она знала, или уехали, или заняты. Неделя у нее выдалась просто сумасшедшая, ей некогда было подумать о празднике, не то что предпринимать какие-то шаги. Дэвиду и Джейд она тоже ничего не сказала, она знала, что каждый год они ездят на этот праздник к своим родителям, и не хотела их тревожить. Такой уж у нее нынче выдался год.

Джейд всю неделю была в приподнятом настроении. Ей ответили четверо из шестерых кандидатов, которым она написала через Интернет. Двое еще не успели прочесть свою электронную почту. Но четверо откликнулись, включая и того, кто, она была уверена, понравится ей больше всех, — архитектор, окончивший университет Беркли в том же году, что и она. На следующей неделе они договорились встретиться — в кофейне «Старбакс» за чашечкой кофе — и познакомиться друг с другом, так посоветовал ей Дэвид. Еще двое пригласили ее на ленч. Впервые за долгое время она почувствовала, что радуется жизни.

Настал День благодарения, Тимми не стала утром вставать; она долго лежала в постели, хоть заснуть больше и не удалось, и глядела в потолок. Оказывается, проводя этот праздник в одиночестве, начинаешь многое понимать. Она увидела, что ее жизнь зашла черт знает куда и что распоряжается она ею на редкость бездарно. Тратит время на мужчин, которые ее нисколько не любят, не испытывают к ней ни тепла, ни нежности, да и они ей в той же мере безразличны, и не будь у нее работы, она бы не знала, что ей с собой делать. Ехать одной в Малибу ей не захотелось.

Она встала, надела джинсы и свитер, думая, чем бы ей заняться. И в конце концов нашла самое простое решение — села в гостиной и стала в одиночестве смотреть по телевизору парад воздушных шаров в честь Дня благодарения, сама понимая, какое жалкое зрелище она сейчас представляет. Она запрещала себе смотреть на фотографию Марка, которая стояла в книжном шкафу, запрещала вспоминать, что сейчас ему было бы шестнадцать лет. В праздники ее сердце разрывалось от боли, но сейчас она решила, что не позволит себе упиваться жалостью к собственной персоне. Взяла сумку, джинсовую куртку и вышла из дома. Она поняла, куда ей надо ехать, — как это она не догадалась раньше?

Приехала она в приют Святой Цецилии к праздничному обеду в честь Дня благодарения. Монахини удивились, но искренне обрадовались. Тимми никогда раньше не праздновала вместе с ними День благодарения, и теперь они были просто счастливы, так же как и дети. Домой Тимми вернулась около пяти, нагруженная фаршированной индейкой, клюквенным желе, сладким картофелем под шапкой взбитых сливок... Вот как надо проводить праздники! Полная теплых чувств и благодарности, она решила позвонить Заку на его мобильный и поздравить с Днем благодарения. Он ответил после первого гудка, и она услышала громкие голоса и смех. Он сказал, что они обедают, он позвонит ей попозже, вечером. Но не позвонил — ни вечером, ни завтра, ни послезавтра...

Это был последний штрих в его портрете, в картине ее жизни, приговор тем решениям, которые она принимала в последние одиннадцать лет, тому, что она выбирала и с чем мирилась. Ей было необходимо это увидеть и обдумать. У нее не было уверенности, что отныне она будет жить и поступать иначе, но понимала, что прозвучал тревожный звонок, она получила предупреждение. Зак поступал так не по злому умыслу, он просто не любил ее. И она его не любила. И потому она не могла не задать себе вопрос, а зачем он ей нужен и сколько еще лет она будет губить себя с такими ничтожными пустоцветами, как Зак.

Выходные она провела, разбирая шкафы, читала «Уолл-стрит джорнэл», просматривала документы, которые принесла домой с работы, делала наброски для летней коллекции. Все это были, несомненно, очень нужные, полезные дела, и именно за ними она проведет оставшуюся жизнь, если не изменит ее решительно и круто в ближайшее время. Но как изменить жизнь, как? Тимми беспрерывно задавала себе этот вопрос. Что выбрать? Да и есть ли, из чего выбирать? Весь уик-энд она пыталась это обдумать и принять решение, особенно когда осознала в воскресенье вечером, что Зак так ей и не позвонил. Его молчание в эти праздничные дни было оглушительно и красноречиво — красноречивее любых слов.

Глава 8

Позвонил Зак только в четверг, ровно через неделю после Дня благодарения. Все было яснее ясного. Как тут не понять, что он совсем не дорожит Тимми, — конечно, для нее это далеко не новость, тем более что он считает ее «настоящим мужиком», как он сам ей признался. И еще она поняла, что нужно немедленно позаботиться о Рождестве, иначе проведет его в таком же тоскливом одиночестве, как и День благодарения, а она ни в коем случае не хотела его снова испытать. Тимми заговорила с Заком о Рождестве в субботу после обеда, когда они были в Малибу, где решили провести выходные. Он ни словом не обмолвился о том, что не позвонил ей в День благодарения, она тоже не стала его укорять. Ему и в голову не пришло спросить, как она провела праздник. Он, без сомнения, считал, что не его это дело, чем она занимается по праздникам, и не чувствовал ни малейшего желания вовлечь ее в свое общество. Для нее это было очень важное открытие.

— Что ты делаешь на Рождество? — спросила его Тимми, когда они решили, что пора ужинать. Шел дождь, жарить мясо в саду было невозможно, и она предложила сделать для него пасту, но он отказался. Сказал, что сидит на диете и не хочет есть пищу, которая содержит углеводы, поэтому лучше приготовить для них обоих побольше салата. Она согласилась, тем более что есть ей не хотелось.

— Не знаю, — ответил он ей, — пока еще не думал о Рождестве. А что? У тебя есть на примете что-то интересное?

Было очевидно, что он будет выбирать и выберет самый заманчивый вариант, но ей было наплевать на его расчетливость. Не желает она остаться на Рождество в одиночестве, и все. Он ей и нужен только для того, чтобы быть рядом в такие непростые дни, как День благодарения и Рождество. Но пока это у нее не слишком получалось.

— В Мексике я вечно чем-нибудь да заболею, — говорила она, идя за ним в кухню, — Карибы у черта на рогах: от нас, с западного побережья, добираться туда жутко неудобно. Во Флориде в это время года погода может подвести, хотя Саут-Бич нельзя не любить. Что ты думаешь о Гавайях?

— Ты меня приглашаешь с собой? — Он посмотрел на нее с довольной улыбкой, вынимая из холодильника три сорта салата и пакет помидоров.

— Считай, что да. Как тебе такая перспектива? Мы можем вылететь двадцать третьего, мой офис будет закрыт до третьего января. У нас получится одиннадцать дней. Будем жить в отеле «Времена года» на Большом острове, если я смогу забронировать там номер. Или в отеле «Мауна-Кеа». Там нет ультрасовременного комфорта, зато расположен он роскошно — на самом берегу. Мне там гораздо больше нравится. В номере ведь проводишь так мало времени. Приятно будет вырваться из привычной колеи.

— Конечно, приятно. — Он потянулся поцеловать ее. — А у тебя точно не намечается здесь ничего интересного?

— Ничего такого, о чем бы я знала и где хотела бы побывать. А у тебя?

— Я свободен, как птица. — Он был счастлив, и она мысленно вздохнула с облегчением. Это именно то, что ей от него нужно. Он не мужчина ее мечты, просто лекарство от одиночества. А ей так важно было не оставаться одной в праздники, особенно потому, что ее терзали мучительные воспоминания, с которыми она всеми силами боролась.

— Постараюсь зарезервировать на этой неделе номер. — Она, конечно, поручит все это Джейд.

— Знаешь, а мне вот что пришло в голову, — сказал он небрежно, перекладывая салат в дуршлаг, чтобы помыть. — А если нам махнуть на Сент-Барт? Два дня на дорогу, но ведь у нас есть одиннадцать дней, а там, я слышал, потрясающе. Что скажешь?

— Карибы слишком далеко, — заметила она практично. — Я там бывала. И на пути туда, и на пути обратно нам придется провести ночь в Майами, а маленькие самолеты, которые там летают, я ненавижу. Никак иначе на Сент-Барт не попадешь, а их я до смерти боюсь. И потом, с погодой в это время года на Карибах может твориться бог знает что. Я голосую за Гавайи. — Она не стала ему говорить, что, поскольку платит она и его приглашает тоже она, единственный, кто имеет право голоса, это опять же она. Ей не хотелось его обижать. Но именно таково было негласное соглашение, которое они заключили: она платит, она и принимает решение.

— Но, может, ты все-таки подумаешь, — возразил он, раскладывая салатные листья, чтобы они просохли. — Туда летают все, кого все знают.

Тимми засмеялась, услышав эти его слова, она и не подозревала, как серьезно он это говорит.

— Это главная причина, почему туда не надо лететь. Не хочу видеть там всех, кого я встречаю в Лос-Анджелесе, как раз это и случилось, когда я была там в последний раз. Сент-Барт гораздо привлекательней, если у тебя есть яхта и ты можешь от всех спрятаться.

160

Но нанимать яхту у нее и в мыслях не было — тратить такую прорву денег ради коротких каникул с ним?! Если бы у них был медовый месяц, еще куда ни шло, но ради одиннадцати дней отдыха в обществе Зака, который даже не потрудился позвонить ей в День благодарения? Она еще не потеряла остатки здравого смысла. Ей хочется приятно и спокойно отдохнуть, и никаких трудностей, никаких усилий.

— Кто-нибудь из твоих друзей будет там на яхте?

Судя по всему, Зака не на шутку интересовали Сент-Барт и слетавшаяся туда публика. Тимми знала, что там любят бывать многие кинозвезды. Кто станет спорить, Сент-Барт, без сомнения, один из самых модных курортов в мире.

— Может быть, — спокойно ответила она. — Но у меня нет ни малейшего желания оказаться запертой на крошечном пятачке в обществе лос-анджелесских кинозвезд. Ничего ужаснее и придумать невозможно. — А для Зака такая возможность была пределом мечтаний. Как он ни старался, ему не удалось уговорить Тимми полететь на рождественские каникулы на Сент-Барт, ее такая перспектива совершенно не привлекала, и он в конце концов был вынужден отступить без боя.

— Мы прекрасно отдохнем, — сказал он ей, когда они ели салат. Она уже заранее радовалась, что они полетят вместе отдыхать, и охотно с ним согласилась. Он мог быть очень милым, если она его немножко баловала и потакала его капризам. И он не скупился на слова благодарности, когда они вместе мыли посуду, а ночью они занимались любовью. Конечно, он был польщен ее приглашением и от души радовался предстоящей поездке.

На следующий день Тимми рассказала о ней Джейд и попросила заказать номер во «Временах года» на Большом острове. Через час Джейд сообщила ей, что билеты на двадцать третье декабря и номер во «Временах года» зарезервированы. Номер не апартаменты люкс, но все равно очень хороший, с видом на океан.

— Ну и отлично, — сказала Тимми, очень довольная, и позвонила Заку на мобильный. — Все устроено. «Времена года». Гавайи. Одиннадцать дней солнца, отдыха и роскошной погоды. Летим двадцать третьего. Я не могу дождаться.

— Я тоже, — подхватил он радостным голосом.

Она была довольна, что он не завел опять разговор о Сент-Барте. Чего ей меньше всего хотелось, так это лететь к черту на рога, да еще потом садиться в маленький самолетик, при мысли о котором у нее душа уходила в пятки от страха. Гавайи — идеальное место для отдыха. Дивная погода, легко добираться. От добра добра не ищут. Лететь им через три недели, она сможет напрочь забыть о Рождестве, оказавшись в таком месте, где и в помине нет праздничных елок, хотя ей хотелось сделать Заку еще какой-нибудь подарок, кроме поездки.

И она купила Заку прекрасные часы «Картье» для подводного плавания — стальной корпус в резиновом браслете, они ему пригодятся на Гавайях, да и потом тоже.

— Повезло же парню, — неодобрительно сказала Джейд, увидев часы.

— Какая ты зануда, Джейд, ведь это же Рождество! — засмеялась Тимми. — Кстати, как прошло свидание? — Ей хотелось узнать последние сводки с полей. Свидание с архитектором в кофейне «Старбакс» прошло замечательно, обед с двумя другими претендентами тоже. С четвертым Джейд не стала встречаться, ей не понравился его голос по телефону, а еще двое исчезли из поля зрения, вернее, так в нем и не появились. Дэвид сказал, что именно такое соотношение всегда и получается. Что из пяти-шести, а то и семи кандидатов понравится только один. Так что пока все шло как по маслу.

— Отлично! — призналась Джейд, сияя, и сумела-таки сдержаться и не высказать своего мнения относительно Зака, который не заслуживает и сотой доли того, что Тимми для него делает. Ведь, в конце концов, Тимми ее босс. И по крайней мере она не останется в праздничные дни одна, Джейд знает, как ей это тяжело. Но вечером, когда Тимми уехала домой, она заговорила об этом с Дэвидом.

— Что поделать, ей особенно выбирать не приходится, — сочувственно вздохнул Дэвид. — Рано или поздно мы все с этой альтернативой сталкиваемся. Или ты сидишь дома, как Пресвятая Дева Мария, и ждешь прекрасного принца, или соглашаешься на далеко не прекрасного и совсем не принца, но хотя бы перестаешь быть затворницей и хоть что-то получаешь от жизни, пока не появится тот, кто тебе нужен.

— А если он никогда не появится? — спросила Джейд, с тревогой думая о судьбе своей начальницы.

— На этот случай, дорогая Джейд, Господь сотворил сайт знакомств. Он многократно увеличивает твои шансы. Вернее, наши. А вот Тимми не позавидуешь. Ей остается лишь надеяться, что в один прекрасный день ее суженый прилетит к ней откуда-то с небес. — Но как и Тимми, ни Дэвид, ни Джейд ничего подобного не ждали. Слишком уж долго Тимми оставалась одна. И она почти убедила их, что тот, кто ей нужен, никогда в ее жизни не появится.

— Увы, так не бывает, — печально отозвалась Джейд. Она уже много лет со страхом думала о том, что Тимми так и суждено прожить всю жизнь в одиночестве. Ее это волновало больше, чем Тимми, а Тимми уверяла их, что давно смирилась со своей долей. — Знаешь, мне кажется, ей уже все это безразлично. Так она, во всяком случае, говорит. Но я от одной этой мысли в ярость прихожу. Кто и заслужил достойного спутника, как не Тимми? Ведь она так обо всех заботится, и о нас, и о сиротах, которым так щедро помогает. Ну почему, почему какой-нибудь умный, интеллигентный мужчина не разглядит, какая она замечательная, и не влюбится в нее? На него бы свалилось немыслимое счастье.

Дэвид с меланхолическим выражением поглядел на Джейд, размышляя о ее словах. Оба они считали, что Тимми заслуживает самого большого счастья, но ей не повезло ни с мужем, ни с сыном. В делах везет, да, и в деньгах тоже, а больше ни в чем.

— Может быть, ей не надо пускать в свою жизнь такое ничтожество, как Зак, и освободить место для людей порядочных, — сказал Дэвид задумчиво. — Может быть, поэтому никому порядочному к ней не прорваться.

Оба они были уверены, что, если Тимми встретит того, кто ей нужен действительно, Зак улетучится из ее жизни в мгновение ока. Но пока она его никуда не гонит, хоть он чуть ли не ежедневно доказывает, какой он подонок. Тимми непереносима угроза одиночества, особенно в праздничные дни. Она знала, что если останется одна на Рождество, это приведет к глубокой депрессии, и готова была сделать что угодно, лишь бы избежать этой депрессии, даже взять с собой Зака на Гавайи.

И утром двадцать третьего декабря они с Заком полетели на Гавайи. Лететь им было недалеко, они и не заметили, как прошли четыре с половиной часа, они приземлились в аэропорту Кона, такси, которое заказала для них Джейд, отвезло их в отель. Апартаменты были великолепные, с видом на океан, масса воздуха и света, терраса, которая называется ланай. Вечером они с Заком сидели на ней и любовались закатом. Воздух был прохладный, прохладней, чем Тимми ожидала, но это было приятно, и так романтично здесь, такой покой... Она предложила Заку поужинать в этот вечер в номере, но Заку хотелось пойти в ресторан и поглядеть, какая здесь публика. Тимми прилетела на Гавайи вовсе не для того, чтобы глядеть на публику, ей хотелось отдохнуть и побыть с ним, но она уступила, и они пошли ужинать в ресторан.

Тимми надела платье василькового цвета, фасон которого создала сама, кашемировую шаль в тон платью, золотые сандалии и бриллиантовые серьги в виде длинных подвесок, в волосы сбоку приколола гардению. Получилось очень красиво и экзотично. Зак надел красную гавайскую рубашку, вьетнамки и белые джинсы и выглядел еще более сексуально, чем всегда. Все-таки он был на редкость красивый парень, а через день-два станет еще краше, когда покроется глубоким загаром. Вечер прошел легко и приятно, они рано легли спать. Зак не увидел в ресторане никаких знаменитостей и расстроился, но Тимми сказала, что, наверное, народ будет прибывать на другой день после Рождества и перед Новым годом.

Утро выдалось яркое, солнечное, но дул неожиданно сильный ветер. Из-за него прислуге отеля никак не удавалось поставить зонтики вокруг бассейна, а Тимми была вынуждена заплести косу, чтобы ветер не трепал ее волосы. Обедать они пошли в ресторан гольф-клуба, и Заку показалось, что

164

он увидел там известного продюсера, но продюсер ушел, пока они еще ели, и Зак опять расстроился. Вечером они пошли к себе в номер отдыхать. Был канун Рождества, и после ужина Тимми подарила ему подарки — спортивную одежду для мужчин фирмы «Тимми О», два отличных костюма на все случаи жизни, которые он будет носить в Лос-Анджелесе. И часы Картье для дайвинга, о которых он давно и безнадежно мечтал. Зак в восторге лепетал слова благодарности за ее щедрость. Потом протянул ей небольшую коробочку. В коробочке был строгий золотой браслет, очень красивый, он купил его для нее в универмаге «Максфилд». Такую вещь можно носить не снимая. Они пожелали друг другу веселого Рождества и вышли посидеть на ланай, любовались лунной дорожкой на глади океана и пили шампанское.

— Лучшего Рождества не могу и представить. — Зак был счастлив. — Спасибо, что привезла меня сюда, — сказал он, и слова его прозвучали очень искренне.

— Мне тоже хорошо, — сказала она, улыбаясь ему. С ним было легко путешествовать, он был благодарен ей за то, что она для него сделала, ей нравилось быть рядом с ним. Тимми знала, что дома, одна, в полном одиночестве, погруженная в горькие воспоминания, она бы страдала и тосковала много дней. Какая она молодец, что придумала лететь на Гавайские острова!

Следующий день они провели у бассейна, а вечером поехали в Ваймеа и ужинали в ресторане Мерримена. За ужином решили пойти завтра на пляж Мауна-Кеа, если море успокоится, уж очень сильный ветер дул эти два дня. Но когда они проснулись утром, то с огорчением увидели, что небо серое, а после обеда еще и дождь пошел. И шел целых три дня. Они не выходили из своего номера, читали, болтали, смотрели телевизор, еду тоже заказывали в номер. Тимми не хотелось идти в ресторан. Здесь у них было так славно, уютно.

Наконец тридцатого ветер стих и океан успокоился. Они поехали на такси в отель Мауна-Кеа и расположились на пляже. Во время обеда в ресторане Тимми увидела несколько кинозвезд первой величины, с которыми была знакома. Она мимоходом с ними поздоровалась, представила им Зака и вернулась с ним на пляж. Когда они снова расположились в креслах, она заметила, что он чем-то сильно недоволен. Почему у него вдруг ни с того ни с сего испортилось настроение? Тимми недоумевала.

— Что-то не так? — простодушно спросила она.

У него, казалось, вот-вот вырвется пламя из ноздрей.

— Почему ты не захотела обедать вместе с ними? Ведь они нас приглашали за свой столик, — обиженно и злобно упрекнул ее Зак.

Тимми сделала вид, что ее удивили и его тон, и выражение лица.

— Но мы с тобой уже обедали. И я не хотела сваливаться им как снег на голову. Они нас пригласили просто из вежливости. И не так уж близко я их знаю.

— Они вели себя как твои старые добрые друзья. Все с тобой расцеловались — это называется «не так уж близко ты их знаешь»! А один из них сейчас снимает фильм. Он сам сказал, когда ты спросила, чем он сейчас занят.

— Я целуюсь со множеством людей. И знакома с массой режиссеров, которые сейчас снимают фильмы. Но это вовсе не значит, что мне хочется с ними обедать. Они приехали отдохнуть, Зак. И мы тоже. Мне гораздо приятнее побыть с тобой, чем сидеть с ними два часа за столом и смотреть, как они пьют коктейли маи-таи, предпочитаю провести это время на пляже.

— А я предпочел бы пообедать с ними. Для меня это очень важно, хотя тебе на них, может, и наплевать.

Он был в ярости, словно она отняла у него шанс стать великим и знаменитым. Весь день не разговаривал с ней, ушел плавать в бассейне, не пригласив ее с собой, потом плавал с аквалангом тоже один. Вернулся в отель только к вечеру и был холоден и отчужден. Такое случалось и раньше, но сейчас у Тимми открылись глаза — она поняла, что для него важнее всего в жизни. Встречаться с важными людьми, красоваться перед ними, стараться, чтобы его заметили. Но ведь она, казалось бы, и раньше это знала?

— Послушай, Зак, мне жалко, что так случилось, — сказала она наконец, решив объясниться. — На отдыхе я люблю быть одна. Мне не хочется ни с кем встречаться, хочется побыть только с тобой. — На него ее слова не произвели никакого впечатления. А ведь она сделала ему такое важное признание — она предпочитает его общество обществу всех остальных людей на свете.

— Значит, поэтому ты и не захотела лететь на Сент-Барт? — взорвался он. — Потому что как раз там и собирается настоящая публика, те, кто хочет на людей посмотреть и себя показать. А этот твой Большой остров настоящая дыра, — продолжал кипеть он. — Здесь одни толстые обыватели с детьми.

Тимми была неприятно поражена и начала сердиться всерьез. Зак искушал судьбу. Она спокойно соглашалась с тем, что каждый из них живет своей собственной жизнью и что вкусы у них не сходятся, но ни в коем случае не могла принять откровенную грубость.

— Ты приехал сюда отдыхать? — спросила она его. — Или в надежде, что тебя «откроют» возле плавательного бассейна?

В ее голосе не было ехидства, он это заметил и распалился еще больше.

— Может быть, и для того и для другого, — честно признался он. — И что в этом плохого? Ты с этими людьми чуть не на каждом шагу встречаешься, а у меня такой возможности нет, поэтому я вынужден использовать малейший шанс. Мне очень важно завязывать полезные связи и знакомства. Если бы мы остались обедать с этими тремя киношными деятелями, моя жизнь могла бы круто измениться.

Тимми не стала ему говорить, что если бы его жизнь могла круто измениться, это произошло бы давным-давно. Его время прошло, в сорок один год никто его уже не «откроет», и ей не нравится, что он так откровенно использует ее, стремясь завязывать полезные связи и знакомства, и готов это делать даже на пляже. Хотела она того или не хотела, но Зак вынудил ее открыть глаза и понять, что ему на самом деле нужно.

— Зак, ничего бы подобного не произошло, — спокойно сказала она. — Они прилетели отдохнуть. И мы тоже. От таких, как они, чуть ли не весь мир хочет чего-то получить.

А они не любят, чтобы ими пользовались в своих корыстных целях. И я такого не люблю. Не выношу, когда на меня посягают.

— Ну конечно, у вас же свой эксклюзивный клуб, замкнутый мир, как я мог об этом забыть! Тайное общество знаменитостей, которые оберегают друг друга и не подпускают к себе таких плебеев, как я. Прошу прощения!

Зак уже кричал. Тимми вконец расстроилась. Как он может так говорить? Ни тени уважения к ней, даже о простой вежливости забыл. Она привезла его сюда на каникулы, а он ее эксплуатирует, даже она это ясно поняла. Он и раньше позволял себе такое, но не до такой степени откровенно.

— Зак, ты говоришь чепуху. Никакой это не эксклюзивный клуб. Иногда сюда приезжают успешные или известные люди, а известные люди не хотят, чтобы их эксплуатировали. Никто этого не хочет. — И тихо добавила: — Не хочу и я.

Его глаза засверкали.

— Значит, вот, по-твоему, зачем я сюда приехал? Чтобы эксплуатировать тебя? Это я-то тебя эксплуатирую! Да что я от всего этого имею? Несколько дней на пляже и загар — не густо, черт подери. Не будь ты такая затворница, не прячься вечно от людей, не бойся быть самой собой, мы были бы сейчас на Сент-Барте, вот там настоящая жизнь!

Тимми больно ранило каждое его слово. Она получила от него настоящую пощечину, но, наверное, лучше уж знать, что он на самом деле думает о ней. Как выяснилось, не слишком-то высоко он ее ставит.

— А чего ты ждал от этих каникул? — напрямик спросила она. — Чего-то еще, кроме загара? Лично я за этим и приехала, признаюсь тебе честно. Пригласила тебя не для того, чтобы тебя кто-то «открыл» и чтобы ты «общался» или завязывал полезные знакомства на пляже. Пригласила, чтобы мы побыли вместе, отдохнули, немного развлеклись. Но тебе такой отдых слишком скучен, раз ты только что назвал меня затворницей.

Как же ей было тяжело. Ведь понимала она, что он не любит ее, никаких иллюзий на этот счет у нее и в помине не было, да и она не любила его, но все, что он ей говорил, подтверждало горькую истину, что ему неведомы доброта, нежность, уважение...

— А разве я не прав, разве ты не затворница? Сколько тебя ни приглашают, ты никуда не ходишь. Отказываешься от всех приглашений на презентации и премьеры, если, конечно, ты не считаешь, что обязана пойти, потому что костюмы шила фирма «Тимми О». Не бываешь ни на каких вечеринках. Не ходишь ни в клубы, ни в бары, считаешь себя слишком старой, а это полная чепуха. Мне почти столько же лет, сколько тебе, а я всегда на людях. Ты же прячешься ото всех и сидишь в четырех стенах или у себя дома, или на вилле, и работаешь до одурения. А сейчас хочешь запереться здесь в номере вместо того, чтобы показаться на людях, поглядеть, какая здесь публика, привлечь к себе внимание.

— Зак, я не хочу привлекать к себе внимание, — напомнила она ему. — Я принадлежу к людям, на которых и без того все и всегда обращают внимание, и именно поэтому редко где-нибудь бываю. Мне не нужно показываться на людях и привлекать внимание прессы. Все это я проходила, и все осталось в далеком прошлом. У меня есть рекламное агентство, которое постоянно держит связь с прессой, и мне незачем заниматься этим самой. И в самом деле, какой смысл? Обо мне пишут столько гадостей. Если ты хочешь заинтриговать публику, как ты сам выразился, тебе, наверное, нужно найти другую спутницу. Или самому заплатить за билет на Сент-Барт.

Тимми понимала, что не надо бы этого говорить, что это удар ниже пояса, но с нее было довольно. Выходило так, что она вроде бы должна всячески ему угождать, чтобы удержать его здесь, иначе зачем ему вообще быть с ней. Ее взорвали его обвинения. Она совсем не такая, как Зак ее изобразил. Он решительно ничего в ней не понял, не понял, почему она живет именно так, а не иначе... Нет, может быть, и понял. Что-то он определил довольно точно, но уж очень злобно швырнул ей в лицо свои обвинения. У Тимми было такое чувство, будто он ее ударил, и хотелось ударить его в ответ.

— Послушай, очень мило с твоей стороны, что ты пригласила меня, — сказал он, немного успокоившись. — Я это ценю. Просто такая жизнь не для меня. Может, тебе здесь и хорошо, но по мне на кладбище веселее. От единственных стоящих людей, трех киношных деятелей, с кем я хотел познакомиться, ты убежала как от чумы, не захотела сесть с ними за стол и пообедать. Ты это сделала, чтобы унизить меня, показать, какая ты всемогущая? Или и в самом деле не понимаешь, как знакомство с такими людьми важно для моей карьеры?

— О какой карьере ты говоришь? — с досадой бросила Тимми. — Ты снимаешься в рекламных роликах, ты фотомодель. И как бы ты хорошо ни выглядел, тебе сорок один год. Время ушло, Зак. Никому ты не нужен, тебе не стать кинозвездой.

— А вот этого ты не знаешь!

Он заполыхал еще яростнее. Чего ему не хотелось, так это услышать из ее уст правду о себе. Он все еще мнил себя юношей.

— Знаю, — твердо сказала Тимми. — Я знаю Голливуд гораздо лучше, чем ты.

— Да ни черта ты не знаешь! От тебя за версту разит мертвечиной, отгородилась от всего мира, тебе хоть в уши кричи — не услышишь!

— Все, хватит, — сказала Тимми дрожащим голосом и ушла в комнату. Он посидел еще с полчаса на воздухе и когда наконец вошел в номер, она уже уложила свои чемоданы. Он изумленно посмотрел на нее. Его сумку она тоже уложила. И позвонила администратору. Они улетают сегодня ночным авиарейсом из Гонолулу. Она не хочет больше оставаться с ним после всего, что он ей наговорил, — и о ней лично, и о ее образе жизни, и о том, почему он прилетел с ней сюда. Она услышала довольно. Теперь уже было невозможно притворяться, что они хотя бы друзья. Никакой он ей не друг. Любить он ее не любит. И как выяснилось, даже не испытывает к ней симпатии. Использует ее в своих интересах, и это единственная причина, почему он с ней, а сейчас еще и пришел в ярость от того, что она не помогает ему эксплуатировать себя. И все эти полгода он, должно быть, не только скучал в ее обществе, но и постоянно чувствовал себя обманутым.

170

— Что ты делаешь? — спросил он, с удивлением глядя на Тимми. На нем все еще были мокрые плавки, на плечи накинуто полотенце. Она оставила для него джинсы, рубашку, белье и сандалии.

— Мы вечером улетаем, — сказала она по дороге в ванную, куда шла переодеться.

— Но почему?

Он ничего не мог понять.

— Ты смеешься? Ты что же, думал, я буду сидеть здесь, выслушивать твои упреки и смиренно сносить твое хамство? Завтра утром ты будешь в Лос-Анджелесе. Тебе как раз хватит времени, чтобы попасть на Сент-Барт.

— Ни на какой Сент-Барт я не полечу, ты же знаешь.

Да, оба они знали, что билет на Сент-Барт ему не по карману. Он шиковал за ее счет. И вел себя грубо по отношению к ней, грубо и жестоко. Их отношения были очень поверхностными, ни он для нее не был прекрасным принцем, ни она для него принцессой Грезой, но он никогда раньше так откровенно не показывал ей всю меру своей корыстной заинтересованности в ее связях и высоком статусе, которые должны были обеспечить ему работу. Уж очень сейчас все неприглядно обнажилось. Тимми была убита. Хоть бы малейшая иллюзия, зачем она ему и почему он с ней, но нет, ничего не осталось...

— Полетишь ты на Сент-Барт или не полетишь, твое дело. Сейчас я возвращаюсь домой, и ты тоже.

— Ну что ты взъелась из-за какой-то ерунды, — заюлил Зак, пытаясь утишить ее гнев. Ну конечно же, ему не хотелось уезжать, но уже ничего нельзя исправить, поздно. А ведь она во многом импонировала ему. Их отношения давали ему гораздо больше, чем ей. И так было с самого начала.

— Может быть, для тебя это и ерунда, а для меня нет. Чтобы быть со мной, тебе вовсе не надо притворяться, что ты безумно в меня влюблен. Надо просто хорошо ко мне относиться, а не использовать меня в своих корыстных целях. И я думаю, что ты никогда не был ко мне привязан. И теперь поняла, что и у меня нет к тебе никакой привязанности. По правде сказать, ты мне сейчас просто неприятен. Когда я не взяла тебя с собой в Европу, ты устроил мне истерику, а ведь я, между прочим, была совершенно не обязана этого делать. Мы к тому времени встречались ровно четыре месяца, и мне было совершенно ни к чему возить тебя по Европе, ты бы там прохлаждался в роскошных отелях, а я бы работала как каторжная. Ты не позвонил мне в Париж, когда мне сделали операцию. А когда я позвонила тебе, ты сказал, что очень рад, так мне и надо, раз не взяла тебя с собой. Когда я прилетела домой, ты из вредности постарался уехать из города. А теперь взбесился, что я привезла тебя на Гавайи и что здешняя публика недостаточно хороша для тебя, а я не помогаю тебе заводить полезные знакомства на пляже. И знаешь, я никогда не буду тебе помогать. Ты — мое лекарство от одиночества, мне тяжело и страшно проводить воскресенья одной. Но пропади все пропадом, лучше уж я буду одна, чем позволю на себе паразитировать. Так что, мой дорогой, мы возвращаемся. Привлеки к себе внимание кого-то еще, пусть они везут тебя на следующее Рождество на Сент-Барт. Мне, честно признаюсь, наплевать. Через полчаса мы должны освободить номер.

И Тимми зашла в ванную и громко захлопнула за собой дверь. В их номере была еще одна ванная, и Зак мог переодеться в ней. Тимми давно так не сердилась, она просто полыхала от гнева, а такое с ней случалось не часто. Недаром Джейд так плохо о Заке отзывалась, сейчас он доказал, как она права. Ничтожество, прихлебатель. Тимми всегда знала, что их отношения не без червоточины, но закрывала на это глаза. И вот на Гавайях он вынудил ее признать горькую правду. Будь она в него влюблена, она, может быть, и смогла бы его простить. Но никакой влюбленности и в помине не было. У них всего лишь легкие и необременительные отношения, не более того. И Тимми не могла допустить, чтобы ее так беспардонно эксплуатировали, а Зак сейчас попытался. Все, конец, ее терпение лопнуло.

Одно приятно — он получил от Тимми всего только часы Картье и поездку на Гавайи. Пустяки, она ни о чем не жалела, но была оскорблена и возмутилась, что ее эксплуатируют. Увы, это неизбежно, когда вступаешь в близкие отношения с такими ничтожествами, как Зак. Кончается все тем, что они заходят слишком далеко. И тогда она с ними расстается — с кем-то раньше, с кем-то позже, но все равно расстается.

Из ванной Тимми вышла через двадцать минут, на ней были джинсы, тенниска и джинсовая куртка, на плечи накинута шаль, на ногах сандалии. Волосы мокрые, она приняла душ. Хмурый Зак сидел на стуле в гавайской рубашке и в джинсах, которые она ему оставила. Не произнося ни слова, он встал и пошел за ней из номера. Он понимал, что перешел грань, и не хотел усугублять положение. Когда они спустились в вестибюль, он спросил, может быть, она все-таки передумает и останется. Прощения он не попросил, но было видно, что он чувствует себя неловко и волнуется. Он только что упустил единственный в мире шанс плюс еще четыре дня отдыха на Гавайях, хоть и считал, что это гиблое место. Все равно Гавайи есть Гавайи, тем более что отдых ему ничего не стоил, а Тимми как-никак знаменитая владелица империи «Тимми О».

— Не передумаю и не останусь, — отрезала она, подходя к столу администратора. Зак так и не понял и, вероятно, никогда не поймет, что она не только рассердилась, но и расстроилась. Ни одна женщина, и особенно обладающая таким статусом, как она, не захочет оказаться в роли жалкой старой дойной коровы, а Зак, как она поняла, именно так на нее и смотрел. И вместо того чтобы радоваться тому, чем его одаривают, жаловался, что молоко недостаточно сладкое и что его вообще мало.

Тимми выписала их из гостиницы, и такси повезло их в аэропорт. По дороге ни он, ни она не произнесли ни слова. О чем им было говорить? Зак все ей сказал, и она все сказала ему. И он знал, что прошлого не вернуть, все пути туда отрезаны. До Гонолулу они долетели самолетом «Алоха Эйрлайнз», лос-анджелесского рейса предстояло ждать два часа. Зак отошел от Тимми и стал звонить кому-то по мобильному телефону, она бесцельно переходила от одного магазинчика в здании аэровокзала к другому, стараясь не встретиться с ним, и спрашивала себя, не слишком ли резко она все разорвала... Нет, она поступила правильно. Ей было нестерпимо вспоминать его обвинения, но она понимала, что в них была и доля правды, хоть он и бросал их в злобе, она подозревала, что именно так он о ней и думает. Он пришел в ярость от того, что она предоставила ему слишком мало возможностей завязывать связи и знакомства с полезными людьми, эксплуатируя ее отношения с ними. Да, далеко ему до прекрасного принца, он просто ничтожество, что сейчас и доказал. Подойдя к столу регистрации, она уже была твердо уверена, что сделала единственно правильный выбор.

Они прошли посадку на рейс, и самолет был набит битком; Тимми с облегчением вздохнула, что их места в салоне первого класса не рядом. У нее не было ни малейшего желания сидеть вместе с Заком. Они сидели не только в разных рядах, но и по разным сторонам от прохода. Ни он, ни она не попытались договориться с соседями и поменяться местами. Все сложилось как нельзя лучше. Во время полета Тимми изо всех сил старалась заснуть, но сна не было. Сидящий рядом с ней пассажир заснул, как только они оторвались от земли, и громко храпел до самого конца полета. Из кондиционера дуло зверским холодом. И к тому же Тимми была слишком расстроена. Со своего сиденья ей не было видно Зака, увидела она его уже только в аэропорту Лос-Анджелеса. Они стояли в очереди за багажом, и он подошел к ней. К счастью, они получили багаж одними из первых в очереди. Им хотя бы не пришлось его ждать в мучительном, неловком молчании. Было начало седьмого по местному времени.

— Мне очень жаль, что все так получилось, — промямлил он, отводя от Тимми взгляд, хотя она глядела ему прямо в лицо, пытаясь осмыслить, как этот человек мог быть столько времени с ней рядом. Ничего хорошего о нем не скажешь. Она никогда не считала его героем, с самого начала видела, с каким удовольствием он пользуется благами, которые она может ему предоставить, но чтобы он был так откровенно корыстен, она и не предполагала. На Гавайях он помог ей прозреть, и, обдумывая во время полета случившееся, она решила, что все к лучшему. Он сам раскрыл перед ней свои карты, и за это ему спасибо. В любом случае пришло время с ним расстаться, говорила Тимми себе. Ни один Зак не продержался в ее жизни больше полугода. Все равно его время было на исходе. И возможно, это последний Зак в ее жизни. С нее довольно. Хватит так бездарно и бессмысленно тратить на них время, они приносят ей так мало радости, да и в постели не блещут. Если нет любви, то, может быть, лучше никого и ничего не надо. Как она устала от недолгих связей с пустыми, никчемными людишками, которых она не любила и которые не любили ее. Может быть, время Заков и вообще подошло к концу. Да наверное, так и есть, Тимми это чувствовала. Может быть, отказавшись от них и смирившись с одиночеством, она поймет, что одиночества совсем не надо бояться. Тимми потребовалось одиннадцать лет, которые она прожила после развода, чтобы прийти к этой мысли. Наконец-то она готова встретиться с жизнью лицом к лицу одна, без мужа или даже любовника.

— Мне тоже жаль, — сказала она, принимая свою сумку. — Желаю удачи.

Он не ответил, и она вышла на тротуар, чтобы поймать такси. Одна из машин стояла прямо у выхода, и Тимми в нее села. На Зака она не взглянула, не предложила подбросить его. Он получил от нее все, что мог выжать. Она назвала водителю свой адрес в Бель-Эйр и поехала домой. Наконец-то она была свободна.

Глава 9

Поспав несколько часов, Тимми села в свой «Мерседес» и поехала в Малибу. Было тридцать первое декабря, канун Нового года. Она никому не позвонила сказать, что вернулась. Была уверена, что все ее друзья уже договорились, где и с кем будут встречать Новый год. И знала, что у Дэвида и Джейд назначены свидания. Ей и не хотелось быть с ними. Сейчас ей больше всего на свете хотелось остаться одной. И у нее даже не было потребности зализывать раны, потому что ран не было. Уже много лет Тимми не чувствовала себя такой свободной и полной жизни. И не испытывала никаких сожалений о том, что рассталась с Заком. Свобода и облегчение и ощущение собственной силы! Зак ее больно ударил, но, может быть, он сказал именно то, что ей было необходимо услышать. Так она размышляла, подъезжая к своей вилле. В сущности, он оказал ей услугу, иначе все это безобразие тянулось бы и тянулось, он продолжал бы вымогать у нее разные уступки и злиться, что она на них не идет. А ведь она даже подумывала, не взять ли его с собой в Европу на демонстрацию весенней коллекции, — просто для того, чтобы он еще сколько-то времени был возле нее. Несусветная глупость, но ей было невыносимо думать, что подобная сцена может еще раз повториться, и она знала, что он останется с ней, если она того захочет. Как бы там ни было, все решилось само собой на Гавайях. Больше ей не надо ни о чем волноваться. Тимми чувствовала, что навсегда излечилась от пристрастия к подобной породе мужчин и что, может быть, ей вообще никто не будет нужен. Вероятно, ее ждет в очередной раз долгий период целомудрия, но она ни о чем не жалела. Наоборот, радовалась, что не осталась с Заком на Гавайях и нашла в себе довольно сил, чтобы порвать с ним и вернуться домой.

Предновогодний вечер Тимми провела у камина в своей гостиной в Малибу. Небо было ясное, в воздухе свежо, она вышла на открытую веранду и стояла в темноте, глядя на луну, ее наполняла благодарность за то, что она живет на свете, и она чувствовала, что страх перед одиночеством вдруг исчез. Насколько одиночество чище, такие мужчины, как Зак, тянули ее в грязь. И еще она вдруг почувствовала, что одиночество ей приятно. Впервые в жизни она ощутила себя ни от кого не зависящей и сильной.

В первый день нового года Тимми проснулась в девять утра и долго гуляла по пляжу. Был чудесный зимний день. Все выходные она провела в Малибу одна, тихо и спокойно, радуясь своей любимой вилле. Как ни странно, она чувствовала себя на удивление хорошо и была в ладу сама с собой. Зак, как и следовало ожидать, не позвонил поздравить с Новым годом, и Тимми знала, что он никогда больше не позвонит.

Все это она уже не раз проходила. Такие мужчины исчезают без следа, едва их высадишь из такси. Большое спасибо, чао, все было очень хорошо, или не очень хорошо, и конец. С кем-то она оставалась в дружеских отношениях, но такое случалось не часто. Такие мужчины, как Зак, не способны на дружбу, и уж тем более с ней.

Тимми прожила на своей вилле до воскресенья, потом поехала домой и по дороге заглянула в приют Святой Цецилии поздравить всех с Новым годом. Пообедала с сестрами и с детьми и вернулась к себе в Бель-Эйр, до позднего вечера работала и наконец легла спать. В восемь утра она уже была в своем офисе. Джейд удивилась, когда пришла на работу и увидела там Тимми. Вид у Тимми был деловой и озабоченный, она уже успела сделать несколько звонков в Нью-Йорк и сейчас с улыбкой протянула Джейд пачку документов. Джейд сразу заметила, что улыбается Тимми спокойно и радостно.

— С Новым годом! — приветствовала ее Тимми.

— Как Гавайи?

Джейд увидела что-то необычное в глазах Тимми, но не могла понять, что это. Как бы там ни было, Тимми давно не выглядела такой счастливой.

— Увы, — только и ответила Тимми, но Джейд было этого довольно, она все поняла.

— Ты вернулась раньше времени? — Тимми кивнула. — Когда?

— Тридцать первого утром. Вылетели из Гонолулу местным рейсом тридцатого вечером.

Судя по тону и выражению лица Тимми, ее это ничуть не огорчило. В первый раз за долгие годы она радовалась разрыву с мужчиной.

— А-а... Что произошло? — спросила Джейд чуть ли не со страхом, но Тимми и бровью не повела. И если уж говорить правду, она просто сияла.

— Видимо, я разочаровала Зака, не предоставив ему достаточно возможностей завязывать знакомства с полезными людьми, чего он так жаждал, а я, как он считал, была обязана расшибаться ради него в лепешку. И потому я предоставила ему возможность убраться вон. — Она посмотрела на Джейд с улыбкой. — Все, с меня довольно. Думаю, он был последним из этой подлой породы. Уж лучше затвориться в монастыре, чем еще раз связаться с такой шантрапой. Когда он сказал, что со мной можно подохнуть от скуки, я почувствовала себя последней дурой. Наверное, он сказал правду. Но я не желаю ему в угоду ходить на все премьеры и презентации, куда меня приглашают, и слоняться по клубам и барам с двадцатилетними недоносками, которыми он так дорожит.

Джейд слушала, торжествующе улыбаясь. Она была счастлива, что Зака прогнали, и как бы дальше ни распорядилась своей жизнью Тимми, пока это не важно. Зак не стоил подошвы на ее туфлях, это с самого начала было ясно.

Услышав их голоса, в дверь просунул голову Дэвид и увидел решительное выражение на лице Тимми, которая рассказывала Джейд о последних событиях.

— Что случилось? Что-то в Нью-Йорке?

Джейд покачала головой, а Тимми улыбнулась ему.

— Зак кончился. Мы на Гавайях разбежались.

— Надеюсь, убежала от него ты, а не он от тебя, — с тревогой сказал Дэвид, и Тимми засмеялась.

— Да, ты угадал. Он поднял на меня голос, а я сбросила на него атомную бомбу. Перед ссорой мы провели там очень приятную неделю, все было прекрасно. Но так или иначе, его время истекло, — грустно сказала она. — Его полугодовая виза кончилась.

— Надеюсь, ты отобрала у него паспорт, когда он покидал пределы волшебного королевства, — усмехнулся Дэвид.

— Кто знает. Думаю, он найдет себе какую-нибудь другую дуру вроде меня, она будет демонстрировать его всем направо и налево и сделает для него все, чего его душа пожелает. Какой же я чувствовала себя идиоткой, когда все кончилось. Сколько времени я угробила впустую, — честно призналась Тимми. Она никогда не боялась признаться перед ними в своих ошибках и слабостях, и их это ее качество восхищало. В ней не было ложной гордости, она спокойно признавала свою неправоту.

— Лучше чувствовать себя идиоткой, чем рыдать и рвать на себе волосы, — благоразумно сказал Дэвид и с интересом посмотрел на Джейд. — Ну как Новый год?

— Отлично!

Джейд так и рассиялась. Она встречала его с архитектором. Они уже несколько раз встречались, на Рождество он подарил ей очень красивую сумку от Гуччи, а она ему — кашемировый свитер из эксклюзивной коллекции «Тимми О». Оба были в восхищении от полученных подарков, оба влюбились друг в друга и потеряли голову. Дэвид и Тимми убеждали Джейд, что не стоит так спешить, но она была счастлива и твердила им, что архитектор тоже счастлив. В новогодние выходные они ездили кататься на лыжах. У Дэвида тоже была новая девушка, они встречались. Так что в их жизни все шло хорошо, а в жизни Тимми были мир и покой. И самое главное — она чувствовала великое облегчение.

Весь день все они трудились не покладая рук, и не только весь день, но и всю неделю. Объем работы был огромный, они готовили весенне-летнюю коллекцию следующего года. В феврале им предстояло показывать свою готовую одежду в Нью-Йорке и потом сразу же везти ее в Милан и Париж. На Джейд лежала организация поездки. И на этот раз они должны были устроить грандиозный прием в «Плаза Атене», тут уж им было не отвертеться.

В начале января, когда у них шло подробнейшее обсуждение этого приема, Джейд протянула Тимми список гостей, чтобы та решила, стоит ли кого-то вычеркнуть и нужно ли кого-то вписать. В списке были все парижские журналисты, освещающие события в мире моды, несколько редакторов из «Вог», их самые крупные оптовые покупатели, владельцы известных текстильных фабрик, несколько знаменитых клиентов. И Тимми, читая этот список, вдруг неведомо почему нахмурилась.

— Что-то не так? Я кого-то забыла? — встревожилась Джейд. Но если и забыла, это не катастрофа, они успеют все исправить, время еще есть. Однажды они забыли включить в список редактора самого влиятельного французского модного журнала.

— Нет, я просто подумала... — Тимми покусала кончик ручки, потом взяла в рот свой любимый леденец. Леденцы ее освежали, когда она чувствовала усталость.

— Ты хочешь кого-то вписать или кого-то вычеркнуть? — спросила удивленная Джейд. Она не только удивилась, но и растерялась.

— Пока не знаю. Этот человек не очень вписывается, но может получиться неплохо, вроде как жест благодарности. Я подумаю и скажу тебе. — Джейд кивнула, и они вернулись к обсуждению поездки. Тимми целую неделю ничего не могла решить. Написала записку Джейд, потом ее разорвала. Она колебалась и сомневалась, потом подумала, что должна позвонить сама. Звонок помощницы может показаться оскорбительным, в лучшем случае будет воспринят как проявление не слишком большой заинтересованности. Европейцам, если только они не деловые люди, этого не понять, а он как раз не принадлежит к миру бизнеса. Тимми в сомнениях ходила по своему кабинету взад и вперед и в конце концов позвонила только в воскресенье вечером, уже из дома. В Париже наступил понедельник, лучшего времени для такого разговора не придумаешь. В выходные она звонить не хотела, да и сейчас не была уверена, что позвонит. Долго сидела у себя дома в кабинете, борясь с сомнениями и собираясь с духом, потом вынула из записной книжки листок бумаги, схватила телефон и набрала номер.

Услышала в трубке гудки, насчитала семь гудков и уже готова была отказаться от своей затеи и разъединиться, как вдруг ей ответили. Ответил голос парижского врача Жан-Шарля Вернье.

— Алло? — произнес он официально и деловито.

— Bonjour, — сказала Тимми и почувствовала себя полной дурой. Она знала, что произношение у нее чудовищное. Сколько она ни бывала в Париже, сколько ни останавливалась в «Плаза Атене» и ни общалась с владельцами ткацких фабрик, по-французски она знала всего несколько слов. Все разговаривали с ней всегда по-английски.

— Да? — Он услышал американский акцент, но голос не узнал. Да и с какой стати ему ее узнать? Знакомство их длилось всего десять дней, а не слышал он ее уже два с половиной месяца.

— Здравствуйте, доктор. Это Тимми О'Нилл.

— Какой приятный сюрприз, — сказал он с искренней радостью. — Вы в Париже? Нездоровы?

— И не в Париже, и совершенно здорова. — Тимми не могла сдержать улыбки. В Лос-Анджелесе, где она сидела у себя дома в кабинете в ночной рубашке, была полночь, а у него в Париже — девять утра. — Я в Лос-Анджелесе, но через месяц опять приеду к вам показывать свою коллекцию, и вот я подумала... не знаю, как вы к этому отнесетесь, но мне хочется... мы устраиваем ужин для наших оптовых покупателей и прессы в «Плаза Атене»... — Она перевела дух, вдруг почувствовав себя неловко и смутившись от того, что позвонила ему. — Я подумала, что, может быть, вы с женой захотите прийти... Это деловой ужин, публика соберется самая разнообразная, думаю, будет интересно. — Она не могла угадать, захотят они прийти на ужин или нет, но как ей было бы приятно увидеть его снова, ведь они так замечательно и так подолгу разговаривали в октябре. Отличный повод встретиться с ним, не заболев. Тимми надеялась, что на этот раз такого казуса с ней не случится.

— Как я рад, что вы вспомнили обо мне. — Его голос звучал очень искренне, и она подумала, что, может быть, не такая уж это была идиотская мысль — позвонить ему. Минуту назад она испугалась, вдруг он подумает, что она не в своем уме, навязывается ему, хотя у нее и в мыслях ничего подобного не было.

За две недели, что прошли после разрыва с Заком, Тимми поняла — окончательно и бесповоротно, — что ей гораздо лучше быть одной. Она снова стала Снежной королевой, как ее называла Джейд. И с наслаждением проводила выходные на своей вилле в Малибу одна. Зак ей больше не звонил, но одинокие уик-энды ее уже не пугали. С Заком Тимми рассталась и, расставшись, поклялась, что Заков в ее жизни больше не будет, да и вообще никого не будет. Несколько дней назад она торжественно объявила, что с мужчинами покончено. Она приглашает доктора Вернье и его супругу на светское мероприятие в знак признательности, только и всего, никаких тайных побуждений за этим не кроется, убеждала она себя.

— Боюсь, я не смогу принять ваше приглашение, — осторожно произнес он, хотя она не сказала ему, когда именно состоится ужин, сказала только, что приезжает в Париж в феврале, и, стало быть, до ужина еще много времени. Откуда ему знать, что именно в этот вечер он будет занят? Или таков его незыблемый принцип — отказываться, когда его приглашают на званый ужин пациенты? — Не смогу потому, что вы, как я понимаю, ожидаете кавалеров с дамами, — вы только что любезно пригласили на ваш ужин меня с женой, но наша семейная жизнь потерпела крах, мы, так сказать, разрываем дипломатические отношения, или, как вы говорите в Америке, «разбегаемся». — Слушая его, Тимми забыла, как строг и официален он может быть, и сейчас с трудом верила своим ушам. — Словом, мы расстаемся. Разводимся. И никуда больше вместе не ходим. Продаем квартиру. И думаю, одинокий мужчина без дамы вам не ко двору. Так что если вы приглашаете двоих, боюсь, я буду вынужден отказаться. Но если вы не возражаете, чтобы я пришел один, я с удовольствием приду. Только, пожалуйста, не считайте, что обязаны меня позвать.

Тимми осмыслила то, что он только что ей сказал, и решила, что события приняли очень интересный оборот. В высшей степени интересный. Ее охватило волнение, как она ни старалась его сдержать, и она тотчас же напомнила себе, что нельзя быть такой идиоткой. С мужчинами она покончила навсегда, а Жан-Шарль официально еще женат, но будет очень приятно, если он согласится прийти к ней на ужин, и она обрадовалась, когда он сказал, что с удовольствием придет один.

— Конечно, приходите один, все замечательно, — заверила его она. — Почти все придут без пары. Журналисты приходят одни, покупатели и заказчики тоже. Надеюсь, вы будете не слишком скучать, собирается весь мир моды и несколько человек со стороны. Но иногда на таких сборищах бывает весело. Я бы очень хотела, чтобы вы пришли. Ужин тринадцатого февраля. Надеюсь, вы не суеверны.

— Ничуть, — засмеялся он и записал дату в своем ежедневнике. — С удовольствием приду. Во сколько?

— В половине девятого. «Плаза Атене», банкетный зал.

— Надеюсь, черная бабочка не обязательна? — деликатно спросил он.

— Нет-нет, что вы! — Она засмеялась. — Пресса будет в джинсах. Возможно, придут две-три модели, но они будут полуобнаженные. Покупатели и заказчики надевают черные костюмы. Вы можете надеть что хотите — брюки с блейзером или костюм. Люди, которые диктуют моду, почти все одеты бог знает как, — сказала она, радуясь его согласию прийти и всеми силами желая вселить в него уверенность.

— За исключением вас, мадам О'Нилл, — галантно сказал он, и она подумала — уж не издевается ли он?

— А что случилось с «Тимми»? «Тимми» мне больше нравилась.

Она вспомнила, что в открытке, где Жан-Шарль благодарил ее за подарок, он тоже назвал ее «мадам О'Нилл». А ведь в клинике и отеле во время их нескончаемых бесед он называл ее «Тимми». И ей сейчас очень не хватало прежней короткости отношений.

— Не хотел показаться бесцеремонным. Вы тогда были моей пациенткой, а сейчас я разговариваю со знаменитостью.

— Никакая я не знаменитость, — возмутилась она, но тут же засмеялась. — Ну ладно, пусть я, может быть, и знаменитость, ну и что с того? Мне казалось, мы с вами друзья, во всяком случае, я считала так в октябре. Кстати, спасибо за очень милую открытку.

Тимми хорошо помнила закат над морем, и Жан-Шарль тоже.

— Спасибо за сумасшедше дорогие часы, мадам... Тимми, — неуверенно произнес он и, казалось, на мгновение смутился. — Когда я их увидел, я очень растерялся. Не надо было этого делать.

— Вы так меня поддерживали, когда мне удалили аппендикс. А я тогда смертельно боялась, — честно призналась она.

— Я помню. А как вы сейчас? — спросил он осторожно и не без робости.

— Прекрасно. Хотя, когда я доберусь до Парижа, может быть, этого и не скажу. Эти презентационные турне вконец изматывают.

— И это я тоже помню. Вы отказывались ложиться в больницу, пока не закончится показ.

— Да, и вы оказались правы, когда определили, что аппендикс вот-вот прорвется. Но когда готовишься к показу, невозможно все бросить.

— Вы должны думать о своем здоровье, — мягко сказал он.

— Мне было грустно слышать, что ваш брак распался, — отважилась сказать Тимми, не зная, как он отнесется к ее словам.

— Такое случается, — произнес он сдержанно. — Благодарю, что позволили мне прийти на ужин одному. Я очень признателен вам за приглашение. Когда вы прилетаете в Париж?

Интересно, что он ее об этом спросил. Что-то между ними изменилось после того, как она узнала, что он разводится.

— Мы прилетаем восьмого. За пять дней до презентации. И я, как всегда, остановлюсь в «Плаза Атене».

Ну зачем она это сказала! Тимми была готова откусить себе язык. Может показаться, что она его заманивает, а ей ни в коем случае не хотелось, чтобы у него создалось такое впечатление. Они почти совсем не знают друг друга, ведь они были всего лишь врач и пациентка. У Жан-Шарля сейчас своих забот хватает. Только бы он не принял ее за хищную американку, которая не пропустит ни одного мужчину и вот теперь охотится за ним. Но ведь она пригласила его на ужин с женой, так что он хотя бы знает, что, когда она позвонила, не пыталась его ловить... Господи, ну почему он должен так думать? Тимми вдруг стало неловко из-за того, что она ему позвонила, но все равно она была рада, что решилась позвонить. А почему, собственно, нет? Сейчас, разговаривая с ним, она чувствовала себя несмышленой девчонкой. Он говорил с ней так серьезно, по-взрослому, хотя, как она помнила, у него было замечательное чувство юмора. Три месяца назад им было так легко друг с другом...

— Ну что ж, значит, я увижу вас тринадцатого февраля в «Плаза Атене», — сказал Жан-Шарль сдержанно. Он с самого начала говорил с ней очень учтиво. Никакой теплоты в голосе, корректность и вежливость, как в самом начале их знакомства.

— Да, увидимся тринадцатого февраля, — подтвердила она.

— Благодарю вас, что позвонили, — вежливо повторил он, и оба положили трубки. Она как сидела в своем маленьком кабинетике, так и осталась сидеть, глядя в пространство. Как же хорошо было поговорить с ним еще раз!

Долго она так сидела, вспоминая каждое сказанное слово, раздумывая над поразившей ее новостью о разрыве с женой, она ничего подобного не ожидала, зная, что он, как это свойственно многим европейцам, а тем более католикам, осуждает разводы. Ей было приятно, что Жан-Шарль готов был отказаться от приглашения, если непременно нужно прийти с дамой. Конечно, все складывается как нельзя лучше, но ей было бы любопытно поглядеть на его жену. Теперь она ее не увидит, но надеется, что он не будет скучать среди той пестрой публики, которая собирается на таких приемах. И как бы там ни было, будет очень приятно с ним снова встретиться. Тимми зевнула, поднялась со стула, перешла в спальню и легла в постель. Ни в коем случае не думать о Жан-Шарле Верне, приказывала она себе, не вспоминать об их долгих беседах в Париже. Ни эти их беседы, ни известие о том, что он разводится с женой, ничего для нее не значат. Жан-Шарль приятный человек, в лучшем случае потенциальный друг, не более того. Ей удалось убедить себя в этом.

Глава 10

Утром в понедельник Тимми попросила Джейд внести имя Жан-Шарля в список гостей, приглашаемых на ужин в Париже, и послать ему факс, подтверждающий приглашение. Всю следующую неделю они прожили как в лихорадке, так что Тимми напрочь о нем забыла. В пятницу вечером она поехала к себе на виллу в Малибу, по дороге заглянула в приют Святой Цецилии и осталась там ужинать. Дети были довольны, в приюте появились двое новеньких. Одна из них — девочка-подросток, которую брали на воспитание двенадцать патронатных семей и потом возвращали в детский дом, а в последней ее изнасиловал родной сын приемных родителей. Она была очень замкнутая и все время молчала. Ей было четырнадцать лет. Монахини подробно рассказали о ней Тимми после ужина. Их огорчало ее агрессивное поведение по отношению к некоторым из детей. Конечно, это неудивительно, ведь сколько ей пришлось пережить. Дети были с ней терпеливы, хотя две девочки поссорились с ней утром в ванной и жаловались, что новенькая украла у них зубные щетки и расчески. Она и в самом деле хватала все, что попадется под руку, и прятала у себя под кроватью. Одна из монахинь боялась, что она собирается убежать. И Тимми, и все они знали, что ей понадобится время, чтобы адаптироваться в новой обстановке. Может быть, даже много времени. В родном доме ее зверски избивала родная мать, насиловали отчим и дружки матери. Отец был в тюрьме, как и у многих других детей в приюте. Ее жизнь была настоящим кошмаром.

Второй новенький появился в приюте Святой Цецилии всего два дня назад. Одна из сестер рассказала о нем Тимми по дороге в столовую и попросила не удивляться, когда она увидит, как странно мальчик себя ведет. Все это время он сидел не за столом, а под столом и ни с кем не разговаривал. Социальная работница, которая его привезла, рассказала сестрам, что дома мать бросала ему под стол объедки, как собаке. У мальчика были ярко-рыжие волосы, как у Тимми, и было ему шесть лет. Тимми заметила его сразу же, как вошла с детьми в столовую, и увидела, что он мгновенно шмыгнул под стол, как ее и предупреждали, и затаился там. До того как попасть в приют, мальчик жил с матерью в крошечной квартирке в Голливуде, мать недавно посадили в тюрьму за торговлю наркотиками. Она утверждала, что не знает, кто его отец. Звали мальчика Блейк, и мать утверждала также, что он не умеет говорить. Его проверяли на аутизм, но предположение не подтвердилось. Психиатры из детской колонии, куда его поместили после ареста матери, пришли к заключению, что он пережил тяжелую травму и вследствие этой травмы перестал говорить. Он понимал все, что ему говорили, но не отвечал. Глаза у него были большие и умные. Психиатры из детской колонии предполагали, что травма была не только душевная, но и сексуальная. Его матери было двадцать два года; когда он родился, она уже давно сидела на метамфетамине и крэк-кокаине, потом добавила к ним героин, так что скорее всего будет сидеть в тюрьме долго. Это было ее четвертое правонарушение, прокурор потребовал тюремного заключения.

Родных у мальчика не было, идти ему было некуда. После того как его обследовали в детской колонии, сестрам позвонили. Было решено, что самое подходящее заведение для него — приют Святой Цецилии, именно таких детей тамошние монахини принимают с распростертыми объятиями, тем более что о том, чтобы попытаться устроить его в патронатную семью, не могло быть и речи. Тимми увидела ребенка, и ее сердце дрогнуло. Он был похож на нее, даже сестры стали это говорить. Его можно было принять за ее сына! И вдруг ей захотелось, чтобы он и в самом деле был ее сыном. Мать не захотела отказываться от родительских прав и заявила, что заберет его к себе, когда выйдет из тюрьмы, а это произойдет еще очень не скоро, вероятно, лет через десять. Он к тому времени уже достигнет совершеннолетия и наверняка сам станет законченным наркоманом. Сестры были полны решимости сделать все возможное, чтобы спасти его от такой судьбы. Им удавалось добиться успеха в совершенно безнадежных случаях, и сейчас они вполне могли надеяться, что смогут помочь Блейку.

Тимми почувствовала, что под столом возле ее ног притулилось маленькое тельце, но не подала и виду, что заметила это, она продолжала весело разговаривать с ужинающими детьми. Они любили, когда она сидела за столом вместе с ними, и сестры тоже любили. Почти все дети называли ее «Тимми». Они уже доедали котлеты и макароны с сыром, как вдруг она почувствовала, что Блейк прижался к ее ногам и положил голову ей на колени. Ее рука невольно опустилась под стол и погладила его шелковистые волосы, и в эту минуту Тимми встретилась взглядом с одной из сестер. Ей хотелось рассказать сестре, что происходит, но она не осмелилась. Через минуту взяла кусок котлеты, незаметно завернула в бумажную салфетку и так же незаметно опустила под стол. Мальчик тихонько взял его. Немного погодя она дала ему еще один кусок, и так постепенно он съел почти всю ее котлету. Она ни разу не взглянула на него, а он, когда наелся, слегка дернул ее за юбку и протянул ей салфетки. Тимми их взяла, и на глазах у нее выступили слезы. На него невозможно было смотреть без мучительной боли. На десерт Тимми дала ему фруктовое мороженое на палочке, и он его съел. Он не вылез из-под стола, когда все дети встали и ушли вместе с сестрами. Тимми тоже осталась сидеть, и наконец мальчик встал на ноги и поглядел на Тимми своими огромными глазищами. Она протянула ему стакан молока и печенье, он с жадностью его выпил, съел печенье и аккуратно поставил стакан на стол возле нее.

— Молодец, Блейк, ты хорошо пообедал, — негромко похвалила она его, но он ничего не ответил. Ей показалось, что он еле заметно кивнул, но, может быть, она ошиблась. — Жалко, что тебе не достались макароны с сыром. Хочешь поесть сейчас?

Он замялся, потом кивнул, и Тимми пошла на кухню и положила на тарелку оставшиеся макароны, принесла в столовую и поставила перед мальчиком на стол. Он взял тарелку, опустил на пол, сел рядом с ней и принялся есть макароны руками. Тимми ничего не сказала сестре, которая в эту минуту вошла в столовую и, увидев эту картину, с улыбкой кивнула. Да, Тимми на верном пути. Она чувствовала какую-то удивительную связь с этим мальчиком, может быть, потому, что он похож на нее. Он был заперт в темнице молчания, и ее сердце сжималось при мысли о том, какой ужас загнал его туда. Одному Богу ведомо, что с ним происходило, когда он жил с матерью, ее ли жестокость так его искалечила, или постарались ее дружки. Он стал еще более страшной жертвой ее образа жизни, чем она сама. Перед кошмарами, которые

188

ему пришлось пережить, пасует самое яркое воображение. Родился он в Сан-Франциско, матери было шестнадцать лет, и она была уличной проституткой в Хейт-Эшбери. Зарабатывала она себе на жизнь таким способом уже два года. После рождения сына она перебралась в Лос-Анджелес, и тут аресты пошли один за другим. В первый раз мальчика взяли в патронатную семью, когда ему было шесть месяцев. До этого она то и дело бросала его на приятелей, а когда наконец попала в тюрьму, оставила у торговца наркотиками. К шести годам Блейк навидался такого, что и в страшном сне не приснится, непонятно, как он вообще остался жив. Сейчас он съел все макароны, что Тимми положила на тарелку, взглянул на нее и улыбнулся.

— Ну вот, теперь ты, я думаю, сыт? — с улыбкой спросила Тимми. — А может быть, еще? — Он покачал головой и улыбнулся в ответ на ее улыбку. Улыбка чуть тронула его губы, но все же это была улыбка. Тимми протянула к нему руку, хотела взять его за ручку, но он отпрянул. — Извини, я не хотела тебя испугать, — сказала она доверительно, словно они дружески беседовали, — да она и в самом деле с ним дружески беседовала. — Меня зовут Тимми. А ты, я знаю, Блейк.

Его взгляд ничего не выразил, он просто смотрел на нее, будто не слышал ее слов, потом пошел прочь. Тимми не хотелось, чтобы он так сразу ушел, но, видно, ему было довольно общения для одного вечера, на большее его не хватило. Он сел на пол в углу столовой и продолжал смотреть то на Тимми, то на сестру, которая пришла из кухни протереть стол губкой. Тимми немного поговорила с ней, потом снова обратилась к Блейку.

— Хочешь подняться наверх и послушать сказку? — предложила она ему.

Тимми пора было ехать в Малибу, но она не могла оторваться от Блейка. Она вдруг почувствовала, что накрепко связана с ним, такого она никогда не испытывала ни к одному из детей в приюте. При виде этого мальчика у нее разрывалось сердце. Она не могла понять почему, но мелькнула смутная мысль, а вдруг это сама судьба подстроила их встречу. Может быть, откуда-то с небес об этом позаботился

Марк? Как бы это было хорошо, если так. Все двенадцать лет после его смерти в сердце Тимми была мучительная пустота. Она знала, что никто эту пустоту не заполнит, и уж конечно, не этот мальчик, но на какое-то мгновение пустота в сердце перестала его разрывать, теперь оно разрывалось от сострадания к Блейку. Она еще раз предложила ему послушать сказку, и он покачал головой. Он все так же сидел молча в углу и с испуганным видом глядел на Тимми и на сестру. Но он хотя бы наелся. Худой он был как скелет, весил, наверное, в два раза меньше, чем положено, — как почти все дети при поступлении в приют, особенно если их забирали от собственных родителей, которые не только не заботились о них, но и не кормили. В патронатных семьях им уделяли хоть какое-то внимание и почти всегда прилично кормили. Блейк изголодался, он жадно проглотил все, что Тимми ему дала. За ужином он съел больше, чем она. Она посмотрела на него и снова улыбнулась.

— Блейк, я скоро уезжаю. Хочешь, отведу тебя наверх в комнату отдыха?

Приближалось время сна, но сначала детям почитают сказку, а после сказки они примут душ. Тимми с удовольствием искупала бы его в теплой пенной ванне, как когда-то купала маленького Марка, но устанавливать здесь ванны было бы непрактично, слишком уж много детей, пришлось ограничиться душевыми кабинками. Он в ответ на ее вопрос покачал головой и больше не делал попыток приблизиться к ней. Тимми еще раз поглядела на него с улыбкой и ушла вместе с сестрами из столовой. Они сказали ей шепотом, что он сам потом поднимется за ними наверх. Он всегда поднимается — и после завтрака, и после обеда, и после ужина. Держится от них на расстоянии, как сейчас от Тимми, хотя и положил ей голову на колени во время ужина и позволил погладить себя по голове. В первый раз за все время в приюте он допустил, чтобы до него кто-то дотронулся, и теперь сестры хотя бы знали, что рано или поздно он вытерпит и их прикосновение, а ведь некоторые дети совершенно не могли этого вынести. Тимми сказала об этом сестрам, когда они вышли из столовой, и поднялась вместе с ними в комнату отдыха, где дети играли в разные игры, складывали пазлы, смотрели по телевизору фильм, пока не настанет время идти принимать душ.

— Пожалуй, мне пора ехать, — сказала Тимми, преодолевая внутреннее сопротивление. Как же ей не хотелось уезжать! Каждую минуту, которую она проводила в приюте, она ценила на вес золота, тем более нынешним вечером, когда она увидела Блейка.

— Вы очень много для него сделали сегодня, Тимми. С тех пор как его к нам привезли, он почти ничего не ел.

— Как вы думаете, он заговорит? — встревоженно спросила Тимми. К ним в приют поступали дети и в более тяжелом состоянии, чем Блейк, однако его вид вызывал почти уверенность, что он травмирован гораздо сильнее, чем может показаться. Она сердцем это чувствовала. И хотела только одного — обнять его, прижать к себе и сделать все, чтобы ребенок радовался жизни. Судя по тому, что ей рассказали, он не знал, что такое радость.

— Может быть, со временем, — ответила сестра Анна. — Мы и раньше видели таких, как он, и вы тоже видели, — осторожно сказала она. — Даже хуже. Намного хуже. Нужно время. Приходит день, когда они вдруг чувствуют, что им ничто не грозит, и тогда начинают открываться. Сегодня вы очень много для него сделали. Приезжайте повидаться с ним. Вам обоим это будет на пользу.

И сестра Анна улыбнулась. Она заметила, что Тимми в последнее время хорошо выглядит, хотя и работает непомерно много, сестры все это знали. Ее глаза смотрели на мир открыто, в них был покой, словно она освободилась от тяжкой ноши. Разрыв с Заком сказался на Тимми благотворно, хотя сама она этого не знала и не могла видеть себя со стороны. Она помолодела и, казалось, была вполне спокойна и довольна. Отношения, которые начались приятно и беззаботно, под конец стали для нее тягостными. Зак не умел давать, он умел только брать. Прошла всего неделя после того, как Тимми рассталась с ним, а Джейд и Дэвид тоже обратили внимание, что она с каждым днем выглядит все лучше и лучше.

191

— Может быть, я загляну к вам в воскресенье, когда буду возвращаться в город, — ответила Тимми и увидела, как Блейк прошмыгнул мимо двери в гостиную и побежал вверх по лестнице. Она проводила его взглядом, но не пошла за ним следом. Как тут не понять, что он хочет остаться один и все еще их всех боится. Ведь ему всего шесть лет, и в последние несколько дней с ним произошло столько всего странного и пугающего. Он никак не мог привыкнуть к приюту Святой Цецилии и не чувствовал себя здесь в безопасности. Да ему было и незнакомо это чувство.

Тимми попрощалась с детьми и сестрами, пожелала всем спокойной ночи и уехала. Через час она уже сидела на открытой веранде своей виллы, укутанная кашемировым пледом, и любовалась лунной дорожкой на воде. Была прекрасная звездная ночь, душу Тимми наполнял покой, она чувствовала, что вернулась к жизни. Но, слушая шум волн, могла думать только о Блейке. У нее было такое ощущение, будто она попала под поезд. Ей страстно хотелось вернуться в приют и еще раз его увидеть. Между ними что-то произошло в этот вечер, может быть, это случилось только с ней, но все равно. Впервые в жизни она увидела ребенка, которого ей отчаянно, до боли захотелось взять к себе домой, обнять, прижать к груди...

В воскресенье во второй половине дня Тимми опять появилась в приюте Святой Цецилии, проведя спокойный, умиротворяющий уик-энд на берегу океана. Но ее ни на минуту не оставляли мысли о Блейке, она все время видела перед собой его полные ужаса огромные зеленые глаза, прелестное исхудавшее личико. Он был похож на сказочного эльфа, и она в конце концов поняла, что он и в самом деле похож на Марка. «Что это, — думала она, — перст судьбы, сам Господь мне его послал?»

Тимми сказала сестре Анне, что хотела бы брать Блейка к себе домой, и немолодая монахиня пристально на нее посмотрела.

— Но почему, Тимми? Почему именно его? Потому что он похож на вас?

Казалось, сестра Анна хочет понять истинные побуждения Тимми, и это было хорошо. Тимми и сама все это время задавала себе этот вопрос. Неужели ее толкает к мальчику всего лишь крайняя степень эгоизма, потому что он похож на нее и на Марка? Или что-то большее? То, что исходит от Блейка, или то, что коренится в ней самой? Может быть, ей хочется заполнить неизбывную пустоту в своей жизни, которая так мучительно зияет уже столько лет? Она не могла ничего решить.

— Не знаю. Почему-то он запал мне в душу и не отпускает. Я все выходные думала о нем. Как вы считаете, смогу я иногда брать его к себе? Накормить, искупать в ванной, может быть, он у меня переночует. Мы могли бы погулять с ним по пляжу. Ему бы, наверное, понравилось... — Тимми в волнении придумывала все новые объяснения своему стремлению заполнить пустоту в душе, быть рядом с этим мальчиком, отдать ему свою любовь. Любить ребенка! Насколько это прекраснее, чем любить мужчину, Тимми могла бы сделать для него много доброго, он стал бы счастливее... Тимми сама себе удивлялась — неужели это она так думает и говорит?

Сестра Анна не удивилась.

— Ну а что потом, Тимми? — тихо спросила она. — Чем все это кончится?

— Не знаю... Может быть...

Сейчас, как и весь уик-энд, ее терзали и мучили вопросы, на которые она пыталась найти ответ, но не находила. Могла ли она ожидать, что случится такое, когда приехала в приют в пятницу вечером? Образ маленького рыжеволосого мальчика с надорванной душой, который был замкнут в непроницаемом молчании, не оставлял ее ни на минуту. Какая огромная ответственность, если она станет привозить его к себе домой... И что потом? Усыновить его она не сможет, его мать не отказалась от родительских прав и заявила, что никогда не откажется. Разве Тимми хочется взять его всего лишь на воспитание? Она всегда говорила, что взять ребенка на время — значит разбить себе сердце, ты любишь его как своего родного, собственного, и в любую минуту можешь его лишиться. Нет, только не это, Тимми столько раз теряла, ее столько раз бросали... И вот поди ж ты — именно об этом она сейчас думает. Почему? Она не знала, не знала и сестра Анна.

— Хорошо, что вы приехали его повидать, — задумчиво сказала сестра Анна. — Но предположим, вы станете брать его к себе на сутки, что потом? Вы будете привозить его сюда обратно, он будет по-прежнему жить здесь и чувствовать, что его бросили, как в детстве чувствовали вы. Ему еще предстоит ко многому адаптироваться. А любая эмоциональная травма отбросит его назад. Да и вам, вероятно, будет тяжело, — сказала она деликатно. — Оживут старые воспоминания.

Монахиня знала, что Тимми пришлось пережить в детстве, Тимми ей рассказывала, конечно, далеко не все, но именно поэтому она и дала им средства, чтобы организовать приют. И не хотела, чтобы Блейк страдал, как страдала маленькая Тимми, когда ее раз за разом возвращали в приют, пусть даже сейчас все полны самых благих намерений. Однако в конечном итоге это может принести больше зла, чем добра, и мальчику, и Тимми.

Надо было все хорошенько обдумать. Сейчас пока нельзя принимать никаких решений. Блейк никуда из приюта не уезжает, он сюда только что поступил. Но Тимми сжигало нетерпение, ей хотелось прямо сейчас, сию минуту спрятать его к себе под крыло, чтобы он как можно скорее почувствовал, что ему никто и ничто не угрожает. Ей было непереносимо знать, в каком ужасном страхе он сейчас живет. Скорее бы избавить его от этого страха, освободить, но обстоятельства таковы, что она не может этого сделать. Потребуется очень много времени, как бы удачно все ни сложилось.

— Может быть, вам стоит какое-то время приезжать к нему сюда, а там будет видно? — предложила мудрая сестра Анна. — Вы что-то уясните для себя. Его ведь не отдают в патронатную семью, по крайней мере в ближайшее время. Он будет жить здесь. Именно с такими детьми мы и работаем. И все благодаря вам.

Сестра Анна улыбнулась Тимми и сердечно ее обняла. Тимми до самого вечера просидела возле Блейка, время от времени улыбалась ему, но играла с другими детьми. За ужином он опять сел возле ее ног, и она накормила его курицей с картофельным пюре и морковкой, миску с которыми поставила под стол. Он все съел. Она оставила рядом с собой пустой стул — вдруг он захочет сесть вместе со всеми за стол, но он так и не вылез из-под стола, так и сидел возле ее ног. Она снова погладила его по голове, и он прижался к ее ногам и положил голову ей на колени. Ей показалось, что он сегодня спокойнее, чем два дня назад. В конце ужина, когда она дала ему блюдечко с мороженым и печенье, он широко улыбнулся ей. Другие дети делали из печений и шоколада десерт, но он не только отказывался его делать, но и не подходил к детям и их десерт не ел. Блейк все еще относился к детям очень настороженно, и вид у него был все такой же испуганный. А раз он не разговаривал с детьми, они тоже не обращали на него никакого внимания. Даже сестры оставляли его в покое. Одна только Тимми открыто заговаривала с ним, и он в тот воскресный вечер несколько раз посмотрел ей прямо в глаза. Ей неудержимо хотелось обнять его, но она знала, что нельзя.

Она поехала к себе в город, в Бель-Эйр, но как и весь вечер в пятницу, как весь день в субботу и воскресенье, не могла думать ни о чем и ни о ком, кроме Блейка. Всю ночь она лежала без сна с этими своими мыслями, а в понедельник утром, перед тем как ехать на работу, позвонила в приют Святой Цецилии и попросила позвать к телефону сестру Анну. Когда та ответила, Тимми выпалила, задыхаясь от волнения:

— Я хочу его усыновить.

Она знала, что должна это сделать, это все, о чем она могла сейчас думать, все, чего она хотела. Хотела подарить Блейку другую, счастливую жизнь, и была уверена, что для того-то судьба их и свела. Сестра Анна слегка растерялась. Она подозревала, что Тимми придет к такому решению, только думала, что ей понадобится гораздо больше времени на раздумья, а Тимми и раздумывать не стала.

— Тимми, его нельзя усыновить. Вы это знаете. Его мать не отказалась от родительских прав.

— Но разве она так или иначе их не лишится, если долго просидит в тюрьме?

— Может быть, и лишится, только процедура лишения родительских прав непростая и небыстрая. Дело будут долго рассматривать в судах разных инстанций, в органах опеки и попечительства, все будет зависеть от их решения. И может быть, у него есть родственники, мы пока ничего наверняка не знаем. Я знаю, сейчас пытаются это установить. В лучшем случае его можно будет взять на воспитание, и то лишь после того, как его состояние улучшится. Но и для этого потребуется немало времени. Оно и к лучшему, — деликатно заключила она. — Вы сможете все хорошенько обдумать.

Сестре Анне и в голову не приходило, что Тимми способна на такие импульсивные поступки, и решение, которое та приняла ночью, ее сильно удивило. За эти годы Тимми повидала много детей в приюте Святой Цецилии, некоторые были даже в более тяжелом состоянии, чем Блейк, были и такие очаровательные, что не полюбить их было просто невозможно. Но она впервые после смерти своего родного сына так прикипела сердцем к ребенку и вдруг почувствовала, что ее судьба накрепко связана с его судьбой. И знала, что поступает правильно, и понимала, что беззаветно полюбила вечно молчащего рыжеволосого мальчика шести лет от роду.

— Я уже все обдумала, — твердо произнесла Тимми, и ее тон произвел на сестру Анну должное впечатление, но все равно она продолжала настаивать на осмотрительности.

— Выждем сколько-то времени, посмотрим, как у вас все будет складываться. Было бы хорошо, если бы он заговорил, тогда все будет яснее. — Блейк не проявлял ни враждебности, ни агрессивности, просто как и многие другие, кто к ним поступал, был заброшенным ребенком, с которым обращались зверски жестоко и которому нанесли столько душевных травм, что не сосчитать. — Не надо спешить, Тимми. Ведь его никто у нас не забирает.

— А если где-то отыщутся родственники? Такие же чудовища, как его мать, и захотят взять его? Что нам тогда делать?

— Тогда и будем думать. На поиски уйдет немало времени. По крайней мере вам не грозит сражаться за него с родным отцом, который отбывает свой срок где-нибудь в тюрьме, и с дедушками и бабушками, которые торгуют наркотиками. — Именно такие родственники, как правило, и обнаруживаются, когда их начинают искать, а они меньше всего на свете желают взвалить на себя заботу о собственном непутевом чаде и тем более о собственных внуках. Им и без того трудно живется. Из тех детей, кого привозили к ним в приют, лишь считаные единицы были возвращены родственникам, обычно их отдают на усыновление, в групповой дом или в патронатную семью. Ни первое, ни второе, ни третье Блейку не грозит, тут Тимми может быть спокойна. — А почему бы вам не приезжать и не навещать его всякий раз, как вы сможете вырваться? Может быть, мне удастся в скором времени его разговорить. А вы, раз вы решили его усыновить, смогли бы брать его к себе на день-другой, когда он здесь освоится.

Тимми знала, что сестра Анна сделает все возможное, чтобы помочь ей. Монахиня, которая руководила приютом Святой Цецилии, была не только безупречной начальницей, но и близким другом Тимми. И решение, которое приняла Тимми, сильно ее взволновало. Она давно ждала, что Тимми в один прекрасный день захочет взять какого-нибудь ребенка. Она удивилась, но не слишком, недаром она сама захотела создать приют, прожив непростую жизнь, которая выпала на ее долю. Но Тимми впервые так беззаветно полюбила ребенка. Мало того что полюбила, она чувствовала, что это ее долг — усыновить его. И если тому суждено быть, так оно в свое время и случится, сестра Анна была в этом уверена.

Когда Тимми приехала на работу, она вся светилась от радости. Дэвид это сразу же заметил, а Джейд встревожилась, увидев восторженную улыбку на ее лице.

— Так-так... — прокомментировал Дэвид, когда Тимми с ослепительной улыбкой положила свою сумку на стол. — Можешь ничего не рассказывать. Ты влюбилась.

— Как ты узнал?

Ее улыбка засияла на миллион ватт.

— Ты что, издеваешься? Да это видно за пятьдесят миль. Что произошло?

На этот раз «фаза Снежной королевы» оказалась слишком уж короткой. Дэвид никогда не видел Тимми такой счастливой, и Джейд тоже не видела.

— Кто он? — с ужасом спросила Джейд. Судя по лицу Тимми, она влюбилась как сумасшедшая. Она и вправду влюбилась. В Блейка.

— Его зовут Блейк. — Тимми решила разыграть их. — Он потрясающий, у него рыжие волосы и зеленые глаза. И он моложе меня, но это меня никогда не смущало.

У Джейд сердце ушло в пятки. Опять! Она нашла еще одного Зака! Но по крайней мере ничего от них не скрывает. Впрочем, она всегда им о себе рассказывает.

— Насколько моложе? — осторожно спросил Дэвид. Он очень расстроился, как и Джейд. Тимми потрясающая женщина, таких, как она, мало, но у нее есть слабое место, и потому она часто оказывается беззащитной перед наглостью корыстных подонков.

— На этот раз очень намного, — сказала Тимми, лукаво глядя на своих помощников, которые с трудом сдержались, чтобы не застонать. Она выдержала нескончаемо долгую паузу, потом улыбнулась и со вздохом произнесла: — Ему шесть.

— Шесть чего? — растерянно спросил Дэвид.

— Шесть лет, — объяснила Тимми, улыбаясь еще шире.

— Шесть лет? В каком смысле?

— В самом прямом. Блейку шесть лет от роду. Я увидела его в пятницу в приюте Святой Цецилии. Его мать посадили в тюрьму, и она, надеюсь, просидит там ближайшие сто лет. Мне кажется, его мне послал Марк. Это была любовь с первого взгляда.

Дэвид с облегчением откинулся на спинку своего кресла и захохотал.

— Ну ты даешь! Но я одобряю. Когда мы его увидим?

Он радовался за нее и, как сестра Анна, ничуть не удивился. Он уже давно ожидал чего-то подобного и если чему и удивлялся, так это слишком долгому ожиданию.

— Ты хочешь его усыновить?

Джейд была ошеломлена. Она явно не разделяла энтузиазма Дэвида. Кому, как не ей, знать, до какой степени занята Тимми, и при такой занятости еще взять ребенка?! У нее это в голове не укладывалось. А вот у Дэвида укладывалось, он был в восторге от решения Тимми.

— Не сразу, — ответила Тимми. — Его пока нельзя усыновить. Мать не желает отказываться от своих родительских прав, по крайней мере сейчас. Поглядим, как все пойдет дальше. Сейчас пытаются разыскать его родственников, если таковые имеются. Но, судя по всему, вряд ли кого-то найдут. Кого-то, с кем следует считаться. На матери мальчика можно поставить крест. Наркоманка, уличная проститутка из Сан-Франциско, родила его в шестнадцать лет, бродяжничала вместе с ним все эти годы. — Лицо Тимми помрачнело, когда она представила себе все это в очередной раз. — Сейчас он не говорит.

— Ты берешь на себя огромную ответственность, — с тревогой отозвалась Джейд. — Что, если он травмирован слишком жестоко и станет серийным убийцей или наркоманом, как его мамаша? Ты же не знаешь, какие у него гены.

При этих словах Тимми помрачнела еще больше.

— Я знаю, какие у него глаза. И не хочу, чтобы у него было такое детство, как у меня, чтобы он остался жить в сиротском приюте. Когда мои родители погибли, мне было на год меньше, чем ему. Самое меньшее, что я могу для него сделать — и может быть, самое лучшее, — так это избавить его от такой участи. Для чего еще мне жить? — сказала Тимми с таким выражением, будто само собой разумелось, что она посвятит свою жизнь Блейку, ничего иного и быть не может. Она и мысли не допускала, что где-то что-то сорвется. Она считала, что Блейк уже ее сын.

— Что ж, я понял, чем ты заполнишь свою жизнь в ближайшие годы. — Дэвид неуверенно улыбнулся. Он и радовался, что в глазах Тимми сияют любовь и счастье, и тревожился за нее. — И все же, что, если его мать не откажется от родительских прав?

Ему не хотелось, чтобы сердце Тимми разбилось, если что-то пойдет не так, если мать мальчика выпустят из тюрьмы и она его заберет. Такое случается, а Тимми уже так полюбила ребенка, что забыла обо всем на свете. У нее все было написано на лице, она и не пыталась ничего скрыть. Она уже потеряла одного ребенка, Дэвид не хотел, чтобы она снова пережила агонию горя, потеряв еще одного, хоть он и не умер. Когда она к кому-то привязывалась, то отдавалась этому чувству без остатка, и он видел, что именно так она за два дня полюбила этого мальчика. Между ними существовала какая-то удивительная связь, она возникла в ту самую минуту, когда Тимми его увидела, и с каждым часом эта связь крепла. Тимми не могла дождаться дня, когда возьмет его к себе домой, и уже решила, пока ехала на работу, в какой комнате он будет жить, когда приедет к ней в гости, а потом и вовсе переселится. Да, она отдаст ему большую гостевую спальню, которую использует как кабинет, она находится рядом с ее спальней.

— Я очень за тебя рад, — искренне сказал Дэвид, — если это то, чего ты хочешь.

Он был уверен, что лучше уж усыновленный ребенок, чем очередной любовник, который будет использовать ее в своих корыстных интересах, а потом исчезнет, как исчезали все его предшественники. Тимми хотя бы изменит чью-то жизнь к лучшему, да и свою тоже. Эта удивительная женщина хочет этим своим поступком отблагодарить жизнь за все добро, которое она от нее получила. И как это характерно для Тимми, она делает все без оглядки, не ведая страха. И в самом деле, у Тимми не было и тени сомнений. Что ж, Блейку повезло, думал Дэвид.

— Надеюсь, у тебя все получится, — сказала Джейд, озабоченно хмурясь. Она всегда выступала в роли адвоката дьявола, была гласом судьбы и всего боялась. Но и она не могла не видеть, какая любовь сияет в глазах Тимми и как она взволнованна.

Вечером Тимми опять приехала в приют повидать Блейка. Кормила его ужином, а потом долго сидела с ним в столовой после того, как все ушли. Он снова уселся в углу и с тревогой глядел на нее, а она стала рассказывать ему, что тоже выросла в детском приюте и что хотела бы с ним подружиться. Она не осмелилась сказать ему, что хочет быть его мамой. Он бы испугался. Как ни скверно обращалась с ним его мать, он к ней привык, а Тимми видел всего несколько раз. Потом он прошмыгнул мимо нее и бросился наверх. Она тоже поднялась туда, постояла в дверях и послала ему на прощание воздушный поцелуй. Он и на этот раз не произнес ни слова, однако робко улыбнулся ей и отвернулся. Она медленно, но верно продвигалась вперед.

Во вторник в офисе было слишком много дел, и Тимми не удалось заехать вечером в приют Святой Цецилии. Они готовились к презентациям своей коллекции готовой одежды, времени оставалось совсем немного. Она смогла вырваться только в среду, и на этот раз Блейк к концу ужина вылез из-под стола и встал возле ее стула. Тимми не сказала ни слова, не попыталась прикоснуться к нему — боялась его спугнуть, но на глазах у нее выступили слезы, и она с улыбкой посмотрела на сестру Анну. И с трудом подавила рыдание, почувствовав на своей руке легкое мгновенное прикосновение его детских пальчиков. Блейк сразу же убежал. Сестра Анна одобрительно кивнула. А чуть погодя он пошел следом за Тимми наверх. Когда она попрощалась с Блейком, стоя в дверях, он пристально посмотрел ей в глаза и помахал рукой.

В четверг он уже безвозвратно завладел ее сердцем, словно был в ее жизни много лет. Так бывает при рождении ребенка — едва он появился на свет, как мать уже не может понять, как это она могла раньше жить без него. Вся жизнь Тимми вдруг сосредоточилась вокруг Блейка. Она волновалась, как он встретит ее, когда она приедет в следующий раз, и что почувствует, когда она уедет. Теперь он видел ее каждый день, и в пятницу вечером она тоже провела с ним несколько часов перед тем, как уехать к себе на виллу. Она читала ему сказку, и в это время в комнату отдыха вошла сестра Анна и знаком попросила Тимми выйти к ней. Тимми дочитала Блейку сказку, сказала ему, что вернется через несколько минут, и поспешила в кабинет сестры Анны.

— Что-то случилось? — встревоженно спросила она. Ей не понравилось выражение лица пожилой монахини.

— Надеюсь, что нет, — сдержанно ответила та. — Несколько минут назад мне позвонили из комиссии по делам несовершеннолетних. С ними связались дед и бабушка Блейка. Как выяснилось, они уже давно его разыскивают. В выходные прилетят сюда из Чикаго. Просили назначить слушание дела в понедельник после обеда.

Это было все, что сестра Анна знала. Но Тимми заключила, что эта новость не сулит добра.

— Какое слушание? — спросила она, чувствуя, как ее охватывает паника.

— Чтобы им позволили оформить временное опекунство и взять мальчика к себе. Они живут в одном из пригородов Чикаго и, как выяснилось, уже несколько лет пытаются взять над ним опекунство. Но всякий раз как их дочь вызывают в суд, она уверяет всех, что завязала с прежней жизнью, и судья не может забрать у нее Блейка. Все они несокрушимо стоят на том, что дети должны оставаться со своими родителями, пусть даже все мы приходим в ужас от того, в каких условиях те живут. Да вы и сами все знаете. Не знаю, что решит судья, согласится ли вывести его за пределы системы социального призрения сирот. Я рассказала о вас социальной работнице.

Все произошло так быстро, что Тимми пока не успела подумать о формальностях. Ей казалось, что времени впереди так много, и вот теперь оказывается, что в понедельник дело будет разбираться в суде, на Блейка претендуют люди, которых она не знает, но они его кровные родственники.

— А я могу пойти на слушание?

— Я сразу подумала, что вы захотите там присутствовать, и спросила социальную работницу, возможно ли это, она сказала, что, конечно, возможно. Не думаю, что вам придется сражаться за право взять Блейка под опеку. За наших детей никто не сражается.

Да, такие дети никому не нужны, но вот сейчас Блейка будут оспаривать друг у дружки две семьи, вернее, два лагеря. И Тимми была полна решимости выиграть спор.

— Можно привести с собой адвоката?

— Может быть, даже нужно. Не уверена, что судья даст вам слово. Ведь разбирать будут их дело, это они хотят обратиться с ходатайством. Но я рассказала социальной работнице, кто вы и что вы серьезно настроены взять его под опеку. Признаюсь, мне пришлось открыть ей, что приют Святой Цецилии существует на ваши средства. Я хотела склонить ее на нашу сторону всеми возможными средствами, — виновато сказала сестра Анна, и у Тимми немного отлегло от сердца.

— Хорошо, что сказали.

Что ж, Тимми одинокая женщина, и к тому же гораздо старше большинства супружеских пар, которые усыновляют детей или берут на патронатное воспитание, хотя может обеспечить мальчику сказочное благополучие.

— Вы знаете что-нибудь о бабушке с дедушкой? — спросила Тимми, холодея от ужаса. Она чувствовала себя так, будто у нее отнимают ее родного ребенка. Она и считала его родным.

— Дедушка — врач, работает в одном из пригородов Чикаго, она домашняя хозяйка. У них еще трое детей, все учатся в университетах, кажется, мальчик и две девочки-близняшки. Ему сорок шесть лет, ей сорок два. Судя по всему, вполне приличные люди, а мать Блейка — паршивая овца. Больше мне ничего не известно. Да, еще социальный работник сказала, что трое их детей учатся в Новой Англии, в университетах Лиги плюща. Мальчик, по-моему, в Гарварде, а девочки-близняшки одна в Стэнфорде, другая в Йеле.

— Молодцы ребятишки, — пролепетала Тимми. Такого ужаса, как сейчас, она не испытывала еще никогда в жизни.

— Борьба предстоит серьезная, — деликатно сказала сестра Анна, сожалея, что приходится это говорить. Им с Тимми оставалось только надеяться, что, каков бы ни был исход этой борьбы, он принесет благо Блейку. Его дед и бабушка были людьми, от которых не так-то легко отмахнуться. Она волновалась за Тимми.

Тимми провела выходные словно в тумане. После обеда она приехала в приют и пробыла до самого вечера с Блейком. За ужином он не вставал возле ее стула, но несколько раз высовывал из-под стола голову и улыбался ей. Она кормила его с ложки фрикадельками и равиоли, и он хотел еще и еще. Она осталась с ним до самого конца дня, рассказывала ему что-то, потом уложила в постель, поправила подушку и одеяло. Сестра Анна, проходя мимо, с минуту помедлила возле них. Лицо у нее было встревоженное. Не только Тимми привязалась всем сердцем к мальчику, но и он тоже начал привязываться к ней, это было видно. Если суд удовлетворит ходатайство его деда и бабушки, ему снова будет нанесена травма. Сестра Анна надеялась, что деду с бабкой откажут, она была уверена, что Тимми станет для него прекрасной матерью. Она увидела Тимми с совсем другой стороны, о которой раньше знала очень мало. Тимми уже любила Блейка так же самозабвенно, как любила бы собственного ребенка. Сестра Анна волновалась за нее. Если дед с бабкой заберут мальчика, для Тимми это будет жестоким ударом. Она знала, что Тимми потеряла маленького сына. Блейку не грозит смерть, но если суд в понедельник примет решение в пользу родственников, и Тимми, и Блейку будет очень тяжело. Им оставалось только молиться.

Тимми не спала всю ночь. Чем кончится слушание, что решит судья? Эта мысль неотступно билась у нее в голове. Кончилось тем, что она не поехала в понедельник утром к себе в офис, но и повидаться с Блейком тоже не поехала. Она почему-то чувствовала, что не надо этого делать, лучше подождать, как все завершится. Она уже так прикипела к нему, что не могла и представить себе, каково было бы его потерять, но знала, что такое возможно. Стараясь не думать об этом, она надела черный костюм и туфли на высоких каблуках, чтобы ехать в суд, перехватила резинкой рыжие волосы на затылке. Слушание было назначено на два часа дня. В выходные она позвонила своему адвокату и посвятила в обстоятельства дела. Они мало что могли сделать. Ведь суд должен был решить, не у кого мальчику будет лучше — у Тимми или у дедушки с бабушкой, — а удовлетворить ли их просьбу об опеке над мальчиком, хоть и временной, или нет. Если им будет отказано, путь для Тимми свободен. Но сначала суд определит, насколько реальны их права и в какой мере они соответствуют требованиям, которые предъявляются опекунам. Только после этого Тимми могла бы начать хлопотать об опеке над Блейком. И тем не менее делу не повредит, если судья будет знать, что Тимми находится рядом и заинтересована в исходе дела.

Она встретилась со своим адвокатом возле здания суда без четверти два, и они молча прошли в зал заседаний. Дедушка и бабушка Блейка уже сидели там — приятные, солидные, добропорядочные, респектабельные жители Среднего Запада. На бабушке были юбка и блузка, которые, как угадала Тимми, были разработаны ее фирмой; по внешнему виду дедушки можно было сразу определить, что он врач, на нем были блейзер, рубашка с галстуком и брюки, ботинки прекрасно начищены. Оба выглядели строго и элегантно и моложе своего возраста. И глядя на них, Тимми вдруг осознала, что они моложе ее, и к тому же они муж и жена — семья. В каком-то смысле они были более подходящими кандидатами на опекунство, чем она, к тому же они кровные родственники. А она могла дать Блейку только свою любовь, себя и очень благополучную жизнь, которая им, возможно, не доступна. Но, судя по их виду, они люди далеко не бедные.

Судья появился ровно в два часа и положил на стол дело Блейка. Утром он с ним ознакомился, прочел и ходатайство, и просьбу дедушки и бабушки. Все было оформлено как положено, представлено более чем достаточное число рекомендаций и отзывов от лица первых лиц города. Найти какие-то основания для отказа было трудно. Социальная работница также прислала судье письмо, в котором рассказала, почему Тимми проявила интерес к мальчику, и о том, кто она такая. На судью все это произвело должное впечатление, в особенности то, что Тимми полностью спонсирует приют Святой Цецилии, который он хорошо знал и в который направил немало детей в последние несколько лет. Он восхищался, что она проявляет по отношению к Блейку столько заботы и что приняла такое участие в судьбе этого мальчика.

Судья довольно долго расспрашивал дедушку и бабушку Блейка. Бабушка плакала, рассказывая о том, как дочь еще подростком пристрастилась к наркотикам и у нее сразу же начались проблемы с законом. История была душераздирающая. Трое других детей их только радовали, прекрасно учились и имели достойную цель в жизни. Потом судья стал разговаривать с дедушкой, но перед этим коротко представил присутствующим Тимми и тепло ей улыбнулся. Она тоже улыбнулась ему, хотя душа ее давно была в пятках, а руки дрожали. Поблагодарила судью за добрые слова, в которых он выразил ей благодарность за помощь приюту Святой Цецилии и дал высокую оценку его деятельности. Несомненно, он относился к монахиням и их труду с большим уважением. Потом судья обратился к дедушке, который выглядел очень внушительно на свидетельской кафедре. Спокойный, с прекрасной речью, мудрый и, несомненно, честный человек, и он, и его жена глубоко преданы своей семье, местному сообществу, образцовые прихожане. Ни к чему не придраться, все было идеально. Но ведь и у Тимми тоже! Беда в том, что она оказалась вне игры, и когда слушание дела подходило к концу, судья уже твердо знал, у кого должен жить мальчик. Ему необходимо вернуться в свою семью, там он будет расти в окружении родного дедушки и родной бабушки, своих родных тетушек и родного дяди, они будут заботиться о нем, с ними он обретет и физическое, и душевное здоровье.

В конце слушания судья снова посмотрел на Тимми и сказал, что, конечно, она все поймет, он в этом уверен. Он восхищается тем, какое участие она приняла в судьбе мальчика, и не только восхищается, но и глубоко растроган, однако не сомневается, что и она тоже хочет, чтобы он вернулся в свою семью, где ему и следует расти, тем более что его родные больше всего на свете хотят подарить ему тепло дома, которого у него никогда не было. Тимми кивнула, но по ее лицу катились слезы. У нее было такое чувство, будто ее ранили в самое сердце. Она понимала, что судья принял правильное решение, но ей было непереносимо больно. Когда слушание закончилось, она подумала, что надо поговорить дружески с бабушкой и дедушкой Блейка. Бабушка ее со слезами обняла, все плакали — и дедушка, и адвокат Тимми, даже на глазах у судьи выступили слезы. Он ужаснулся, узнав, в каком состоянии находится мальчик и что он не говорит. Он надеялся, что в обретенной семье, где Блейка будут любить и должным образом о нем заботиться, он скоро начнет говорить. Жизнь, которую он вел с матерью, его чудовищно искалечила.

Вышли они из зала суда все вместе, включая и социальную работницу, и поехали на трех разных машинах в приют

Святой Цецилии. Адвокат Тимми попрощался с ней возле зала суда и сказал, что очень расстроен. Он всей душой ей сочувствовал, но помочь ничем не мог. Его руки были связаны, он тоже считал, что ребенка следовало отдать родной бабушке и родному дедушке, хотя и видел, каким тяжелым ударом это оказалось для Тимми. За то короткое время, что Тимми провела с Блейком, она полюбила его беззаветно. Ее сердце распахнулось и приняло его в себя. И вот теперь ей надо вырвать его из сердца, что сравнится с этой болью? Она ехала вместе со всеми в приют Святой Цецилии, чтобы попрощаться с ним. Судья подписал в зале суда распоряжение, чтобы Блейка передали родным, и прямо сегодня, вечером, они улетят вместе с ним в Чикаго. Их миссия была выполнена. Через шесть месяцев будет утверждено решение о постоянном опекунстве над внуком. А Тимми вряд ли еще когда-нибудь его увидит. Она не хотела рваться за ним в его новую жизнь, знала, что это только все осложнит и запутает. Она останется всего лишь женщиной, которая полюбила его как сына и заботилась о нем несколько дней перед тем, как ему уехать жить к родным. Но увидеть его в последний раз ей хотелось.

Когда Блейк увидел ее, в его глазах вспыхнула радость, а на дедушку с бабушкой он поглядел с опаской. Он ведь никогда раньше их не видел, они были для него совершенно чужие люди. Социальная работница рассказала сестре Анне, что произошло и почему все приехали сюда, сестра Анна поглядела на Тимми с глубоким сочувствием и обняла ее. Ей ли не знать, какая мука для Тимми расстаться с Блейком, и как ей ни хотелось избавить ее от страданий, ничего уже было не изменить. Тимми придется пережить потерю еще одного любимого существа и жить дальше. Такова судьба.

Когда Блейк увидел, что одна из сестер собирает его вещи, он вдруг забеспокоился. Посмотрел с тревогой на Тимми, словно просил объяснить, что происходит, и она стала рассказывать ему, как рассказала бы любому другому ребенку, что эти люди — его родные бабушка и дедушка, они приехали, чтобы забрать его из приюта и увезти к себе домой. Он затряс головой, его глаза налились слезами, он бросился к Тимми в объятия. Такое случилось в первый раз, и она почувствовала, что силы ее на исходе. Едва сдерживая рыдания, она прижала мальчика к себе. Нет, она не имеет права дать себе волю, она должна держаться ради него. И она стала говорить ему, что он полетит на самолете вместе с бабушкой и дедушкой и будет жить с ними в Чикаго, его ждет столько удивительного и интересного. Бабушка и дедушка тоже плакали, они что-то говорили ему, пытались успокоить. Оба понимали, какая сейчас трудная минута и что тяжелее всех приходится Блейку. Они чувствовали себя чуть ли не чудовищами, потому что вот так неожиданно ворвались в жизнь внука, но им очень хотелось привезти его к себе домой. Наверное, судья был прав, думала Тимми, глядя на них, они очень хорошие люди, но когда Блейк вцепился в нее и громко заплакал, ей захотелось умереть. Она с нежностью прижимала его к себе и всеми силами старалась успокоить.

И вот настала страшная минута, когда пора было ехать в аэропорт. Блейк плакал навзрыд, а когда все подошли к двери приюта Святой Цецилии, он вцепился в руку Тимми, повернулся к бабушке и дедушке и крикнул им в лицо: «Нет!» Это было первое слово, которое он произнес за все время, что пробыл в приюте, и, услышав его, Тимми опустилась возле него на колени, крепко прижала к себе и стала успокаивать, хотя и он, и она плакали.

— Все хорошо, Блейк, все просто замечательно. Тебе там очень понравится, я тебе обещаю. Они тебя любят и будут очень о тебе заботиться. Я тоже тебя люблю, но тебе нужно ехать с ними. Тебя ждет счастливая, замечательная жизнь.

Он стал кричать: «Нет, нет, нет, нет...» — безостановочно плача, и наконец дедушка взял его на руки и вынес из двери.

— Простите, — прошептал он, виновато глядя на Тимми.

— Да, Блейк, я люблю тебя! — крикнула ему вслед Тимми, зная, что все это постепенно изгладится из его памяти, но не все ли равно? Он будет жить нормальной, хорошей жизнью, и незачем ему помнить женщину, которая несколько дней дарила ему свою любовь и нежность. А вот она никогда не забудет эту душераздирающую сцену прощания.

Она еще долго оставалась в приюте Святой Цецилии в кабинете сестры Анны, плакала, обнимая ее и тоскуя о ребенке, который должен был стать ее сыном и которого она никогда больше не увидит. Она-то думала, что его послал ей Марк. А он выскользнул и из ее рук, и из ее сердца, как когда-то выскользнул Марк. Видно, не судьба ей быть матерью Блейка, да и вообще никогда не быть матерью. Когда она наконец вернулась к себе домой, у нее было такое чувство, будто она заново пережила смерть Марка. Что может быть страшнее смерти ребенка? И не важно, родной это сын или нет. Какой-то краткий миг своей жизни она его любила.

Всю дорогу, пока Тимми ехала домой, перед ее глазами стояло его худенькое личико, в котором было столько сходства и с ней, и с Марком. Она молилась Господу, чтобы он защитил Блейка и послал ему счастья, молилась о своем покойном сыне, хотя вообще молилась не часто. Когда Блейка уносили и он глядел на нее своими огромными зелеными глазами, прося ее защитить его, а она ничего не могла сделать, какая-то часть ее существа умерла, она это чувствовала. Всю ночь до утра Тимми лежала без сна в постели и плакала. На работу она смогла приехать только через два дня.

Ее адвокат рассказал обо всем Дэвиду и Джейд, и они ни о чем не стали ее спрашивать, когда она наконец появилась в офисе. Она бы не вынесла расспросов. Теперь ей предстояло прожить все годы до конца жизни без Блейка.

Глава 11

Всю неделю, пока шли последние приготовления к их турне, Тимми с трудом заставляла себя говорить и была похожа на привидение. Джейд и Дэвид очень тревожились за нее, но ни словом не напоминали о том, что случилось. Сестра Анна несколько раз звонила Джейд, спрашивала, как Тимми, она понимала, что ее душа опустошена. Она распахнула свое сердце перед Блейком и впустила его туда, а когда мальчика из него вырвали, то оказалось, что вырвали вместе с сердцем. Оно истекало и истекало кровью, но не издало ни единого стона. Для женщины, прожившей такую трудную жизнь, эта потеря в длинной череде всех остальных оказалась гораздо более мучительной, чем это могли себе представить другие. За все оставшиеся до отъезда дни Тимми ни разу не побывала в приюте Святой Цецилии. Пока ей это было не по силам. Сестра Анна ее хорошо понимала.

В Нью-Йорк они вылетели ровно через неделю после слушания в суде. Тимми была рада, что на какое-то время уедет из города. Презентация коллекции в Нью-Йорке прошла с большим успехом, и они полетели в Милан. А потом в назначенный срок прибыли в Париж, и здесь, в первый раз за все это время, Тимми чуть-чуть оживилась. Джейд и Дэвид вздохнули с облегчением.

Когда они приземлялись в аэропорту Шарль-де-Голль, Тимми как бы невзначай заговорила о Жан-Шарле Вернье. Она думала о нем все время, что они летели. Господи, какая глупость, что она назвала его имя Джейд. После того как она потеряла Блейка, все остальное в жизни утратило для нее смысл. Да, она еще долго не придет в себя.

— Помнишь врача, которого мы включили в список гостей? — спросила Тимми, глядя пустыми глазами в иллюминатор бегущего по летному полю самолета.

— Того, кто выхаживал тебя после операции? — Тимми кивнула. — И что он? Отказался? Вычеркнуть его из списка?

Джейд должна была следить за всем вплоть до самых последних мелочей, а все они, долетев до Парижа, уже порядком устали и сильно переволновались, хотя в Милане показ прошел с таким же успехом, как и в Нью-Йорке.

— Нет, он придет. — Тимми замялась, потом все же сказала: — Он разводится с женой.

Больше она не добавила ни слова, но Джейд в изумлении поглядела на нее.

— Ты хочешь мне что-то сказать? — Джейд даже растерялась. — Он тебе нравится?

— Он был очень внимателен ко мне, когда у меня воспалился аппендикс в Париже. И — да, он мне нравится. Но это совсем не то, что ты подумала. Я совершенно счастлива одна.

А он, я думаю, еще долго не сможет прийти в себя после распада семьи.

Как и она после потери Блейка. Сейчас она жила с таким чувством, будто получила смертельную рану и изо всех сил зажимает ее руками, чтобы не хлестала кровь. И все же ей было интересно, как он, Жан-Шарль?

— Послушай, Тимми, а ведь этот врач тебе и в самом деле нравится.

Джейд улыбнулась — любопытно, как долго на этот раз Тимми проживет в «фазе Снежной королевы»? Она могла задерживаться в ней надолго и иногда задерживалась в полной уверенности, что никогда больше никаких отношений с мужчинами у нее не будет. И сейчас она неколебимо стояла на этой позиции. Однако со временем обязательно ее меняла.

— Я сказала ему, что мы сегодня прилетаем в Париж. Он меня спрашивал. Интересно, позвонит он или нет?

Она с опаской взглянула на Джейд, выговорив эти слова. «Так-так-так», — подумала Джейд, встрепенувшись. Да и как тут было не встрепенуться — уж очень неожиданные нотки она уловила в голосе Тимми, когда та заговорила о французском докторе. Слава Богу, ее заинтересовало что-то относящееся к нормальной жизни, ведь до сих пор она только и делала, что оплакивала потерянного ребенка.

— Может быть, и позвонит, — уклончиво отозвалась Джейд и тут же решила, что надо предостеречь Тимми. — Ты, Тимми, вообще-то поосторожней с женатыми мужчинами. Они могут сколько угодно говорить, что разводятся, но проходят годы, а они так и не стукнут палец о палец.

Она очень болезненно реагировала на всякое упоминание о женатых мужчинах, уж слишком горький опыт приобрела за время долгого романа с одним из них, у нее это был пунктик. Тимми молча кивнула. Ее ничуть не волновало, как поступит Жан-Шарль, ведь между ними ничего нет, и настроена она ничуть не романтически.

— Я не собираюсь с ним встречаться. Он просто придет к нам на ужин, — уклончиво сказала Тимми, решив про себя, что, если он позвонит ей до того дня, на который назначен ужин, то, значит, она ему небезразлична, а если не позвонит, то, стало быть, нет. Ладно, поживем — увидим. И сразу после операции, и все те дни, что она оправлялась после нее, между ними не было ничего и отдаленно похожего на флирт, ей просто нравилось разговаривать с доктором Вернье. Он почему-то внушал ей доверие, и возле него она чувствовала, что ей ничто не грозит.

Самолет побежал по посадочной полосе, и больше она не заговаривала о Жан-Шарле. Дел сразу свалилось столько, что некогда было о нем думать, но в день показа, после которого вечером был назначен банкет, Тимми сообразила, что он так и не позвонил. Все было понятно, она ему безразлична. Ну и ладно, безразлична так безразлична, она переживет. Самое главное, что она так занята, что и о Блейке тоже думать не может, хотя сердце больно сжималось всякий раз, как она вспоминала мальчика.

И пока они готовились к показу, и пока показ проходил, все были точно в лихорадке, как и всегда, но большего успеха было невозможно и желать. Пресса была в восторге, оптовые покупатели уже подавали заказы. К вечеру, когда приближалось время банкета, Тимми чувствовала, что у нее отваливаются ноги. Сил не было, но успех ее окрылял, как и всегда после демонстрации, но ей страшно хотелось лечь и несколько минут поспать. Однако Джейд назначила перед началом банкета два интервью одно за другим. Тимми едва успела переодеться и буквально побежала в банкетный зал встречать гостей. Представители прессы, по обыкновению, опаздывали, оптовые покупатели явились дружным строем, в дверь входили двое из ее самых солидных клиентов, и прямо за их спиной она заметила Жан-Шарля, который деликатно ждал своей очереди войти. Она как раз здоровалась с этими клиентами, но тут же устремилась навстречу ему. Как и раньше, когда он заглядывал навестить ее после званых ужинов, он надел прекрасно сшитый темный костюм и показался ей даже выше, чем она помнила, а глаза были еще более яркими. На ней было черное платье для коктейлей и туфли на высоких каблуках, волосы она собрала на затылке, в ушах длинные бриллиантовые подвески. Она выглядела скромно и элегантно, платье чуть короче, чем она любила, но очень женственное и модное, потому она его и выбрала. Это была одна из моделей ее нынешней коллекции, она оказалась хитом сезона.

— Добрый вечер, — любезно приветствовал ее доктор, но его глаза потеплели, когда он ее увидел. И все же он казался немного скованным в непривычной обстановке.

— Спасибо, что пришли, — сказала Тимми, радостно улыбаясь. Конечно, ее разочаровало то, что он не позвонил до нынешнего вечера, но ему и незачем было звонить, он пришел сегодня на ее ужин всего лишь как гость, никакое это у них не свидание.

— Я слышал, ваша коллекция имела сенсационный успех, — поздравил он ее, и она удивилась.

— Где вы это слышали?

— Здесь, когда шел к банкетному залу. Один из гостей сказал, что коллекция лучшая из всех, что вы до сих пор привозили.

Она обрадовалась этим словам и, прежде чем отойти от Жан-Шарля, представила его группе гостей. Пусть он развлекает себя сам, ей еще нужно встретить больше трех десятков гостей.

Увидела она его, только когда настало время садиться за стол. Тимми понятия не имела, куда Джейд его посадит. Все самые солидные оптовые покупатели и клиенты должны были сидеть рядом с ней, остальные предоставлялись фантазии Джейд. Его место оказалось на противоположном конце стола, и их взгляды встретились, когда Тимми садилась. Он улыбнулся ей и продолжал беседовать со своей соседкой, которая оказалась владелицей сети универсальных магазинов в Нью-Йорке. Пресса группировалась напротив, редакторы «Вог» вблизи от Тимми.

Тимми предстояло весь вечер каторжно трудиться, и она жалела, что не сможет поговорить с Жан-Шарлем, но ничего не поделаешь — она полномочный представитель и выразитель взглядов «Тимми О». Она и трудилась и не сумела улучить минуты еще раз перекинуться с ним словом, он подошел к ней уже в конце вечера попрощаться.

— Было очень любезно с вашей стороны пригласить меня, — улыбаясь, сказал он.

— Как я жалею, что мы не смогли толком поговорить, — с искренним огорчением сказала она. — Такие вечера для меня всегда тяжкий труд. Надеюсь, вам хоть немного понравилось.

И еда, и вина были превосходны, хоть она и знала, что он почти не пьет. По крайней мере ужин был хорош, все остались довольны. Атмосфера в зале была самая теплая и дружественная, антураж изысканный, весь стол уставлен цветами в низких вазах, чтобы не мешали сидящим друг против друга разговаривать. Жан-Шарль похвалил цветы.

— Я думал, может быть, вы... Когда вы улетаете из Парижа?

— Послезавтра, — сказала она, удивившись его вопросу, ведь она здесь столько времени, а он так ни разу и не позвонил ей.

— Вы не согласитесь выпить со мной коктейль? Боюсь, ни днем, ни вечером я не смогу освободиться. А вы выберете время для коктейля? — деликатно спросил он, заметно волнуясь. Тимми была поражена. Она думала, что никогда больше его не увидит. А завтра она совершенно свободна. Они зарезервировали себе один лишний день для сборов. На этот раз Тимми не могла позволить себе остаться на несколько дней в Париже, как делала почти всегда. Ее ждали важные деловые встречи в Нью-Йорке, а потом надо было как можно скорее возвращаться в Лос-Анджелес.

— С удовольствием, — сказала она, радуясь его приглашению. Как будет приятно посидеть с ним и поболтать, и чтобы вокруг них не было пестрой, шумной толпы. Она безмерно устала за сегодняшний вечер. — Во сколько?

— В шесть? — предложил он, и она кивнула.

— В баре?

Вид у него был неуверенный, и она поняла, что ему, возможно, не очень хочется, чтобы его увидели в публичном месте с дамой, пока тянется не слишком-то приятное время развода.

— Может быть, лучше в моих апартаментах?

214

Он бывал у нее там и раньше, так будет спокойнее.

— Отлично. Тогда до завтра.

Он пожал ей руку и ушел.

Тимми ничего не сказала Джейд после ужина о встрече за коктейлями. Обе они слишком устали и не могли говорить ни о чем другом, кроме ужина, который, как они видели, имел грандиозный успех. И Тимми, и Джейд предстояло встать завтра рано и проследить, чтобы все должным образом уложили. А к полудню Тимми планировала позвонить всем, кто значится в ее списке.

И только уже к вечеру, когда Джейд спросила Тимми, где она хочет ужинать, она сказала ей, что у нее встреча с Жан-Шарлем.

— Да что ты?

Джейд изумилась точно так же, как сама Тимми, когда Жан-Шарль ее пригласил.

— Да, — небрежно подтвердила Тимми. — Но это ровным счетом ничего не значит. Просто любезный жест с его стороны.

Джейд до вчерашнего вечера не видела Жан-Шарля и сейчас была вынуждена признать, что он красивый мужчина.

— Хочешь, чтобы мы все потом поужинали в моем номере или куда-нибудь пошли?

Тимми с удовольствием куда-нибудь повела бы ее с Дэвидом, но все они едва держались на ногах от усталости, трудились весь день как одержимые, да и сама Тимми была на пределе после изнурительной недели.

— Ты не против, если мы закажем ужин в номер? — извиняющимся тоном попросила Джейд, и Тимми вздохнула с облегчением и сказала, что, конечно, это будет замечательно.

И ушла к себе: перед тем как встретиться с доктором, надо было умыться, причесаться, надеть на ноги что-то приличное. Она все это время пыталась понять, почему он пригласил ее. Ведь ясно же, что это не свидание, ведь он ей так и не позвонил, а за ужином был очень сдержан. Просто дружеский жест, уверяла она себя, и ее это вполне устраивает. После операции они столько раз так увлекательно, так интересно разговаривали. Она надела черные брюки и черный свитер, туфли на высоких каблуках и заколола свои длинные рыжие волосы сбоку зеленой заколкой. Получилось элегантно, очень женственно и просто. Раздался звонок, и она открыла дверь. Лицо у Жан-Шарля было чрезвычайно серьезное, но вдруг он улыбнулся. И глаза его потеплели — как и всегда, когда он улыбался. Глаза были серо-синие, мягкие, добрые. Такими она их и запомнила четыре месяца назад. И сейчас на нем были голубая рубашка, блейзер с брюками и строгий галстук. И когда он вошел, Тимми заметила, что его ботинки свеженачищены.

— Добрый вечер, Тимми, — сдержанно сказал он, проходя в ее гостиную. Ей показалось, что он чувствует себя немного не в своей тарелке, и это было так не похоже на него. Раньше он всегда вел себя свободно и непринужденно. — Трудились весь день? — спросил он, когда они оба сели и она спросила его, что он будет пить. Он сказал, что шампанское, поскольку ему сегодня не надо дежурить ночь. А она налила себе стакан минеральной воды и села против него на кушетку.

— Да уж, пришлось потрудиться, — ответила она, улыбаясь. — На следующий день после презентации мы как в лихорадке. Спасибо, что пришли вчера к нам на банкет. — Она видела, что по обе стороны от него сидели умные, интеллигентные дамы, и надеялась, что ему было интересно.

— Мне было очень приятно. — Он опять тепло улыбнулся, и она увидела, что в его глазах мелькнуло выражение дружеского участия, такое знакомое ей по их долгим беседам в клинике прошлой осенью. — С вашей стороны было очень любезно пригласить меня.

Ей до смерти хотелось спросить его, как обстоит дело с разводом, но она не осмелилась и вместо этого спросила о детях. Он сказал, что у детей все хорошо.

— Спасибо за открытку, которую вы мне прислали осенью. — Она неуверенно улыбнулась. — Я хотела ответить вам, но решила, что это было бы глупо.

Лукаво улыбаясь, он подтянул вверх манжет рубашки, и она увидела турбийон.

— Очень красивый подарок. Но я должен побранить вас за него.

— Я люблю делать то, за что меня потом бранят. — И она засмеялась. — Вы спасли меня, когда со мной приключилась беда. — Господи, как давно это было, кажется, тысячу лет назад. Она подозревала, что и до нее больные дарили ему не менее дорогие подарки, но всегда есть некая неловкость, если такой подарок делает мужчине одинокая женщина, и в особенности если этот мужчина женат, хотя сейчас его семейный статус изменился, как он сказал ей по телефону с месяц назад, когда она позвонила ему, чтобы пригласить на свой банкет.

— Завтра вы улетаете в Нью-Йорк? — Она кивнула. — Работать или развлекаться? — спросил он, и она опять засмеялась. И тут он наконец почувствовал себя свободнее. Смех ее очень красил.

— Ах, доктор, в моей жизни нет ничего, кроме работы. Никаких развлечений, я работаю с утра до ночи, и все. По-моему, из-за этого мы с вами и поссорились, когда у меня воспалился аппендикс. Я вам сказала, что мне не до него, пусть сначала пройдет показ коллекции.

Оба отлично все помнили, могла ли она забыть, как он рассердился и с каким укором говорил ей, что в жизни есть вещи поважнее работы, например здоровье. А она, конечно, отмахнулась от его слов.

— И очень глупо поступили, — сурово сказал он, — и дорого потом за свою глупость заплатили. — Она задумчиво кивнула, и их глаза встретились. Он поставил на стол свой бокал. — Как вы все это время себя чувствовали?

Он смотрел на нее внимательно, с участием, и это ее растрогало. Сколько в нем человечности и доброты! Она вспомнила, как ее кольнуло огорчение, когда она узнала, что он женат и в первый раз увидела на его руке обручальное кольцо. Она посмотрела на его руку и удивилась — оно по-прежнему было на его пальце. Он заметил ее взгляд и кивнул.

— Трудно отказываться от многолетних привычек. Мне кажется, я еще не готов предстать перед всеми в роли одинокого мужчины. — Это было честное признание; она знала, как сильно изменилась его жизнь, ведь он прожил с женой двадцать семь лет. Всего четыре месяца назад он был твердо уверен, что муж и жена должны оставаться вместе, особенно если у них есть дети, хотя пути их давно разошлись, интересы разные, да и мало ли что еще.

— Я тоже долго еще потом носила обручальное кольцо, — тихо сказала Тимми и вдруг решилась спросить: — А что у вас произошло?

Он вздохнул и поглядел на нее, словно пытаясь разгадать давнюю загадку.

— Если честно, Тимми, то я и сам не знаю. Я просто больше не мог этого выносить. Мы спорили и ссорились точно так же, как и всегда, но я проснулся в один прекрасный день, и вдруг мне стало ясно, что дальше так продолжаться не может, такая жизнь убьет меня. Мы стали совершенно чужими друг другу. Я ее очень уважаю, ведь она, в конце концов, мать моих детей. Но уже много лет каждый из нас живет своей жизнью. Нас даже дружба не связывает. Мы начали ненавидеть друг друга. Я не хотел больше так жить. Не хочу быть тем, в кого превратился. Я понял, что внутри меня все умерло. Во всяком случае, мне так казалось. Теперь-то я понимаю, что умер не я, а наш брак. Никто другой мне не нужен, я просто не хочу так мучиться и причинять боль ей. Я понял, что должен уйти.

Тимми знала, что именно так и распадаются многие семьи, если люди слишком разные, они все больше и больше отдаляются друг от друга, а если принуждают себя оставаться вместе, то между ними возникает непреодолимая пропасть. Их с каждым днем относит все дальше и дальше друг от друга.

— Наш брак уже давно умер, — продолжал рассказывать Жан-Шарль, ничуть не таясь перед ней, — и вместе с ним умерло все, что мы когда-то испытывали друг к другу. Я понял, что пора это все похоронить. Иначе я поступил бы жестоко и по отношению к нам обоим, и даже по отношению к детям. Тяжело, когда рушится семья, но продолжать такую жизнь, мне кажется, еще тяжелее.

Именно эти слова она сказала ему четыре месяца назад. Тогда он был не готов их услышать, а сейчас ее поразило, что он их произнес, — он, такой всегда строгий, корректный и сдержанный во всем, что касалось его личной жизни.

— Как отнеслись к вашему решению дети?

Тимми знала, что во Франции развод вещь не совсем обычная, это в Америке разводятся чуть ли не все поголовно, а здесь к разводу относятся иначе, и его дети скорее всего будут страдать гораздо сильнее и дольше, чем страдают американские дети.

— Мы сказали им две недели назад. Для них это оказалось ужасным ударом. Мне кажется, они нам не поверили. Жена попросила меня остаться с ними до конца учебного года, и я согласился. Мы продаем квартиру, и детям это тоже будет нелегко пережить. Во всяком случае, дочерям, ведь обе они пока еще живут дома. Сын учится в медицинской школе Сальпетриер, живет в общежитии, и мы редко его видим. Всем нам сейчас нелегко.

Судя по его выражению, он чувствовал себя страшно виноватым, Тимми это видела. Он пожелал обрести душевный покой и в конечном итоге счастье и для этого принес в жертву их душевный покой и счастье, а она знала по его признаниям, которые он делал осенью, что это идет вразрез со всеми его принципами и убеждениями. Тимми была уверена, что уж он-то никогда не разведется. Но сейчас поняла, что уж если он принял такое серьезное решение, значит, он и самом деле считал, что на карту поставлена его жизнь. Она интуитивно чувствовала, что прошедшие четыре месяца оказались для него непереносимо тяжелыми, вот уж истинно последней каплей.

— Надеюсь, дети когда-нибудь простят меня. Сын старше девочек и понимает чуть больше. А жена и девочки страдают.

Тимми вдруг подумала о Джейд, о том, как мучился ее любимый человек.

— Пройдет время, и они успокоятся. Дети всегда успокаиваются. Они вас любят. Я уверена, что и вам тоже очень тяжело. Жизнь у всех так круто изменилась. Когда вы приняли это решение?

— Сразу после Рождества. Рождественские каникулы превратились в настоящий кошмар. И я решил, что такое не должно повториться. Думал, мучился и решил, что должен уйти. Поверьте, это далось мне нелегко.

Тимми видела по его глазам, что да, очень нелегко. Как сильно все изменилось — и у него, и у нее. Рождество было совсем недавно, еще двух месяцев не прошло. Когда она ему позвонила месяц назад, он, наверное, мучился, обдумывая, как сказать обо всем детям. Тяжелое у него сейчас время — время потерь, перемен, необходимости начинать жизнь заново... Да что говорить, от прежнего мало что осталось.

— Как это все грустно, — сказала она, с сочувствием глядя на него. Она видела, как ему тяжело, и всем сердцем огорчалась. Их взгляды на мгновение встретились.

— Наш брак уже давно был мертв, — повторил он, и его голос сорвался.

— Я это чувствовала, — робко призналась она, — чувствовала, когда мы обсуждали такие вещи в октябре. Только тогда вы придерживались совсем других взглядов. Я с вами не соглашалась, что надо сохранять семью, когда муж или жена давно стали чужими друг другу, но каждый должен прийти к такому решению сам. Лично мне не пришлось ничего решать. Муж огорошил меня своим сообщением и ушел.

А сообщил он ей, что уходит от нее, что он голубой и что у него есть любовник, в которого он давно и без памяти влюблен. И все это чуть ли не сразу после смерти Марка. Тимми даже сейчас не могла без слез вспоминать, в какой ужас погрузилась, узнав все это, а сейчас она увидела слезы и в глазах Жан-Шарля. Не отдавая себе отчета в том, что делает, Тимми взяла его за руку, как когда-то взял ее он, когда ей было страшно.

— Вы же знаете, все постепенно уладится. Дети привыкнут. Жена успокоится. И к вам тоже вернется душевный покой. Конечно, сейчас у вас очень трудное время. Но все мы понимаем, что такое надо пережить. Ни боль, ни страх не длятся вечно. И вы в конце концов даже перестанете чувствовать, что виноваты перед ними, — сказала она, мягко улыбаясь ему, и он кивнул, благодаря ее за участие и даже за то, что она взяла его в порыве участия за руку. Ему не хотелось отпускать ее руку, а Тимми не хотелось убрать свою. Они снова почувствовали, как многое их связывает, но сейчас что-то неуловимо для них самих изменилось по сравнению с тем, что они чувствовали осенью, четыре месяца назад. Он уже был не врач, а она не пациентка, они были просто мужчина и женщина. И теперь игра шла на равных, но они лишились масок, за которыми можно спрятаться, играя первоначальную роль.

— Это мне сейчас трудно представить, — сказал он тихо. — Спасибо.

В эту минуту в гостиную влетела Джейд, ей надо было о чем-то спросить Тимми, но увидела, что они держат друг друга за руки, сообразила, что выбрала не самый подходящий момент, попятилась к двери и выскочила из гостиной, так ничего и не сказав.

— Извините, — проговорил Жан-Шарль смущенно, — у вас, я думаю, много дел.

— Никаких дел у меня нет, — успокоила она его.

Тимми всегда была очень внимательна к людям. Сын ее умер двенадцать лет назад, мужчины, которого она бы любила, в ее жизни не было, и потому она отдавала и свое время, и свою любовь людям, которые с ней работали, и за это они ценили ее еще больше. И сейчас Жан-Шарль, слушая ее и принимая с благодарностью слова утешения, начал понимать, какая в ней таится глубина и сколько теплоты дарит ее любовь, — он не сумел разглядеть этого раньше, четыре месяца назад, когда она сама умирала от страха. Сейчас она вновь обрела себя. Но Тимми умела не только сострадать и отдавать себя без остатка, она умела быть твердой как скала. И о ранах, которые нанесла ей жизнь, можно было догадаться, только когда люди видели, как она сострадает чужому горю.

— Все, что надо, мы уже успели сделать. Просто мои помощники привыкли входить ко мне без стука в любое время дня и ночи, — сказала она, объясняя неожиданное появление в гостиной Джейд, которая и не подумала, что стоило бы постучать.

— Им повезло, что они всегда и во всем могут положиться на вас.

Сейчас Жан-Шарль понимал, как несокрушимо сильна эта женщина, и источником ее силы были не высокое положение и влияние, которыми она пользовалась, а ее сердце, ее душа, все ее существо. Иначе она не смогла бы пережить все, что выпало на ее долю, все ужасы сиротского детства, смерть сына, предательство мужа... Он помнил в мельчайших подробностях все, что она ему рассказывала осенью, и еще больше восхищался ею. А сейчас к тому же понял, что потери не озлобили ее, не ожесточили, а сделали особенно отзывчивой и доброй. Он очень симпатизировал ей и раньше, но сейчас увидел, что ценил ее недостаточно высоко. Она поистине редкая женщина, и сердце у нее из чистого золота.

— А мне повезло, что я могу положиться на них, — сказала Тимми. — Они мне как родные. Мы почти все время проводим вместе. Замечательные люди.

— И вы замечательная, — тихо сказал он. — На меня произвело очень сильное впечатление то, что вы рассказывали мне в клинике осенью. Я ничего не забыл. Мало на свете людей, которые преодолели бы столько сверхчеловеческих трудностей и добились того, что удалось вам.

— Зря вы меня так хвалите, — улыбнулась она. — Неужели забыли, как я струсила, когда прорвался аппендикс. Стоит случиться какой-нибудь беде, и я смертельно пугаюсь, прямо как маленький ребенок. Может быть, все люди пугаются. Как ни грустно в этом признаться, но у меня уже нет той внутренней устойчивости, что была раньше. Сейчас мне труднее переживать то, что пугает. Удары, которые наносит нам жизнь, подтачивают наши силы.

— Я тоже иногда думаю о том, как разрушают нас время и жизнь. Наверное, разочарование, которым завершилась моя семейная жизнь, оказалось еще более опустошительным, чем я думал. Меня вконец извели постоянные обвинения и упреки. Извело недовольство, что я все делаю не так. В тот день, когда мы сказали детям, что разводимся, и я увидел, как они плачут, я подумал, что не выдержу их слез и умру. У меня было такое чувство, будто я их убил. Такая жестокая несправедливость по отношению к ним. И все равно я не могу остаться.

Он потерянно смотрел на нее, и их взгляды встретились.

— Нет, вы их не убили, — сказала Тимми сочувственно. — Просто пока еще они этого не понимают. И главное — они должны знать, что вы их по-прежнему любите. И всегда будете любить. Когда они это поймут, то успокоятся и всем станет гораздо легче. Со временем все привыкнут к перемене. И у всех будет своя жизнь. А вы имеете право распоряжаться своей.

— Меня терзает мысль, что они меня никогда не простят, — печально сказал Жан-Шарль. В глазах у него была тоска.

— Дети всегда прощают родителей, которые их любят. — Она улыбнулась, и на душе у него стало немного легче, когда он увидел свет добра в ее глазах. — Даже я простила своих за то, что они умерли.

Горе, которое на Тимми обрушилось, когда умерли ее родители, превратило ее детство в нескончаемый кошмар и обрекло на жизнь в приютах среди чужих равнодушных людей, пока она не стала взрослой. Но несчастья лишь возвысили ее дух и наполнили добротой и состраданием к людям, которые тяжело переживали свои разочарования, трагедии, болели, и сейчас Жан-Шарль видел, как глубоко и искренне она сочувствует ему.

— Благодарю вас за то, что выслушали меня. Сам не знаю почему, но я был уверен, что вы поймете... а может быть, и знал — почему. Вы очень сильная женщина, и у вас доброе сердце, — тихо произнес Жан-Шарль, не выпуская ее руки.

— Нет, Жан-Шарль, я не сильнее вас. Просто у вас сейчас все по живому. Вы приняли очень важное решение, вся ваша жизнь перевернулась. Поверьте мне, все встанет на свои места.

Она говорила спокойно и убедительно, и он с радостью впитывал ее слова утешения. И улыбался, глядя в ее ясные зеленые глаза своими глубокими серо-синими глазами, в которые возвращалась жизнь.

— Интересно, почему я вам верю? Вы умеете утешить. И при этом говорите так убедительно. — От Тимми и в самом деле исходило чувство уверенности.

— Я думаю, вы и сами знаете, что все, что я сейчас говорю, — правда.

— А вы всегда говорите правду? — спросил он.

Вопрос был непростой, и на него она должна была ответить честно.

— Стараюсь по возможности. — Она широко улыбнулась ему. — Но люди в большинстве своем не желают слушать правду.

Тимми вспомнила свой последний разговор с Заком, когда она выплеснула ему все, что у нее накипело. С тех пор прошло полтора месяца, и он за это время ни разу не позвонил, — и никогда больше не позвонит, она знала. И к ее великому удивлению, ей это было совершенно безразлично, будто его никогда и не было в ее жизни. Да и в самом деле, он так в нее и не вошел, был всего лишь иллюзией, в которую удобно верить. А Жан-Шарль способен глубоко и самоотверженно любить, забывать о себе, думая о счастье близких. Она поняла это еще осенью и теперь видела подтверждение своим мыслям в его глазах. Но тогда она смотрела на него иначе. Он принадлежал другой женщине, а сейчас словно бы оказался в вакууме и отчаянно пытался нащупать твердую почву под ногами. Такая подвешенность в пространстве была очень неприятна и непривычна, жить с таким ощущением трудно. И сейчас, выговорившись перед Тимми, он почувствовал, что ему стало легче, он никак этого не ожидал. Когда он пригласил ее выпить с ним коктейль, он всего лишь хотел провести час-другой в обществе женщины, которую считал очень милой и приятной. Но сейчас, к собственному изумлению, понял, что мотивы у него были другие. Какие именно — он пока еще не разобрался, однако чувствовал в потаенной глубине своего сердца, что между ними существует необъяснимая, но крепкая, может быть, даже нерасторжимая связь, и его неудержимо влечет к ней.

— Спасибо, что так долго слушали меня, — поблагодарил ее Жан-Шарль. Ему было неловко, что он сейчас так выбит из колеи. Четыре месяца назад он был сильным, поддерживал и успокаивал ее, теперь они поменялись ролями, поддерживала и утешала его она. Она щедро отблагодарила его, он

224

это только потом понял. — Жалко, что вы не можете остаться еще на несколько дней. Но я понимаю, не очень-то весело сидеть и слушать, как я рассказываю о своих бедах.

— Всем нам приходится переживать трудные времена. Мне ли не знать. Жизнь мало кого щадит. Вы не должны считать, что в чем-то виноваты. В конце концов, именно горе и беды делают нас людьми.

Он глядел на нее и думал, какая же она редкая, удивительная женщина, столько несчастий выпало на ее долю, столько горя и боли, а она не сдалась, не смирилась, поднялась так высоко и при этом сохранила способность сострадать и сопереживать. А она в эту минуту точно так же думала о нем.

— Мне самой жалко, что я не могу остаться в Париже еще на несколько дней. Мне всегда так трудно отсюда уезжать. Ведь я даже не говорю по-французски, но мое сердце отдано Парижу навеки. И я пользуюсь любым случаем, чтобы побывать здесь.

— Город очень красивый, — улыбнулся он. — Хоть я и прожил в нем всю жизнь, но не устаю им любоваться.

— Вы родились в Париже?

— Да, хотя моя семья из Лиона. Мои двоюродные братья и сестры и сейчас там живут, в Лионе и в Дордони. В Дордони удивительная красота. Мы приезжаем туда заряжаться энергией, — сказал он, стараясь переменить тему после своей печальной исповеди. Он открыл ей свое сердце, и теперь чувствовал себя немного неловко.

— А знаете, я была там однажды, ездила навестить друзей, — подхватила Тимми. И вдруг почему-то начала рассказывать ему о Блейке, как она полюбила ребенка всем сердцем, едва только увидела, решила усыновить, но через несколько дней потеряла. Он слушал ее рассказ и представлял себе, как же ей было тяжело. Она пережила еще одну утрату, их список пополнялся и пополнялся.

— Как печально, что все так сложилось, — сказал он с искренним сочувствием, не отводя взгляда от ее глаз.

— Я не жалею о том, что полюбила его, пусть даже всего на несколько дней. Он был такой прелестный, трогательный ребенок.

Жан-Шарль в очередной раз восхитился щедрости и широте ее сердца.

Потом снова взглянул на часы и увидел, что ему пора. Уходить ужасно не хотелось, сидел бы с ней и говорил, говорил... На душе у него стало гораздо легче. Жить бы с ней в одном городе, стать добрыми друзьями. Им всегда хочется столько всего сказать друг другу.

И словно прочитав его мысли, она поглядела на него с улыбкой и встала.

— Вы должны как-нибудь приехать в Калифорнию. Может быть, и приедете, ведь вы теперь свободны.

Может быть, у него появится впереди цель, к которой хочется стремиться, он резко изменит обстановку, хотя Калифорния так далеко от Парижа...

— Возможно. Я давно там не был. Я обычно летаю в Нью-Йорк.

— Ну, Нью-Йорк это совсем не то, — улыбнулась она и, тоже встав, шагнула к нему ближе. И вдруг между ними словно электрический ток пробежал, она так и застыла на месте, распахнув глаза. Он тоже стоял и молча смотрел на нее. Ее на миг охватило безумие, она чуть не бросилась в его объятия. Но остановила себя, сдержав почти непреодолимое желание, и в голове мелькнуло — а вдруг и он почувствовал то же, что и она? Нет, твердо сказала она себе, увидев, что он сделал шаг назад, все так же не отрывая от нее взгляда. Но вид у него был такой, будто и он почувствовал разряд тока. Оба глядели друг на друга и не знали, что сказать. И вдруг он стал говорить, как ему нравится шампанское, чувствуя себя при этом последним дураком.

— Желаю хорошо долететь до Калифорнии, — растерянно бормотал он, направляясь к двери. Они столько сказали друг другу, и вот теперь он не находил слов.

— Я вообще-то сначала полечу в Нью-Йорк, пробуду там несколько дней. А в Калифорнию только на следующей неделе. — Она тоже была ошеломлена. Оба пытались спрятаться за пустыми, ничего не значащими словами. А между ними в эту минуту происходило что-то очень значительное и важное. Если бы Тимми верила в любовь с первого взгляда, она бы призналась, что именно такая любовь их и поразила, но она давно уже запретила себе думать о таких романтических бреднях. И он тоже себе запретил. Нет, без сомнения, это что-то другое. Может быть, огромное, рожденное в глубинных тайниках души восхищение, которое когда-нибудь разовьется в истинную дружбу. Она пыталась убедить себя, что именно так оно и есть.

— Берегите себя, Жан-Шарль, — произнесла она, снова заглядывая ему в глаза, будто хотела найти в них ответ, но увидела в них, как в зеркале, ту же растерянность, что охватила и ее.

— И вы тоже, Тимми... Звоните мне, если я вдруг понадоблюсь, например, вам нужна будет помощь врача...

Только это он и мог сейчас ей предложить. Но сегодня под всеми словами, что они говорили друг другу, таилась совсем другая подоплека. Слова — это то, что было на поверхности, а внутри, в глубине, они чувствовали, поднималась могучая приливная волна.

Он подошел к двери, она за ним, и перед тем как выйти, он протянул ей свою визитную карточку со всеми телефонами, адресом и электронной почтой. «Мало ли что», — сказал он и попросил ее дать ему свою визитную карточку. Тимми быстро написала свои телефоны на листке бумаги и отдала ему, а потом вдруг обняла, как будто они были старые добрые друзья.

— Оревуар, — сказала она, и он улыбнулся.

— Мерси, Тимми, — произнес он на своем изумительном французском языке и ушел, не сказав больше ни слова, а она так и осталась стоять как статуя, глядя на дверь, которую он тихо закрыл за собой. И тут в гостиную вошла Джейд и увидела точно окаменевшую Тимми. Тимми и на нее поглядела все тем же невидящим взглядом.

— Что с тобой? — спросила Джейд в изумлении. За все долгие годы, что она работала с Тимми, она не видела на ее лице такого выражения. А сама Тимми за всю свою жизнь не испытала ничего хотя бы отдаленно похожего на ее нынешнее состояние. Даже осенью, в октябре, когда она впервые с ним встретилась. Сейчас все непостижимым образом изменилось, как изменились и они сами.

— Ничего, — сказала Тимми, отворачиваясь от Джейд, и стала перекладывать какие-то вещи с места на место. Ей надо было что-то делать, чтобы не броситься за ним следом. То, что сейчас произошло между ними, ее совершенно ошеломило, она не могла опомниться, голова кружилась. Было такое ощущение, будто она летит в пропасть.

Джейд внимательно вгляделась в нее.

— О господи! Он что, поцеловал тебя?

Иного объяснения тому, какой вид сейчас у Тимми, она найти не могла.

— Конечно, нет! — воскликнула Тимми. — Мы просто разговаривали.

Ей хотелось всеми возможными способами оградить от посторонних глаз все, что касалось ее и Жан-Шарля, и она ничего больше не стала объяснять Джейд.

— О чем же? — В Джейд вдруг проснулись ужасные подозрения, ведь официально он еще был женат.

— Обо всем на свете. О жизни. О детях. О его разводе.

— Господи Иисусе, как мне все это хорошо знакомо! — Какое счастье, что сейчас Джейд встречается с неженатым мужчиной! — Он уже ушел от жены?

Да уж, она знала, какие вопросы нужно сейчас задавать. И в эту минуту в гостиную вошел Дэвид.

— Кто ушел от жены? — с удивлением спросил он.

— Этот парижский доктор. Тимми только что пила с ним коктейль.

— Мне показалось, он вполне.

— Пусть сначала разведется, тогда и увидим — вполне он или не вполне, — сварливо отозвалась Джейд.

Тимми молчала, ей было трудно дышать, в голове не было ни одной мысли. Помощники не понимали, в каком она состоянии, и продолжали спорить.

— У тебя, Джейд, пунктик, — не унимался Дэвид. — Дай человеку шанс.

— Я не хочу, чтобы с Тимми случилось то же, что пережила я, — горячилась Джейд, глядя на своего босса. Тимми все стояла как громом пораженная.

— Что с тобой? — спросил и Дэвид, но гораздо более деликатно, чем минуту назад спрашивала Джейд. Он видел, что Тимми чем-то потрясена.

— Не знаю, — честно призналась Тимми. — Произошло что-то невероятное.

Чувство, охватившее ее, было таким сильным, что она даже испугалась.

— Может, с ним тоже это невероятное произошло? — выразил надежду Дэвид. — Мне он понравился. Я голосую «за».

Тимми улыбнулась.

— Ишь ты, какой прыткий, — проворчала Джейд.

И вдруг Дэвид так и просиял.

— А вы знаете, какой сегодня день? — спросил он, и обе дамы с удивлением посмотрели на него.

— Четверг? — неуверенно предположила Тимми.

— Верно, четверг. Но это еще не все, сегодня четырнадцатое февраля, День святого Валентина, День всех влюбленных! Наверное, тебя поразила стрела Амура.

Тимми с улыбкой покачала головой.

— Все это для меня в далеком прошлом. Мы просто добрые друзья, — стала убеждать их она.

Они заказали ужин в номер и все вместе поужинали. Больше Тимми о Жан-Шарле не заговаривала, но все время с волнением думала, позвонит он ей сегодня вечером или не позвонит. Он не позвонил, и она уже легла в постель, как вдруг услышала из своей гостиной сигнал, что по электронной почте пришло сообщение. Она не могла удержаться и встала посмотреть, кто его прислал.

«Наша сегодняшняя встреча глубоко меня взволновала. Мне было с Вами удивительно хорошо, и я не могу перестать о Вас думать. Вы такая красивая. Благодарю Вас за то, что позволили мне выговориться. Вы такая мудрая и сердечная. Я сошел с ума, или Вас наша встреча так же растревожила, как и меня? Ж.-Ш.».

Тимми тотчас же села и начала печатать дрожащими пальцами ответ. Что ему сказать? Быть сдержанной или не таиться? И решила, что будет с ним честной, ведь она сказала ему, что старается по возможности говорить правду.

«Да, я тоже растревожена. И я тоже радуюсь встрече с Вами. У меня такое чувство, будто меня поразила молния. И я не понимаю, что это значит. А Вы? Как по-Вашему — безумие заразительно? И мне нужна помощь врача? Если так, пожалуйста, скажите мне об этом как можно скорее. Думаю о Вас. Т.».

Она сказала гораздо больше, чем ей хотелось, но отослала письмо сразу же, иначе могла передумать и написать что-то другое. Он ответил ей тотчас же.

«... Да, безумие заразительно. Это в высшей степени опасное заболевание. Будьте осторожны. Кажется, мы оба заболели. Как бы там ни было, случай очень серьезный. Когда Вы снова приедете в Париж? Ж.-Ш.».

«... Не знаю. Сегодня Валентинов день, поздравляю. Т.».

«... О господи... Теперь все понятно. Стрела Купидона? Позвоню Вам в Нью-Йорк. Bon voyage. Je t'embrasse. Ж.-Ш.».

Она догадалась, что Купидон — это Амур, а «je t'embrasse» по-французски значит «я вас целую», это она знала. Значит, Джейд все-таки оказалась права, он ее поцеловал... и сердце ее заколотилось уже совсем как сумасшедшее, когда она подумала, что он позвонит ей в Нью-Йорк. Нет, надо остановиться, сдержать себя, Тимми это понимала. Она и вправду сошла с ума. Он живет здесь, в Париже, она в Лос-Анджелесе. И он даже еще не развелся. И люди ее возраста, если только они в своем уме, не влюбляются с первого взгляда. Ничего не произошло, внушала она себе, и не произойдет, она не позволит. Но сколько она ни повторяла про себя эту клятву, понимала, что никто еще в жизни не производил на нее такого сильного впечатления. Семя было посеяно четыре месяца назад. Может быть, его открытка с видом заката над океаном и в самом деле была посланием в бутылке. И сегодня, в Валентинов день, молния ударила и в него, и в нее. И что самое удивительное, она поразила их в один и тот же миг. Ей оставалось только надеяться, что он позвонит ей в Нью-Йорк, как обещал. И что им теперь делать? Она и представить себе не могла.

Глава 12

Перелет в Нью-Йорк показался Тимми нескончаемо долгим. Она почти не разговаривала с Дэвидом и Джейд и на этот раз против обыкновения не смогла заснуть. Работать и читать она тоже не могла.

Она думала о Жан-Шарле. И никак не могла понять, что же с ними произошло вчера вечером. Конечно, все можно списать на стрелу Купидона, но на самом-то деле что их поразило и почему? А может быть, все это произошло не вчера, а еще четыре месяца назад? И что это значит? Понять бы, осмыслить... Но оба они знали одно: и его, и ее жизнь переменилась, каким словом ни назови случившееся.

В Нью-Йорке они прошли таможенный контроль, Тимми предъявила несколько вещиц, купленных в Париже. Дэвид вышел найти ее лимузин, Джейд стала искать носильщика, и Тимми, идя вслед за Дэвидом, чтобы покурить на улице, по привычке включила мобильный телефон. И только она его включила, как он зазвонил. Это был Жан-Шарль.

— Алло? — сказала она, выходя из здания аэровокзала. Дэвид замахал ей рукой — он нашел их машину. Тимми помахала ему в ответ, подошла к машине и села, а Дэвид пошел за их вещами.

— Ну как долетели?

Даже по голосу чувствовалось, что говорит не просто француз, а удивительно обаятельный мужчина. Она заулыбалась, едва его услышав.

— Летели бесконечно долго. Я все время думала о вас, — призналась она.

— А я о вас. Где вы сейчас? В гостинице?

— Нет, я только что сошла с самолета. Вы рассчитали с точностью до минуты. Я только включила телефон, и вы тут же звоните.

— Я думал о вас весь день, — сказал он. Сейчас у него девять вечера, он прожил долгий и трудный день, только что навестил в больнице своего последнего пациента и сейчас едет домой, звонит ей, сидя за рулем. — Тимми, что вчера произошло? — Судя по голосу, он был потрясен и растерян так же, как и она.

— Не знаю, — тихо проговорила она. — Был Валентинов день, может быть, этим все и объясняется? — Тимми сама с трудом верила, что говорит ему это. Ведь уже столько лет она защищала свое сердце от серьезного чувства, поклялась себе, что больше в ее жизни не будет мужчин, и вот теперь потеряла голову и лепечет ему какую-то чепуху про Валентинов день. Наверное, она и вправду сошла с ума. Но если она сошла с ума, значит, сошел с ума и он, и как же она счастлива, что он ей позвонил! Она снова почувствовала себя молоденькой девчонкой. И вдруг вспомнила, о чем ей давно хотелось его спросить: — А в той открытке, что вы прислали мне осенью, было какое-то тайное послание? Помните, закат над океаном в Нормандии? — Ей до смерти хотелось узнать.

— Тогда я об этом не думал, но, может быть, послание и было. Сейчас я понимаю, что да, конечно, было. Я купил эту открытку и долго думал, что же вам написать. Во-первых, я боялся наделать ошибок, ведь писал по-английски.

Она улыбнулась этому признанию. Все в нем трогало ее до глубины души. И восхищало сочетание душевной силы и беззащитности, восхищала его любовь к детям, его сомнения и колебания, неуверенность в том, что он поступает правильно, ведь все это было в высшей степени свойственно и ей, Тимми, она видела в нем свое зеркальное отражение. Ей нравилось в нем все.

— И потом, я очень осторожно выбирал слова и выражения. Не хотелось сказать ни слишком много, ни слишком мало. Я был очень растроган, что вы подарили мне эти прекрасные часы. Больные дарят мне подарки, но такого замечательного я еще не получал. И для меня было очень важно, что часы подарили именно вы. — Сердце ее замирало от счастья. — Я так ценю, что вы их выбрали.

Он с тех пор не снимает часы, сказал он ей, но в эту минуту к машине подошли Дэвид и Джейд с их багажом. Тимми не хотелось разговаривать с ним при них, и она сказала, что хотела бы позвонить ему через час из гостиницы. Он ответил, что, конечно, пусть она звонит ему на мобильный, он будет ждать. Они разъединились, и всю дорогу до Нью-Йорка Тимми оживленно болтала с Дэвидом и Джейд. Они видели, что у нее необычно приподнятое настроение, но не могли понять почему. Она и сама ничего не понимала. Понимала только, что ее непреодолимо тянет к нему, что ее чувства в полном смятении, что он совершенно завладел и ее сердцем, и душой, и мыслями. Наверное, она потеряла рассудок, но даже если и потеряла, это было чудесно, ей не хотелось его возвращать. Скорее бы, скорее бы снова услышать его голос в трубке!

Тимми позвонила ему из гостиницы, как только вошла в свой номер, и он несказанно удивил ее, спросив, хочет ли она, чтобы он прилетел в Нью-Йорк на следующей неделе. Он мог бы пробыть там несколько дней, они бы встретились, поужинали вместе... Она поняла, что он смертельно хочет увидеть ее, и она тоже хотела увидеться. Но на следующей неделе она была занята, она только что договорилась лететь через три дня на Тайвань улаживать проблемы, возникшие с тамошней ткацкой фабрикой. Она сказала Жан-Шарлю об этом, и он очень огорчился. Что поделаешь, она должна была заниматься делами своей империи, пусть даже накануне вечером случилось чудо.

— Тимми, нельзя так много работать, — укорил ее он, и она ничего на это не возразила. Да и что она могла сказать? Он уже слишком хорошо ее знал и все понимал сам. Ей, впрочем, и не хотелось ему возражать. Пусть он лучше знает, какова она на самом деле. А ей хотелось узнать о нем как можно больше — о его детстве, как он рос, в какой школе учился, какая у него была семья, есть ли у него братья и сестры, какие характеры у детей, о чем он мечтает, чего боится, чего ждет от нее... Ей было интересно все. А ему уже были известные ее сокровенные тайны и все самое важное, что случилось с ней в жизни.

— Что же нам делать? — спросила она Жан-Шарля, ложась на постель в своем гостиничном номере. У нее сейчас пять дня, у него одиннадцать вечера. Их разделяют три тысячи миль, а скоро этих тысяч станет шесть. И она знала, что останься у нее хоть капля здравого смысла, она послушалась бы Джейд и не позволила себе до такой степени увлечься им, а стала бы ждать, когда он разведется или хотя бы уйдет от жены. Но с ними обоими случилось что-то невероятное, Тимми совершенно потеряла голову. Чувство к Жан-Шарлю до такой степени захлестнуло ее, что даже боль от потери Блейка ощущалась уже не так остро.

— Что нам делать? Не знаю, — честно признался он. — Что-нибудь придумаем, но нужно время, — осторожно сказал он. — Для меня все это так неожиданно и ново. Такого со мной никогда раньше не бывало. — Ему было пятьдесят семь, она на девять лет моложе, но и она ничего подобного этому чувству никогда не испытывала. Даже с Дерриком, когда в него влюбилась, а уж со всеми другими, кто был после него, и вовсе. В ее жизни случилось чудо, и, видимо, в его тоже.

— Мне очень хочется вас увидеть. Когда вы вернетесь с Тайваня?

— Надеюсь, я там пробуду всего несколько дней. Улетаю в среду, а к выходным вернусь.

— Может быть, я тогда смогу прилететь в Калифорнию, — сказал он негромко, и у нее от волнения пробежал по спине холодок.

Ее как будто подхватила и несла с собой могучая лавина. И она не могла ни понять, откуда взялась эта лавина, ни вырваться из нее, даже если бы и захотела. Нет, нужно опомниться, перевести дух... и ему тоже. Он говорил ей, что не переедет из их квартиры до июня, Тимми это помнила. Значит, еще четыре месяца. А если он передумает и не уйдет из семьи, как это случилось с любовником Джейд? Если навсегда оставит все как есть, а она, Тимми, будет для него забавой, ведь она уже полюбила его! Нет, к черту сомнения, к черту страхи, не будет она ни о чем таком думать. Она больше всего на свете хочет, чтобы Жан-Шарль прилетел к ней в Калифорнию, и как можно скорее. Они должны вместе решить, что с ними стряслось.

— Мой брак уже много лет как умер, — сказал он, как говорил вчера в Париже, но она поняла это еще осенью и, наверное, гораздо яснее, чем он. Его сердце было пусто уже давно, он забыл, что оно существует, забыл, для чего человеку вообще дано сердце. И вот сейчас это сердце воскресло, проснулось, точно Рип Ван Винкль, и воскресшее сердце Тимми рванулось ему навстречу. Нет, это не просто увлечение, она была уверена. С ними происходило что-то огромное, непостижимое, оно вырвало и его, и ее из их привычной жизни и швырнуло в бурный океан, и они теперь должны держаться друг за друга, чтобы не утонуть. И самое страшное, на них нет спасательных жилетов, и они знают об этом. И все время, что они разговаривали, она это остро чувствовала.

Проговорили они час, у него уже было за полночь, наконец они попрощались, и Тимми потом долго лежала в постели у себя в гостиничном номере и думала о нем. Время шло, в Париже уже было три утра, она была уверена, что он давно спит, и вдруг услышала, что по электронной почте пришло письмо. Они с Дэвидом и Джейд только что поужинали, и все разошлись по своим номерам. Когда компьютер тренькнул, она была у себя одна.

«Дорогая Тимми, я не могу заснуть, все думаю о Вас, обо всем, что с нами произошло в эти дни. Я тоже не знаю, что это такое, но все равно это самое великое чудо, какое только может быть подарено человеку. Я чувствую это всем своим существом. Вы самая удивительная женщина изо всех, кого мне довелось знать, и я не понимаю, за что вдруг на меня свалилось такое счастье. Спокойной Вам ночи. Пожалуйста, приснитесь мне. Je t'embrasse fort. Ж.-Ш.».

Теперь он уже целовал ее крепко. Она знала, что значит «fort». И ее опять словно подхватило, понесло и закружило в каком-то сумасшедшем вихре. Ошеломленная, потрясенная, она без конца читала и перечитывала его е-мейл. Никогда в жизни никто не писал ей таких романтических писем. Они были словно два подростка, которые пишут друг другу записочки во время урока и объясняются в любви.

«Дорогой Жан-Шарль, я очень скучаю о Вас. Разве можно скучать о человеке, которого почти не знаешь? Но я не могу, не могу не скучать. И все время думаю о Вас. Приезжайте в Калифорнию как только сможете. Нам столько нужно друг другу сказать. И я тоже t'embrasse fort. Т.».

Отправляя е-мейл, она не могла не спросить себя, что будет, когда он к ней прилетит — если он и правда прилетит? Ляжет ли она с ним в постель? Наверное, этого не нужно делать, лучше дождаться июня, когда он уйдет из дому. Да, это было бы правильно, он слишком обаятельный мужчина, она может раствориться в нем без остатка. Близость сделает ее его добровольной рабыней, преданной ему и сердцем, и душой. Конечно, так все и будет, она была в этом убеждена. И несмотря на все свое смятение, непременно хотела сохранить их отношения на той же высоте, что и сейчас. Она скажет ему об этом своем решении до того, как он к ней полетит. И в конце концов написала прямо сегодня в одном из е-мейлов, которыми они обменивались всю ночь. У него уже наступало утро, он написал ей, что смотрел, как восходит солнце, и думал о ней. С каждой минутой они все яснее понимали, как серьезно то, что случилось с ними, и что от такого чувства не отмахнуться. Но несмотря на это, он согласился, чтобы между ними не было близости, когда он к ней прилетит. Он относился к ней с величайшим уважением и готов был считаться с ее малейшими желаниями. Так к Тимми не относился еще ни один мужчина. Поистине Жан-Шарль удивительный человек! Тимми не могла понять, как его жена согласилась его отпустить, почему она позволила себе его потерять, почему столько лет жила своей собственной жизнью. Если бы она,

Тимми, вышла замуж за такого человека, она бы никогда не допустила, чтобы он ушел, проживи они вместе хоть миллион лет. Рядом с ним Зак и ему подобные казались — да и на самом деле были — жалкими ничтожествами, как только она могла так бездарно и бессмысленно тратить себя на короткие связи с ними.

Утром Тимми встала неотдохнувшая, но все равно поехала в Нью-Джерси на фабрику. Встретилась с управляющим, и они обсудили возникший конфликт. Да, дел и забот у нее было более чем достаточно.

Все то время, что она оставалась в Нью-Йорке, Жан-Шарль постоянно звонил и писал ей, и у нее было такое чувство, будто она возвращается в Калифорнию с бесценным сокровищем. Она приехала в Париж работать и полюбила там удивительного мужчину.

Возвращаясь из Нью-Джерси, она рассказала обо всем этом Джейд. Джейд относилась к Жан-Шарлю все с тем же предубеждением и не скрывала этого, недаром она приобрела такой горький опыт. Ей не хотелось, чтобы Тимми страдала так же, как она, и сейчас напомнила, чем грозит любовь к женатому человеку.

— Постарайся не терять голову, — внушала она Тимми. Можно было подумать, что она остерегает от опасностей жизни свою совсем еще юную несмышленую сестренку, а не мудрую, прошедшую суровую школу жизни женщину, которая была на десять лет старше ее, но у которой никогда не было романа с женатым мужчиной, и теперь она все время вспоминала об осторожности. Но какая тут осторожность, зачем она им с Жан-Шарлем, они летели навстречу друг другу как на крыльях. И когда четыре дня спустя Тимми возвращалась в Калифорнию, она чувствовала себя еще более влюбленной, чем раньше.

Все время полета до Лос-Анджелеса она спала, и когда вошла в свою квартиру в Бель-Эйр, ей показалось, что все в ней неузнаваемо изменилось. В Париже ее поразил удар молнии, и этой молнией был Жан-Шарль Вернье. Он все время звонил ей, звонил в любой час дня и ночи и говорил, как он ее любит. Ни он, ни Тимми не могли осмыслить, что произошло и почему, но не все ли равно, их жизнь осветилась, словно во мраке ночи они увидели мерцающий маяк. Они говорили, говорили друг с другом, смеялись, делились всем сокровенным, рассказывали друг другу обо всем, что они делали, о дорогих им людях, о своем детстве. Он был старшим в семье, где было еще четверо детей, заботился о родителях, помогал братьям и сестрам, ездил к ним, как только выдавалась малейшая возможность, и, кажется, готов был взять на себя ответственность за всех, кто живет на земле. По своему отношению к жизни он был истинный француз, немного старомодный и в высшей степени добропорядочный, сейчас его мучило чувство вины, в их роду никто еще никогда не разводился, раньше такое и представить себе было невозможно, а сейчас развод для него единственный выход. Тем более что он вдруг полюбил Тимми. В среду она улетела на Тайвань, и все эти дни они разговаривали по телефону по нескольку раз в день, признавались, что полюбили друг друга еще осенью, когда так подолгу беседовали после ее операции, обменивались бесконечными е-мейлами, посвящали друг друга во все подробности своей жизни, открывали друг в друге все новые качества. Тимми не понимала, во сне она живет или наяву.

— Такого просто не бывает, — говорила Тимми Жан-Шарлю вечером накануне своей поездки в Тайбэй, пытаясь сохранить хоть последние крохи здравого смысла.

— Как мы видим, Тимми, бывает, — невозмутимо отозвался Жан-Шарль. Он и сам все это время жил как в тумане. Сказал ей, что вчера чуть было не начал расспрашивать пациентку о ее предстательной железе, глядя в чужую историю болезни. А пациентка пришла обследоваться перед визитом к офтальмологу, потому что ей предстояла операция по снятию катаракты. И все эти дни они почти не спали и почти не ели. Ей было решительно все равно, что за конфликт разгорается на их фабрике в Тайбэе. Жила как во сне, а когда Дэвид и Джейд о чем-нибудь спрашивали ее, смотрела на них счастливыми, ничего не видящими глазами.

— Мне кажется, я потеряла рассудок, — призналась она как-то Жан-Шарлю с тревогой, когда они разговаривали по телефону. А на самом деле они оба потеряли рассудок в Валентинов день в Париже, когда он пришел к ней в «Плаза Атене». — Я всегда считала таких людей, как мы сейчас с вами, чокнутыми. Когда мне кто-то говорил, что влюбился с первого взгляда, я думала, что на него надо надеть смирительную рубашку. И вот теперь пожалуйста — сама влюбляюсь с первого взгляда.

Оба были счастливы, что именно его рекомендовал Тимми один из ее друзей, если ей вдруг будет нужно обратиться к врачу в Париже.

— Только влюбляетесь? — разочарованно спросил Жан-Шарль. — Я уже давно в вас влюбился. И думал, что вы тоже.

— Вы и сами это знаете, — прошептала она.

Неделю назад и он, и она были нормальными, здравомыслящими людьми, их заботила их карьера, они блестяще делали свое дело. И каждый был властелином своего мира. Сейчас Жан-Шарля тяготила обязанность принимать пациентов, а ее совершенно перестали волновать линии их следующих коллекций, и зимней, и летней. В мгновение ока мир моды оказался ей неинтересен, во всяком случае, гораздо менее интересен, чем Жан-Шарль. А ему тоже пришлось заставлять себя проявлять внимание к больным, принимать их, звонить, посещать в больнице. Единственным пациентом, которому он хотел уделить внимание, была Тимми, а она уже не была его пациенткой, во всяком случае сейчас. Он признался своему близкому другу — врачу-рентгенологу, который от души потешался над смятением Жан-Шарля, — что Тимми любовь всей его жизни, его половинка, он не понимает, как он мог жить до встречи с ней, и она тоже не могла понять, как жила до его бесконечных телефонных звонков и писем, в которых он ей рассказывал, как любит ее, как она ему дорога и какая она удивительная. Их накрыла лавина чувств, которые вдруг открыли им, как прекрасен и чудесен мир, и подарили то, без чего их жизнь была столько лет пуста и печальна, — надежду. Жизнь вдруг изменилась, они увидели все совсем другими глазами. Сейчас они не могли представить себе, как преодолеют расстояние, разделяющее их, возможно ли вообще соединить жизнь людям, которые должны отдавать себя без остатка своей работе. У него в Париже трое детей, которых он безгранично любит. Оба они связаны долгом и обязанностями, у него большая семья, с которой он соединен крепкими узами, и он даже еще не развелся. Нет, они поддались безумию, ни у нее, ни у него не было на этот счет ни малейших сомнений, — поддались безумию и бросают всем вызов.

И все равно Тимми чувствовала, что это сладкое безумие, и предавалась ему вопреки всему. За Деррика она вышла замуж после того, как они два года проработали вместе, создавая линию мужской одежды, их дружба и совместная работа над тем, что интересовало их обоих, медленно перешла в любовь. А сейчас все было как удар грома средь ясного неба, молния поразила их обоих в самое сердце. Прочные, казалось бы, незыблемые основы их жизни неожиданно покачнулись и рухнули. Его охватил страх за ее жизнь и здоровье — как это она полетит в такую даль? Тимми полетела в Тайбэй с Дэвидом, Джейд осталась в офисе заниматься текущими делами. И как и в Нью-Йорке и Лос-Анджелесе, в Тайбэе Тимми разговаривала с Жан-Шарлем по телефону по многу раз в день.

Вернулась она в Лос-Анджелес в субботу, и Дэвид, пока длился их нескончаемый полет, завел с ней разговор о Жан-Шарле. Долетели они хорошо и по пути обсудили множество проблем, решили, как спасти деловую репутацию фабрики, — для этого придется уволить двух ведущих сотрудников, которые, как они были уверены, их обворовывали. Но все проблемы улетучивались из ее головы, когда она слышала в телефонной трубке голос Жан-Шарля.

— Похоже, у вас с этим парижским доктором очень тяжелый случай, — подковырнул ее Дэвид, когда они ужинали в самолете. Оба они знали, как относится Джейд к сумасшествию Тимми, она считает, что Тимми и думать о Жан-Шарле не должна, пока он наконец-то не разведется. Но Дэвид хорошо знал, что в жизни далеко не всегда получается так, как мы задумали. И сколько бы мы ни старались быть трезвыми и благоразумными, все равно решаем все не мы, а судьба. Во время поездки в Тайбэй мобильный телефон Тимми беспрестанно звонил, не обратить на это внимания было просто невозможно. И когда она отвечала на звонок, ничуть не раздражалась, что ее отвлекают от дела, а начинала сиять от радости и отходила в сторонку, чтобы спокойно поговорить, даже если в это время шла встреча и на ней обсуждался какой-нибудь вопрос чрезвычайной важности. Железная леди, которая управляла империей «Тимми О», делалась похожей на школьницу, когда говорила по телефону и заливалась веселым смехом. За несколько дней после возвращения из Парижа, где встретилась в Валентинов день с Жан-Шарлем в отеле «Плаза Атене», она буквально расцвела. И их чувство друг к другу росло с каждым днем в геометрической прогрессии.

Дэвида все это радовало, так же как и неожиданно проявившаяся в Тимми мягкость. Он всегда надеялся, что именно такого мужчину, как Жан-Шарль, она в конце концов встретит. Доброго, умного, интеллигентного, порядочного, надежного, с глубоким внутренним содержанием и высокими моральными принципами, которого уважают в мире, в котором он живет, и который с открытой душой войдет в мир Тимми, не испытывая мелкой зависти, не строя корыстных планов, как все жалкие ничтожества, с которыми Тимми встречалась до него, чтобы только не быть одной, не чувствовать так остро свое одиночество.

Было лишь одно небольшое темное пятнышко, как представлялось Дэвиду, — Жан-Шарль пока еще не развелся с женой, хотя и говорил, что хочет развестись. И Дэвид был твердо уверен, что если этот человек сказал, что хочет освободиться от супружеских уз, он непременно от них освободится. Он-то был уверен, а вот Джейд полыхала, она не верила ни одному женатому мужчине и была убеждена, что Жан-Шарль бросит Тимми без всякой жалости, разобьет ей сердце и искалечит жизнь.

— Что с тобой может случиться такого уж страшного? — философски рассуждал Дэвид, когда они уже доедали в самолете свой ужин. — Ну бросит он тебя, ну будешь ты страдать. И что? Тебе что, впервой? Ты и не такое переживала. Я уверен, рискнуть стоит. Я этому парню доверяю, мне довольно того, как он носился с тобой осенью после операции, сама рассказывала, и сейчас он совсем голову потерял, это и слепому видно. Доверяю, и все, а почему — не спрашивай. Интуиция подсказывает, что все будет прекрасно.

— Убеди в этом Джейд, — вздохнула Тимми. Сейчас она старалась избегать всякого упоминания о Жан-Шарле в разговорах с Джейд, да и вообще с кем бы то ни было. Но перед Дэвидом она не таилась, ведь он так хорошо все понял во время их поездки и так радовался за нее. — Понимаешь, слишком уж быстро все произошло, это меня больше всего пугает. И вообще, когда что-то сваливается как снег на голову, ничего хорошего ждать не приходится, так я, во всяком случае, считаю. Мне всегда казалось, что отношения должны развиваться медленно, постепенно, шаг за шагом.

Но и в ее деловой жизни так не всегда бывало — медленно и шаг за шагом. Некоторые из лучших идей Тимми ее словно бы озаряли, миг — и все становится понятно, как в ее неожиданном парижском романе. Любовь ворвалась в их жизнь уже взрослая, зрелая, готовая к трудностям и испытаниям, у нее не было ни младенчества, ни детства.

— Что ж, такое случается, — стал успокаивать ее Дэвид с доброй улыбкой. — Надеюсь, у вас все сложится. То есть я просто уверен, что сложится. И я страшно рад за тебя, Тимми. Ты это заслужила. Никто не может тащить свою жизненную ношу в одиночестве. Это слишком трудно. А ты и так уже столько лет вкатываешь на гору тяжелые камни одна. Не знаю, как ты выдерживаешь. А тебе хоть бы что, если поглядеть со стороны. Я бы на твоем месте давно опустил руки. — И тем более после жестоких ударов, которые ей нанесла жизнь, когда она потеряла сына, а потом мужа, обратившего в грязный фарс всю их совместную жизнь. У человека не такой внутренней силы земля ушла бы из-под ног, и он вряд ли смог бы потом оправиться. Тимми тоже была опустошена, однако упрямо продолжала жить, стиснув зубы и призвав на помощь всю силу своей воли, благодаря которой и стала одной из самых влиятельных женщин в мире. Да, она многого достигла, но все это досталось ей ох каким тяжелым трудом. — Понимаю, пока еще рано говорить, поживем — увидим. Но все равно я за тебя спокоен.

— Знаешь, наверное, я сумасшедшая, — тихо призналась Тимми, — но я почему-то тоже. Человеку в здравом уме это трудно объяснить. Скажи я кому-то, что влюбилась с первого взгляда в человека, который пришел ко мне в «Плаза Атене», и меня бы наверняка забрали в психушку. А если бы мне кто-то сказал такое, я бы подумала, что он рехнулся. Но нам с ним кажется, что иначе и быть не могло. А ведь мы даже ни разу не поцеловались, я уж не говорю о том, чтобы лечь вместе в постель.

— Сколько радостей тебя ждет впереди, есть ради чего жить! — засмеялся Дэвид.

— А я вовсе не уверена, что все это будет. Во всяком случае, в ближайшем будущем. Думаю, я лягу с ним в постель только после того, как он уедет от жены, а это будет в июне. Мне так спокойнее, он тогда хотя бы не будет жить на вражеской территории. — Конечно, это было очень благоразумное решение, Тимми опять сказала об этом Жан-Шарлю вчера вечером, когда они разговаривали по телефону, и он согласился. Он готов был делать все, что кажется ей правильным, потому что уважал ее желания. Однако оба при этом смеялись и приходили в ужас от того, что до июня еще целых четыре месяца.

— Как бы там ни было, ты все делаешь правильно, я в этом уверен, — успокаивал ее Дэвид. — И не вздумай корить себя, если вдруг так случится, что ты окажешься с ним в постели раньше. Может случиться и что-то посерьезнее. Поезд на полной скорости трудно остановить. А может, его и не надо останавливать, если вы и в самом деле любите друг друга.

Дэвид с огромным уважением относился к суждениям Тимми, восхищался ее мудростью, ее честностью и высоким человеческим достоинством, и то, что она так безоглядно влюбилась в Жан-Шарля, свидетельствовало только в его пользу. Такого с ней никогда раньше не было, он и не ожидал, что такое вообще возможно. Нет, так сильно полюбить Тимми могла только человека необыкновенного. И она была уверена, что Жан-Шарль самый удивительный из всех, кого она встречала. И в этом у нее не было ни малейших сомнений, она слепо доверяла своему чутью во всем, что касалось Жан-Шарля. И была уверена, что он именно такой, каким она его видит.

Полет был долгий, и она наконец заснула. В Лос-Анджелесе, по дороге в Бель-Эйр, она закинула Дэвида домой, а когда доехала, водитель внес за ней ее чемоданы. И едва она отворила дверь, как зазвонил телефон. Она сняла трубку, ожидая услышать голос Жан-Шарля, но это оказалась Джейд.

— Как долетели?

— Хорошо, только уж очень долго, — пожаловалась Тимми. Как хорошо вернуться домой, какое наслаждение лечь в собственную постель... Ей казалось, она не была здесь тысячу лет, ведь сначала она возила свою коллекцию в Нью-Йорк, потом турне по Европе, а потом еще пришлось лететь на Тайвань. — Но вообще все сложилось удачно. — И она стала рассказывать Джейд, как они с Дэвидом разрешили возникшие сложности. Они даже не ожидали, что все пройдет так гладко.

— Мне очень не хочется тебя огорчать, Тимми, но завтра ты должна быть в Нью-Йорке. Пока вы летели, профсоюз объявил на фабрике в Нью-Джерси забастовку. Тебе необходимо присутствовать на переговорах. Может быть, тебе удастся разрешить конфликт малой кровью, иначе прощай все поставки для весенней коллекции. Мне очень не хотелось тебя огорчать, правда. Я сказала юристам, что ты не можешь прилететь, но они требуют.

— Черт, черт, черт... — Тимми села. — Да я только что вошла в дом. Когда лететь?

— Я забронировала тебе билет на двенадцатичасовой рейс завтра. Вдруг что-то к утру изменится. Но судя по тому, как обстоят дела сейчас, в шесть вечера, надежды на благоприятные перемены мало. Я позвоню туда в семь уже из дома. Тебе, я думаю, придется там пробыть день-два, не больше. Я только что звонила Дэвиду, он сказал, что полетит с тобой. Наверное, ты сейчас чувствуешь себя, как космонавт. Уж как мне хотелось избавить тебя от этой поездки, но не получилось.

Джейд ли не знать, что Тимми на пределе сил. А Тимми положила трубку и поглядела на свой чемодан. Какой смысл его распаковывать? Возьмет все, что в нем есть, с собой в Нью-Йорк. Она погрузилась в мысли о предстоящем полете, и тут зазвонил ее мобильный телефон. Это был Жан-Шарль. Она сказала ему, что должна лететь в Нью-Йорк, объяснила почему, и в трубке наступило долгое молчание. Жан-Шарль что-то обдумывал. Она чуть не плакала. Как же она устала, если бы кто-то мог это понять! И как же ей не хотелось вступать в переговоры с профсоюзными деятелями. Они всегда предъявляют такие нереальные требования. Но она не могла допустить, чтобы фабрика сорвала поставки тканей для их весенней коллекции. Это было бы нечестно по отношению к ней, Тимми.

— А что, если бы мы встретились в Нью-Йорке? — осторожно спросил он, не желая мешать ей заниматься делами своей фирмы. Но ему смертельно хотелось увидеть ее, и тут вдруг сама судьба готова вручить им этот подарок.

— Вы серьезно? — Она заулыбалась, а душа ее вдруг захолонула, сердце покатилось... Ей нужно было время, чтобы поверить в нагрянувшую на них любовь, о которой они все время говорили, и удостовериться в том, что эта любовь — реальность. Увидеться с ним так скоро в Нью-Йорке как раз и было бы подтверждением реальности, но, может быть, Тимми была еще не готова к этому. На нее нахлынули сомнения. Но желание снова увидеться с Жан-Шарлем и понять, что между ними случилось, было сильнее страха.

— Конечно. Но может быть, я бесцеремонно вторгнусь в вашу жизнь и помешаю заниматься делами?

— Думаю, мне придется день-другой улаживать с профсоюзными деятелями конфликт, сейчас пока не очень ясно, насколько он серьезен. Но... но мне так хочется вас увидеть, — прошептала она. И вспомнила, как сказала ему, что до июня, пока он не уйдет от жены, между ними ничего не может быть. Ей казалось, что так разумнее, пусть он лучше освободится от одних отношений и потом только вступает в другие, новые, и не важно, что они влюбились друг в друга как сумасшедшие. Если у людей есть хоть крупица здравого смысла, они могут подождать. Он согласился.

— Когда вы летите? — деликатно спросил Жан-Шарль. Ему придется отменить уже назначенные консультации, договориться с коллегами, чтобы его заменили, а это ох как непросто.

— Завтра в полдень, — вздохнула Тимми. Времени у нее было в обрез, ей только выспаться и снова на самолет. Она сейчас даже плохо соображала, в каком находится часовом поясе. А может быть, и вовсе в безвоздушном пространстве... Отчасти, надо признаться, еще и потому, что предложение Жан-Шарля привело ее в полное смятение. Ее словно закружило, завертело вихрем, но какой же это был счастливый вихрь.

— Вам не дают и дух перевести, — с сочувствием отозвался он. — Неужели вы должны заниматься всем сами? — В его голосе слышалась тревога. — Неужели нет никого, кто взял бы на свои плечи хоть часть ваших забот?

— Если честно, то нет. — Оба знали, какая она перфекционистка, во все должна вникнуть, за всем должна проследить, не упустить ни малейшей мелочи. Об этих качествах «Тимми О» ходили легенды. Она все делала сама: и модели разрабатывала, и проводила показ коллекций. Она в каком-то смысле была похожа на фокусника, который показывает ошеломленной публике фантастические номера под куполом цирка и почти всегда без страховки, только ее верные помощники, как правило, держатся возле нее. Но ответственность за все действо лежит на ней. Звоня ей сейчас по всему свету, Жан-Шарль тоже начал это понимать.

— Может, мне стоит прилететь в Нью-Йорк в четверг? — предложил он. — Вы к тому времени разберетесь со сложностями в Нью-Джерси. Вы могли бы на несколько дней освободиться? Вам бы не помешало. — И ему, кстати, тоже.

— Попробую, — проговорила Тимми, лихорадочно пересчитывая в уме все, что ей предстояло сделать. Господи, она ничего не успевает, как быть... и вдруг она осознала, какую драгоценность он хочет ей подарить. Он хочет подарить ей возможность любить и быть любимой, хочет открыть перед ней прекрасный новый мир! — Нет, не попробую, — решительно и твердо сказала она, — я обязательно освобожусь! — За последние две недели ее представления о том, что важно, а что не слишком, удивительнейшим образом изменились. — Обещаю. — У нее даже дыхание перехватило. Как страшно, как волшебно, ничего подобного она вообразить себе никогда не могла, не думала, что такая мечта может исполниться, проживи она хоть миллион лет. — А вы в самом деле сможете прилететь в Нью-Йорк? — Она была словно маленький ребенок, который не может дождаться Рождества. Сейчас ей даже несколько дней казались вечностью. Судьба подарила им великую возможность счастья, и ни он, ни она ни за что не хотели ее упустить. Нужно схватиться за медное кольцо и вспрыгнуть на сказочную карусель. От этой мысли и у него, и у нее замирало сердце.

— Конечно, смогу, — успокоил он ее. — Я просто не смогу не прилететь, — сказал он с такой нежностью, что у Тимми чуть не полились слезы. — Это необходимо не только мне, но и вам. Я хочу видеть вас. — Им обоим хотелось убедиться, что это не сон, пусть даже придется ждать несколько месяцев, пока он получит официальный развод. — Хотите, чтобы я остановился в другой гостинице? — благоразумно предложил он. — Я не хочу создавать для вас никаких сложностей, не хочу, чтобы вы испытывали хоть малейшую неловкость.

— Я думаю, нам поставят пятерку за поведение, — уверенно сказала она. — Но почему бы вам тоже не остановиться во «Временах года»? Глупо жить где-то в другом месте.

— Тогда я заказываю билет на четверг... и еще, Тимми... я так благодарен вам, что вы согласились встретиться со мной... и позволили прилететь...

В его голосе звучала нежность. А она так смертельно устала, что совершенно не могла скрывать своих чувств, но ведь она и все эти две недели их не могла скрыть, а может быть, и гораздо дольше. Тимми начинала думать, что все началось гораздо раньше, еще осенью, когда ей удалили аппендикс, хотя ни он, ни она этого не знали, или знали, но не хотели себе в этом признаться.

— Благодарю вас за то, что вы прилетаете в Нью-Йорк, — нежно прошептала она. Только бы дождаться, когда он будет здесь, когда они увидятся. Его голос тоже замирал от волнения, как и ее.

— А в воскресенье вечером я полечу обратно в Париж. У нас с вами будет три с половиной дня, почти четыре. Я возьму билет на утренний рейс в четверг и буду в гостинице к полудню по местному времени.

— Как медленно тянется время, — прошептала она, хотя сейчас ей уже было страшно. Оба они готовились сделать шаг в будущее, и этот шаг либо приблизит их к тому, о чем они мечтают, либо разобьет эту мечту вдребезги. Да нет же, что за чепуха, одернула она себя, ведь она всего лишь проведет с ним выходные, лучше узнает за эти дни, что он за человек, а он лучше узнает ее. Два человека, в которых ударила молния, совершат, если можно так выразиться, ознакомительную экскурсию. Им нужно понять, следует ли на этом остановиться, или они должны идти дальше. Может быть, они едва только взглянут друг на друга, как сразу же поймут, какими идиотами были эти две недели. Может быть, все это сплошной самообман. Мечта, иллюзия, или все же правда? Сон или явь? Именно это они и поймут в Нью-Йорке, одно только это оба они сейчас знали.

— До встречи в Нью-Йорке в четверг, — нежно сказал он. — Постарайтесь поспать. Завтра поговорим.

Тимми попрощалась с ним и, разъединяясь, сообразила, что у нее едва не сорвалось с языка: «Я люблю вас, люблю...» Господи, как можно полюбить человека, которого почти не знаешь, да еще вот так сразу, что они с Жан-Шарлем делают? Нужно найти ответ на эти вопросы, хоть на какие-то из них, и Тимми их найдет в Нью-Йорке. Скорей бы четверг! Тимми стояла посреди комнаты, оглядываясь вокруг себя, и у нее было такое чувство, будто в нее сейчас еще раз ударила молния. Ей было страшно. А Жан-Шарль сидел у себя в кабинете в Париже, глядел в окно и улыбался, думая о ней. Никогда еще за всю свою жизнь он не был так счастлив.

Глава 13

Произошло чудо: проведя десять часов за столом переговоров со штатом юристов, Тимми сумела остановить забастовку на фабрике в Нью-Джерси. Заплатить за это пришлось дорогой ценой, но оно того стоило. В среду вечером фабрика снова открылась, они пересмотрели ставки оплаты за сверхурочное время, страховой пакет и соглашение о прибылях, а также повысили заработную плату всем работникам. Нужно знать, когда следует до конца стоять на своем, а когда можно и уступить. У Тимми было довольно мудрости, чтобы справляться со всеми сложностями и тонкостями своего бизнеса. Когда профсоюзные деятели отозвали забастовку и рабочие вернулись на рабочие места, Тимми вздохнула с облегчением, мало того, — она чуть ли не торжествовала. Дэвид пожал ей руку, не скрывая восхищения, и заказал билеты на последний рейс в Лос-Анджелес из Нью-Арка, а когда Тимми сказала ему, что остается в Нью-Йорке, страшно удивился.

— Черт, я-то думал, что ты так же рвешься поскорей домой, как и я.

Вот почему у него уже почти два года не было серьезных отношений с девушками. Как найти для них время, когда ты без конца летаешь то в Париж, то в Нью-Йорк, то в Лос-Анджелес, то в Тайбэй, то опять в Нью-Йорк? Трудно поверить, но Тимми, судя по ее виду, вроде бы совсем и не устала. Она любила говорить, что здорова и крепка как бык. Да, она поистине необыкновенная женщина, думал Дэвид.

— Я беру на несколько дней отгул, — спокойно объяснила она.

— Но зачем тебе оставаться здесь? — Дэвид ничего не понимал. Стояли холода, шел снег, ему хотелось без оглядки бежать отсюда в Лос-Анджелес. А она явно не спешила возвращаться, и он подумал, что она просто хочет отключиться от всего после этой бешеной гонки с нескончаемыми перелетами и изматывающими переговорами. Разве можно винить Тимми за это, и, может быть, она и в самом деле лучше отдохнет в Нью-Йорке, за три тысячи миль от своего лос-анджелесского офиса, хотя необходимость решать какие-то деловые проблемы своей империи не оставит ее в покое и здесь.

— Просто хочу перевести дух, — объяснила она Дэвиду, когда они выходили из конференц-зала, где шли переговоры, следом за ними двигалась толпа юристов, все поздравляли друг друга. — Мне надо выспаться, похожу по театрам, по магазинам.

Он и заподозрить не мог, что она встречается в Нью-Йорке с Жан-Шарлем и хочет сохранить это от всех в тайне, хочет оберечь только что народившееся между ними чувство, как оберегают новорожденного младенца. Хотя бы на этот раз она должна раствориться вместе с Жан-Шарлем в безвестности и понять, что между ними происходит. О том, чего не произойдет, они уже договорились, а там будь что будет, никому нет до них дела, никто не должен их видеть и даже что-то о них знать.

Вечером она пришла в гостиницу, легла и долго-долго спала. Когда она вернулась из Нью-Арка, звонить Жан-Шарлю уже было поздно. А когда он утром вылетал из Парижа, было слишком рано для нее. Из-за разницы часовых поясов они смогут поговорить, только когда он уже прилетит в Нью-Йорк. Жан-Шарль просил ее не встречать его в аэропорту. Они встретятся в гостинице, а позвонит он ей, как только самолет приземлится. Но случилось так, что Тимми легла спать слишком рано и проспала слишком долго, проснулась уже в начале седьмого. Она могла не спеша принять душ, одеться, позавтракать и встретить его в аэропорту. Номер его рейса и время прилета она знала и позвонила своему водителю в семь утра, попросила быть у входа в гостиницу в девять. Самолет Жан-Шарля прилетал в десять. Она надеялась, что не пропустит его возле выхода из таможенного контроля, где в Нью-Йорке всегда настоящее столпотворение.

Всю дорогу в аэропорт она в волнении думала о нем, вспоминала слово в слово все, о чем они говорили друг другу за прошедшие две недели. Они позволили себе подойти к границе разумного. Что, если при ярком свете дня наваждение растает, как дым? Оба хорошо понимали, что такое вполне может случиться. Скорее бы увидеть его и все понять, хотя ей было смертельно страшно. Ей столько лет, а она трепещет как школьница...

Когда самолет Жан-Шарля приземлялся в аэропорту Кеннеди, Жан-Шарль думал о том же. А если он все это себе напридумывал? И она тоже? Они отдались во власть сумасшедшему порыву, безудержной игре воображения, и едва посмотрят друг на друга, как наваждение исчезнет. Скоро, скоро они все поймут. Хорошо, что у него будет время привести свои мысли в порядок, пока он проходит таможенный контроль и едет на такси в город, а ехать придется долго. Прежде чем он увидит Тимми, он должен побриться и принять душ. А когда самолет приземлился, он увидел в окно, что идет снег. С неба медленно падали, кружась, огромные красавицы снежинки. Все покрывал пышный слой чистейшего белого снега, он лег на предыдущий снег, который выпал еще вчера. Мир казался сказочным, волшебным. Самолет катился по полю к аэровокзалу, потом остановился, к нему приставили трап.

Жан-Шарль спустился на землю одним из первых со своей дорожной сумкой. Багажа у него не было, нужно было только поставить печать в паспорте у иммиграционных властей, и все, можно ехать. Пока он стоял в очереди к столу иммиграционного контроля, его сердце колотилось как сумасшедшее, но вот наконец печать поставлена, он вошел в здание аэровокзала, низко опустив голову и думая о ней, об их судьбоносной встрече, гадая, как пройдут эти дни, что произойдет во «Временах года».

Тимми стояла возле выхода из зала таможенного досмотра, прислонившись к стойке, и внимательно вглядывалась в лица выходящих людей. И вдруг ее охватила паника: а если она его пропустит или уже пропустила? Но на табло появилось сообщение, что пассажиры его рейса пока еще проходят таможенный контроль. Она глядела на двери и вдруг неожиданно увидела его, Жан-Шарля, он выходил из них опустив голову, в темно-синем пальто, с дорожной сумкой в руках. При виде его она заулыбалась, сердце бешено рванулось, а он шел прямо к ней, не зная, что она его ждет. И едва она его увидела, как и из сердца, и из души, и из мыслей улетучились все страхи и сомнения. Тимми знала, что мужчина, который приближается к ней, — ее судьба. Между ними осталось всего несколько шагов, и вдруг что-то заставило его поднять голову, и он увидел ее. У него перехватило дыхание, он остановился, и улыбка медленно осветила его лицо. Тимми сделала шаг навстречу ему, другой... он выпустил из рук свою дорожную сумку и крепко обнял ее. Их обтекал бурлящий водоворот людей, словно крошечный островок, а Жан-Шарль крепко прижимал Тимми к своей груди и, забыв обо всем на свете, целовал, а она чувствовала, что нет больше ее, нет больше его, есть только они. Они стояли так, наверное, вечность и не могли оторваться друг от друга. Наконец он посмотрел на нее и улыбнулся.

— Бонжур, мадам О'Нилл, — нежно прошептал он.

— Бонжур, доктор, — прошептала она в ответ, чувствуя непреодолимое желание еще раз сказать, как она его любит. Но она лишь улыбнулась ему, и ее счастливые глаза все ему сказали без слов. — Я так рада вас видеть. — В ее душе все трепетало. Никогда в жизни она не была так счастлива. Тимми стояла, смотрела на Жан-Шарля и чувствовала, что вот сейчас начинается история великой любви.

Медленно, не выпуская друг друга из объятий, вышли они из здания аэровокзала, и она нашла своего водителя. Как только они сели в машину, Жан-Шарль опять ее поцеловал. И потом они всю дорогу до города тихонько разговаривали. Она рассказала ему, что пришлось вести переговоры с профсоюзом, и о том, сколько понадобилось изворотливости ума, чтобы их благополучно завершить. Он слушал ее с восхищением. Они говорили о его работе, о его пациентах, но главное — они рассказывали друг другу, как они рады, что наконец-то увиделись. А этого можно было и не говорить, достаточно взглянуть на их счастливые сияющие лица.

Он зарегистрировался в гостинице, и она поднялась вместе с ним в его номер, он находился на одном этаже с ней — на сорок восьмом, и из окон открывался фантастический вид на город. Войдя в номер, он поставил на пол свою дорожную сумку и снова ее обнял, и оба поняли, что выполнить данные и себе, и друг другу обещания остаться в рамках платонических отношений будет гораздо труднее, чем представлялось. Тимми стало ясно, что она проявила слишком большой оптимизм, решив, что им будет легко устоять против влечения друг к другу. И еще у обоих было такое чувство, что после всех признаний, которые они сделали уже давно, осенью, после множества звонков, которыми они обменялись за последние две недели, после того как они осознали, что их неудержимо тянет друг к другу, им сейчас удивительно легко и естественно быть наедине, будто встретились не едва знакомые люди, а те, которые давно знают и любят друг друга, сейчас они просто связали заново нити давнишних отношений. Они были две половинки единого целого, они сейчас соединились, и уже было не различить, где он, где она. Осознание этой своей нераздельности и любви ошеломило их обоих, и когда Жан-Шарль снова обнял и поцеловал Тимми, у нее прервалось дыхание. Они провели вместе совсем немного времени, но у нее уже не было ни малейших сомнений — она его любит. И в его глазах она видела, что это ее чувство к нему — зеркальное отражение его чувства к ней.

Они зашли в ее номер, чтобы она просмотрела свою электронную почту, и решили немного погулять по Центральному парку и подышать воздухом. Дорожки в парке были занесены снегом, по обочинам сугробы, все сияло первозданной белизной, было сказочно красиво. Тимми бросила в него снежком, и снежок рассыпался, ударившись о его темно-синее пальто, а он набрал горсть снега и осыпал им ее ярко-рыжие волосы. Ей хотелось бежать вместе с ним по снегу, снова стать маленькой девочкой, окунуться в радость, которой ни он, ни она не знали, пока не встретили друг друга.

Их лица разгорелись от мороза, и когда они уже возвращались в гостиницу, он вдруг увидел запряженный лошадью двухколесный экипаж и махнул кучеру, и кучер повез их по сказочному зимнему царству. Их ноги были закутаны теплым пледом, они сидели рядышком, прижавшись друг к другу, и радовались, как малые дети. Потом пообедали у «Пьера». Начало смеркаться, они заглянули по пути в несколько разных магазинчиков и наконец вернулись в гостиницу, в ее номер, счастливые, без тени тревоги в душе. Сидели весь вечер и разговаривали, держась за руки, как влюбленные подростки. Тимми сказала, что ей сейчас словно бы пятнадцать лет, а Жан-Шарль сказал, что ему двадцать. Только тогда, в свои пятнадцать, она и не мечтала о таком счастье. И у Жан-Шарля это было самое счастливое мгновение, жизнь поистине прекрасна.

— Любимая, куда вы хотите пойти ужинать? — спросил он. Они сидели в гостиной ее номера и все никак не могли наговориться. Он предложил пойти в «Кафе Булю» или в «Ла Грейнди» — это были единственные известные ему французские рестораны в Нью-Йорке. Тимми знала множество других, более модных заведений в Сохо и Вест-Виллидж, и они в конце концов остановили свой выбор на маленьком уютном ресторанчике, который она хорошо знала. Теперь им предстояло решить, куда они пойдут потом, — развлечься, дать себе возможность полюбоваться друг другом, увидеть друг друга в другой обстановке.

Он ушел к себе, чтобы она могла переодеться, и он тоже хотел принять душ и надеть вечерний костюм. Когда она через час открыла дверь, чтобы его впустить, то засияла улыбкой. Он был безупречно элегантен, как и всегда, а его в очередной раз поразила ее удивительная красота, большие зеленоватые глаза, длинные рыжие волосы, стройная фигура молодой женщины. Она вся светилась от счастья. Он крепко с порога поцеловал ее и, не разжимая объятий, медленно пошел за ней в гостиную. Когда они наконец остановились, у нее кружилась голова, от волнения пропал голос, она могла только нежно шептать.

— Прости... не могу тебя отпустить... — с трудом выговорил он. Она смущенно улыбнулась, глядя на него. Ей и не хотелось, чтобы он ее отпускал, и, не произнося ни слова, она стала его целовать и при этом медленно снимала пиджак, потом начала расстегивать рубашку... Все это было так очевидно, что он на миг отстранился и вопросительно посмотрел на Тимми. Ему не хотелось делать ничего такого, о чем она пожалела бы потом, ведь он знал, как пугает ее его нынешний статус неразведенного мужчины. — Тимми, что ты делаешь? — прошептал он.

— Я тебя люблю... — еле слышно прошептала она.

— И я тебя люблю, — так же тихо прошептал он и повторил эти слова по-французски, и это было для него более естественно и звучало более правдиво, чем все, что он мог бы сказать ей по-английски. — Je t'aime... tellement... так сильно... — Да, он ее любит, она видела это по его глазам. И какая глупость все эти благие намерения, все планы, которые сначала казались разумными и правильными, а теперь, когда они так отчаянно влюбились друг в друга, пусть все катится в тартарары. И какие там клятвы, какие зароки! — Я не хочу делать ничего такого, о чем вы потом пожалеете. Не хочу заставить вас страдать.

— А вы заставите меня страдать, Жан-Шарль? — И она грустно посмотрела на него. Неужели он так никогда и не разведется со своей женой и предаст ее, Тимми, неужели в один прекрасный день бросит? Клятвы и обещания — не более чем пыльца на крыльях бабочки, а более надежной защиты в мире не существует. Нет никаких гарантий, есть только мечты, надежды и добрые намерения, оба они хорошо это знали. Но оба были честны, порядочны и искренне желали друг другу.

— Надеюсь, что никогда, — искренне ответил он, и она поняла, что это сказано от души. Она кивнула. — А ты меня?

— Я тебя люблю... и никогда не предам... и никогда не заставлю страдать, я надеюсь...

Только такие клятвы они могли сейчас дать друг другу, пообещать, что всеми силами будут поддерживать и защищать друг друга. Тимми было этого довольно, и Жан-Шарлю в эту минуту тоже. Никому не дано заглянуть в будущее и предвидеть грядущие трудности и страдания. Для них было важно понять одно: готовы ли они отважиться и пойти наперекор изменчивой судьбе и выдержать все бури вместе?

Больше она не произнесла ни слова, они медленно добрели до ее спальни, она расстегнула и сняла его рубашку, он раздевал ее, они бросали все на пол, куда попало, потом скользнули в постель, и их тела сплелись. В спальне было темно, она чувствовала всю мощь его страсти, пульсирующей рядом с ней, и всей своей страстью рвалась ему навстречу.

— Тимми, je t'aime... — вырвалось у него тихим стоном, и она, чувствуя, что вся растворяется в нем, тоже прошептала ему слова любви. И их накрыла волна страсти, могучей, неудержимой, она унесла все — бледные тени сомнений, если они еще оставались, крохи раздумья. Она уносила их в какую-то фантастическую безвозвратность, да им и не хотелось возврата. Тимми предалась ему целиком, со всеми своими надеждами, мечтами, отдала ему свое сердце, душу, тело, и он взял ее с собой в странствие по стране любви и страсти, и оба знали, что, куда бы их это странствие ни привело, им друг без друга отныне нельзя. Они лежали в объятиях друг друга и чувствовали всем своим существом, что это судьба.

И лежали так потом еще долго, не в силах разжать объятия, тихо дремали, тело к телу, одно существо... О том, что собирались идти ужинать, они и не вспомнили, до того ли им было! Они перешагнули через пропасть сомнений и неуверенности и оказались в царстве любви. Их принесла в это царство приливная волна страсти, и они нашли в объятиях друг друга любовь, которая нерасторжимо связала их друг с другом. Навеки — если их благословит Удача и такова будет воля богов.

Глава 14

Дни, которые Тимми и Жан-Шарль провели вместе в Нью-Йорке, можно было назвать сном наяву. Они подолгу гуляли по аллеям парка, ходили в художественные галереи и салоны, пили в крошечных ресторанчиках кофе, ели пиццу, когда хотелось есть. Бродили по Сохо, заглядывали в прелестные маленькие магазинчики и всю ночь не выпускали друг друга из объятий, так неудержимо влекла их друг к другу страсть. У Тимми никогда не было столько страстных ночей подряд, и в Жан-Шарле тоже проснулся жаркий пыл молодости, который, как ему казалось, угас навсегда. Они не могли тторваться друг от друга. Оба еще не адаптировались к местному времени после смены часовых поясов, они засыпали, просыпались, предавались любви и снова засыпали, заказывали в четыре утра завтрак чуть ли не на десятерых. Как-то ночью, когда снова пошел снег, они вышли из гостиницы прогуляться, вдруг оказались на стоянке грузовиков в Вест-Сайде и в пять утра съели в придорожном кафе по огромному стейку с жареным картофелем.

Жизнь казалась им нереальной — во сне ли все это с ними происходит или наяву? Но каждый раз как они просыпались и видели друг друга, они радостно улыбались и начинали смеяться от счастья, что это чудо и вправду происходит на самом деле. В воскресенье Тимми принялась укладывать свои вещи с потерянным видом, а Жан-Шарль лежал в постели и смотрел на нее.

— Не хочу я от тебя уезжать, — горестно сказала она. Они прожили вместе всего четыре дня, а она уже не могла представить себе своей жизни без него. Любовь опасная штука, сильнее иного наркотика, и оба быстро впали в зависимость друг от друга. Он был так же одурманен, как и она, и так же мучился от предстоящей разлуки.

— А я от тебя, — хмуро сказал он, — не хочу возвращаться в Париж.

Но у обоих была своя жизнь, и пришла пора к ней возвратиться.

— Но я приеду к тебе в Калифорнию.

— Обещаешь? — Тимми была похожа на испуганного ребенка. А если она его больше никогда не увидит? Если он передумает разводиться, если оставит ее, как ей тогда жить? Она уже потеряла стольких людей, которых любила, и ей было непереносимо думать, что такое с ней опять случится. И он понял, глядя на нее, какой страх ее охватил. И этот страх был отражением его собственного страха, точно так же, как его любовь находила зеркальное отражение в ее любви. Все их чувства, их страсть, их сомнения и тревоги были точным повторением друг друга.

— Я тоже не хочу потерять тебя, — нежно сказал он, обнимая ее и снова увлекая в постель. — И конечно же, я прилечу к тебе в Калифорнию. Я не смогу долго выдержать без тебя.

Оказывается, он человек очень эмоциональный, она сделала это открытие, когда поняла, как безгранично он ее любит, и ей это очень понравилось.

И вдруг, все еще лежа в его объятиях, она задала ему неожиданный вопрос:

— Когда ты уедешь из вашей квартиры?

У Жан-Шарля сразу помрачнело лицо. Чего ему сейчас не хотелось, так это думать о своем непростом положении. Сейчас для него существовала только эта жизнь, прошлой просто не было, она давно умерла, а когда он почувствовал, что любит Тимми, то даже пепел прошлой жизни рассеялся. Тимми не отнимала его ни у кого, она радостно приняла его в свои объятия, в свою душу, в сердце, в свою жизнь, одарила своей беззаветной любовью и страстью.

— Я тебе уже говорил. В июне. Я обещал детям остаться до конца учебного года. Надеюсь, к тому времени квартира продастся. Если же нет, уеду от них летом. — Тимми подумала, какой это немыслимо долгий срок, но ведь она только что вошла в его жизнь и не считала возможным оказывать на него давление. Ей хотелось доверять ему... а если он все же не уйдет от них... если Джейд права, и все будет тянуться годами... что тогда? — Пожалуйста, не пугайся, — сказал он крепко ее обнимая и желая успокоить.

— Ты прав, — честно сказала она, — мне страшно. — Она ничего не скрывала от него, ни малейшей мысли, ни тени чувства. Она распахнула себя перед ним — пусть он нанесет ей смертельную рану, если почему-то не захочет совершить свой жизненный путь вместе с ней. Ее, как и всегда, пугала мысль, что ее бросят на берегу и она останется одна, в страхе и безысходности. — А если ты никогда с ней не расстанешься?

На ее лице был ужас.

— Мы расстались уже много лет назад, — просто и спокойно сказал он. Он считал, что это точная и правильная оценка его ситуации. — Я живу там ради дочерей, а не ради нее. Я обещал им, — сказал он очень серьезно. — Это мой долг перед ними.

А каков его долг перед ней? Она понимала, что не может вступать в соперничество с дочерьми за его любовь, да и ни за что не хотела бы. Она не хотела отнимать его у них, не хотела тянуть к себе силой. Хотела, чтобы он пришел к ней сам, своей волей.

— А если в июне дочери попросят тебя остаться? Если...

Ее всегда терзал страх неведомого. Прошлое было кошмаром. Разве она когда-то ожидала, что ей выпадет на долю такой ад? Да и потом ее ожидания раз за разом обманывались. Ей было трудно поверить, что в будущем ее ждет что-то другое.

— Тогда мы все это и будем решать, — спокойно сказал он. Он не говорил, что обязательно уйдет, что бы там ни произошло. Не захлопывал дверь — жизнь ведь непредсказуема, каких только сюрпризов не преподносит. А Тимми предпочла бы твердое обещание, клятву, желательно подписанную кровью, но знала, что отныне должна верить Жан-Шарлю. Она связала с ним свою судьбу — и на радость, и на горе. — Я тебя люблю. И не оставлю тебя, не причиню тебе горя. — Он знал всю ее жизнь, видел ее неприкрытый ужас в ту ночь, когда ей удаляли аппендикс, и ему хотелось прогнать ее страхи, успокоить ее. — Я люблю тебя. И ты мне сейчас так же нужна, как я тебе. Тимми, я не уйду от тебя. Обещаю.

Она с облегчением вздохнула, прижимаясь к его груди. Он крепко ее обнимал, и она чувствовала, как надежно его руки защищают ее.

— Надеюсь, не уйдешь.

Она подняла голову и поцеловала его, и хотя времени уже было в обрез, они предались любви в последний раз, а потом сидели вместе в ванне, как сидели в эти дни уже много раз, что-то говорили друг другу, смеялись, подшучивали друг над другом, наслаждаясь последними минутами, что они еще могут быть вместе.

Но вот пришло время расстаться, а Тимми не могла заставить себя выйти из своего номера. Остаться бы здесь навсегда, запереть дверь и прильнуть к Жан-Шарлю. Какой абсурд, что она должна проститься с ним, улететь от него на край света, за тысячи миль, а он полетит на другой конец света и тоже за тысячи миль. Он обнимал ее, глядел в ее глаза и видел, какая в них боль.

— Мы скоро будем вместе, обещаю.

Ей так нравилось, что он успокаивает ее, и все в нем внушало доверие. Могла ли она подумать, что снова сможет кому-то поверить, и вот поди ж ты — верит ему безусловно, безоглядно. И молится, чтобы только ей в нем не ошибиться. Впрочем, ей иного и не оставалось, как только верить ему. Она теперь принадлежит ему, что бы их ни ждало, — пусть радость, пусть горе. А если Богу так угодно, он принадлежит ей.

Они доехали до аэропорта в ее лимузине, и он проводил ее к столу регистрации. Она летела первой, и они должны были расстаться возле контрольно-пропускного пункта. Но они не могли оторваться друг от друга, и когда она уже прошла через турникет и помахала ему рукой, вид у нее был совершенно потерянный. Жан-Шарль смотрел на нее, и сердце у него разрывалось, казалось, от него уводят маленького ребенка, который ему дороже всего на свете. Ему хотелось перескочить через турникет, обнять ее, прижать к груди и утешить. А когда он перестал ее видеть, он словно и сам умер.

Когда Тимми подошла к выходу на посадку, ее телефон зазвонил — это был он.

— Я ужасно соскучился, — сказал он несчастным голосом. — А что, если нам убежать?

— Я согласна. — Она заулыбалась. Какое счастье, что она опять слышит его! — Когда?

— Прямо сейчас. — Он тоже улыбался, выходя из машины у входа в здание международного аэровокзала, откуда ему было лететь в Париж.

— Благодарю тебя за самые счастливые дни в моей жизни, — нежно сказала она.

— А ты превратила мою жизнь в прекрасный сон, — прошептал он. Он был взволнован так же сильно, как и она. И вдруг засмеялся. — И вернула мне молодость, о которой я и думать забыл, — это ли не подарок. — Они бесконечно занимались любовью, и ночью, и днем, и оба твердили, что ничего подобного с ними никогда не бывало. Они оказались поистине гремучей смесью — порох и искра. Стоило им прикоснуться друг к другу, и все взрывалось. — Позвоню тебе, как только прилечу, — пообещал он. И она знала, что он обязательно позвонит. Жан-Шарль был очень обязательный человек, и ее это восхищало. Ей было тяжело думать, что вот он вернется к себе домой, в квартиру, где все еще живет его жена, но даже это сейчас ужасало ее не так сильно, как раньше. Ему просто нужно время, чтобы со всем разобраться, он должен выполнить обещание, которое дал своим детям. Тимми ему верила. А такой страсти, которая их охватила, невозможно противостоять. Она сейчас знала, что все у них будет хорошо.

Тимми вошла в самолет и нашла свое место в салоне первого класса. Думая о нем и перебирая в памяти события четырех сказочных дней, она закрыла глаза и заснула. И крепко спала до самого Лос-Анджелеса.

Приехав домой, она никак не могла дождаться времени, когда будет можно ему позвонить. Придется ждать до полуночи, тогда у него будет утро, и он уже придет в свою больницу. Но еще задолго до полуночи она заснула, а когда проснулась, было пять утра. Как печально проснуться и не увидеть его рядом... Счастливые дни в Нью-Йорке уже начали казаться ей далеким сном. У него было два часа дня, когда она наконец позвонила ему в пять утра по лос-анджелесскому времени. Он только что вернулся после обеда и страшно обрадовался, услышав в трубке сонный голос Тимми.

— Я ужасно соскучилась, — печально сказала она и тут же заулыбалась.

— И я тоже. Всю ночь не спал и пытался представить, что ты делаешь. Я хочу как можно скорее приехать к тебе повидаться. Я точно наркоман, который остался без наркотиков.

Голос у него был такой же несчастный, как и у нее.

— И я тоже. — В ее голосе зазвенела радость. Она была счастлива, что он тоскует без нее, что его жизнь изменилась, что он больше не может жить как прежде, после того как провел с ней в Нью-Йорке четыре дня, что все время эти дни вспоминает. Ее-то жизнь после этих четырех дней совершенно изменилась, и, как она надеялась, навсегда, но приятно было знать, что и он чувствует все то же, что и она.

— Я скоро приеду в Калифорнию, — пообещал он. Его уже ждали пациенты, и он сказал ей, что позвонит, когда приемные часы закончатся, у нее тогда уже будет позднее утро. Тимми после разговора с ним хотела было снова заснуть, но сон не вернулся. Она ворочалась с боку на бок, думая о нем, о ночах, что они провели вместе, потом легла на спину и улыбнулась, вспоминая все, что он говорил ей тогда, все, что сказал сейчас по телефону. В шесть она наконец встала и оделась, а в половине восьмого уже была в своем кабинете на работе. Она часто приезжала сюда рано, если прилетала из страны с большой разницей во времени или если ей не спалось. В это время работалось особенно хорошо. И в Нью-Йорке, и в Европе все давным давно встали, жизнь была в разгаре.

К половине девятого, когда на работу пришла Джейд, Тимми уже просмотрела стопку бумаг. Джейд обрадовалась, увидев Тимми, и не слишком удивилась, что та сидит и работает. Спросила ее, как она провела выходные в Нью-Йорке.

— Замечательно! — ответила Тимми, сияя. Ее сразу же выдало мечтательное выражение глаз, но главное — она вся так и лучилась счастьем. Джейд сощурила глаза и нахмурилась. Слишком хорошо она знала Тимми — чтобы так сиять после двух-трех походов в музеи и прогулок по магазинам в обществе собственной персоны? Тимми быстро отвела взгляд и стала перекладывать бумаги на своем столе, но Джейд уже догадалась, что произошло в Нью-Йорке, и с еще большей долей вероятности определила, с кем она там была.

— Чую недоброе, — зловеще сказала она, но Тимми только засмеялась.

— Надеюсь, что, наоборот, доброе, — ответила Тимми, безуспешно пытаясь изобразить невинность. — Возможно, это запах наших новых духов.

— Не надо врать. — Не зря же их с Тимми связывали двенадцать лет работы на износ и дружбы, Джейд могла позволить себе говорить Тимми то, чего никогда не посмели бы сказать другие. И Тимми принимала все с веселой шуткой.

И сегодня отнеслась к ее словам так же. — Ты провела выходные с этим парижским доктором, признавайся! — бросила она ей в лицо грозное обвинение, и Тимми кивнула. Ее переполняло счастливое волнение, она гордилась, что этот удивительный мужчина полюбил ее. Сколько-то времени им придется держать все в тайне, но хотя бы с Джейд Тимми не нужно скрывать свою радость, свое счастливое волнение.

— И признаюсь: да, с ним. — Тимми была похожа на кошку, которая поймала и съела канарейку. Нет, уж если ее с кем-то сравнивать, скорее она была похожа на львицу, которая поймала белоголового орлана. От нее исходило такое лучезарное сияние счастья, что впору осветить целую комнату.

— Надеюсь, ты с ним не спала, — беспощадно изрекла Джейд. — Ты дала слово, что не ляжешь с ним в постель до июня, пока он не уедет от своей семьи.

— Ну разумеется, — нагло солгала ей Тимми с самым невинным выражением. Ей ли не помнить, какие зароки она сама себе давала, только жизнь все повернула на свой лад. Она влюбилась в Жан-Шарля как сумасшедшая, и уж где там устоять, когда и сам он был в таком же безумии, да еще у них было целых четыре дня! И она счастлива, что они не сопротивлялись чувству, а сразу сдались. Никогда в жизни она не проводила таких счастливых страстных ночей, и какие бы несчастья ей ни сулила Джейд после того, как Жан-Шарль ее бросит, она не могла не верить, что Жан-Шарль выполнит все, что ей обещал, и уйдет от своей семьи в июне. На этот счет у Тимми не было и тени сомнения. Конечно, Джейд пережила очень тяжелую драму, но у Тимми все обстоит совсем по-другому. Она больше не тревожится, что он оставит ее, и ей не хочется защищать ни его, ни их страстный роман ни перед Джейд, ни перед кем бы то ни было.

— Ох, что-то я тебе не верю, — подозрительно сказала Джейд. — Уж больно хорошо ты выглядишь. У тебя омерзительно счастливый вид. И похорошела ты до полного неприличия. И за милю видно: вот женщина, которая провела весь уик-энд в постели с любовником. Ты, Тимми, мне лжешь. — И тут же добавила встревоженным тоном: — Я только надеюсь, что ты не лжешь себе и что он не поступает с тобой бесчестно.

— Зачем ему поступать со мной бесчестно, — спокойно парировала Тимми. — Я считаю его самым порядочным человеком на свете, если он что-то сказал, он обязательно все выполнит. Я понимаю, что он просто очень любит своих детей.

— А так ты все-таки спала с ним! — грозно закричала Джейд, и Тимми почувствовала себя школьницей, которую обвиняют в том, что она зашла слишком далеко в интимных отношениях со своим бойфрендом. Представив себе такое воочию, она рассмеялась, и в эту минуту в кабинет вошел Дэвид.

— Что тут у вас происходит? Я пропустил самое главное?

— Ты ничего не пропустил, — засмеялась Тимми. — Джейд обвиняет меня бог знает в каких смертных грехах. — Она забавлялась этой сценой от души. И чувствовала, что совершенно уверена в Жан-Шарле вопреки всем угрозам Джейд, которая пережила такой мучительный роман с женатым мужчиной.

— Она провела уик-энд с парижским доктором, — сообщила Дэвиду Джейд. Тимми улыбалась им обоим блаженной улыбкой. Ей нравился тон добродушного подтрунивания и подначивания, который давно установился между ними. Но оба ее помощника знали, где нужно остановиться. Допрашивая Тимми о выходных, Джейд не переходила черту, все было в меру шутливо и доброжелательно, хотя подоплекой шуток была тревога за нее и любовь к ней.

— Так вот зачем ты осталась в Нью-Йорке! — воскликнул Дэвид, глядя на Тимми с восхищением и любопытством. — Молодец. Надеюсь, ты хорошо развлеклась, — сказал он великодушно. Все, что он знал о парижском докторе, вызывало у него одобрение, он если и тревожился за Тимми, то далеко не так, как Джейд.

— Боюсь, даже слишком хорошо, если вам хочется узнать мое мнение, — фыркнула Джейд, и тут Тимми взяла в руки телефонную трубку. Пора было приступать к работе.

Джейд опять завела с Дэвидом разговор о нью-йоркских каникулах Тимми за обедом, когда они, по обыкновению, обменялись гарниром, — жареный картофель на соленые огурчики.

— Волнуюсь я за нее, — честно призналась Джейд. — Именно так все и случилось со мной. Сначала тебе кажется, что ты перенеслась в сказку и что ты самая счастливая женщина в мире. Никогда в жизни ты еще не была так влюблена, а потом эти ребята начинают тебя убивать, но не одним ударом, а медленно. Отменяют свидания в последнюю минуту, отказываются поужинать с тобой; если хотели поехать вместе в отпуск, все обязательно сорвется. Обещают провести с тобой выходные, но опять ничего не получается, потому что надо остаться дома с детьми. Их жены болеют, у детей расстраиваются нервы. Ты все выходные и все отпуска проводишь одна. Тебя ото всех скрывают. И в конце концов если у тебя что остается, так это дурацкие разбитые надежды и мечты. Проходит десять лет, а они по-прежнему живут дома, со своей женой и с детьми. И если продолжаешь терпеть это издевательство, то в конце концов лишаешься всякой возможности завести собственных детей — уже поздно. Не хочу, чтобы такое случилось с Тимми. Конечно, в ее возрасте о детях речь не идет. Я просто не хочу, чтобы у нее из-за него разбилось сердце.

— Кто же хочет, — задумчиво произнес Дэвид. — Такое случилось с тобой, это верно, но ведь совсем не обязательно, чтобы она повторила твою историю. Он, судя по всему, отличный мужик. Врач, с большим чувством долга. Откуда ему было знать, что вдруг встретит Тимми. И по-моему, он поступает очень порядочно, желая выполнить обязательство, которое взял на себя еще до того, как им с Тимми влюбиться друг в друга.

— Я тоже так считала. Но дело вовсе не в обязательствах, а в страхе. Что мы имеем в сухом остатке? Они оказываются слишком слабыми и трусливыми, им страшно уйти из семьи, и так они в ней и остаются.

— Надеюсь, эти обвинения не имеют никакого отношения к нашему парижскому другу, — спокойно возразил Дэвид. — Мы просто должны поддерживать Тимми и ждать, как все повернется. Может быть, он выполнит все, что обещал

265

Тимми. Надеюсь, так и будет. У нас пока нет никаких причин ему не доверять. Пусть он дерзает.

— Я тоже надеюсь, что он выполнит все, что обещал Тимми. Но биться об заклад не стану. Слишком уж много знаю в точности таких историй, как моя, наслушалась от других дурочек. Потому мне и не нравится, что она влюбилась в женатого.

— Я бы не назвал его так уж стопроцентно женатым, судя по тому, что о нем знаю. Я бы назвал его мужчиной, который разводится. Да, он освободится через несколько месяцев, развод дело малоприятное, но Тимми пока вроде бы ничуть не страдает. Вообще-то я никогда раньше не видел ее такой счастливой.

— Я тоже не видела, — со вздохом согласилась Джейд. — Это-то меня и пугает, потому что если все пойдет не так, если он не уйдет из семьи, то Тимми просто не выдержит. Уж я-то знаю.

— Зачем сейчас об этом думать? Поживем — увидим. Я обеими руками за него. — Дэвид твердо стоял на своем.

Джейд только покачала головой и скептически усмехнулась:

— Дай бог, чтобы ты оказался прав.

— Мы все этого хотим, — сказал Дэвид, отодвигая от себя тарелку. — Кстати, как архитектор? Что бы тебе не переключить свое внимание на него и перестать трепыхаться по поводу этого парижского доктора? Тимми большая девочка, сама о себе позаботится. Все сделает как надо, не сомневайся. И он тоже, надеюсь. Давай рассказывай про архитектора.

Дэвид ловко увел ее от болезненной темы, и Джейд с увлечением принялась рассказывать ему о своем новом парне. Он просто замечательный, говорила она, а сайт знакомств — просто восьмое чудо света, без него сейчас все равно что без хлеба и без воздуха.

А сама Тимми, пока Джейд и Дэвид судили и рядили о том, как сложатся ее отношения с Жан-Шарлем, разговаривала с ним по телефону. У него в Париже сейчас было семь вечера, у нее два часа дня.

— Я ужасно скучал по тебе весь день, — грустно признался он.

— И я по тебе. — Тимми сияла улыбкой. Как она рада, что он по ней скучает, а ведь только вчера они сжимали друг друга в объятиях в Нью-Йорке, разве это не чудо? Но с тех пор, казалось, прошло уже много, бесконечно много времени. — Скорее бы ты опять приехал, не могу тебя дождаться.

— Я стараюсь тут все устроить. Мне обязательно нужно найти кого-то, кто бы меня заменил. Мой ассистент обещал подумать и дать мне ответ дня через два.

Неужели Жан-Шарль и в самом деле прилетит к ней в Калифорнию? Немыслимо, невероятно, это же просто чудо!

Она стала расспрашивать его о пациентах, которых он сегодня смотрел, потом рассказала о том, что собирается делать сегодня после обеда, о своей вилле в Малибу, и Жан-Шарль сказал, что ему не терпится увидеть ее виллу и пожить там с Тимми несколько дней. Господи, неужели все это не сон? В нее влюбился этот удивительный, обаятельный, бесконечно добрый и любящий парижский доктор, который оказался к тому же таким страстным любовником, а она, Тимми, влюбилась в него. Они только что провели в Нью-Йорке четыре дня, почти не выпуская друг друга из объятий, и вот теперь он скоро прилетит к ней в Лос-Анджелес, чтобы повидаться! Она и верила, и не верила, и не понимала, на каком она свете... Они разъединились, и она подошла к окну и стала глядеть в него, размышляя о том, какие неожиданные сюрпризы преподносит нам жизнь и какие удивительные дарит подарки, — она дарит надежду, и весь мир сразу меняется. Таким подарком был для Тимми Жан-Шарль, его подарило ей небо. Сколько доброго и прекрасного она получила от жизни, и как она счастлива. И это счастье — Жан-Шарль.

Глава 15

Ассистент Жан-Шарля подумал и через два дня дал ответ, как и обещал: согласился заменить его в марте во время уик-энда. Ассистенту было удобно, чтобы это было — о чудо! — через две недели, и Жан-Шарль тотчас же позвонил Тимми и сообщил радостную новость. А еще до звонка заказал себе билеты. Он едва дождался, когда она ответит, и был счастлив, как ребенок, получивший рождественский подарок, и Тимми тоже. Они все спланировали очень точно и четко. Ей нужно было до этого времени завершить работу над созданием моделей, и она будет трудиться день и ночь, чтобы все успеть к сроку. Тимми хотела посвятить Жан-Шарлю целую неделю. Она сделает перерыв на несколько дней, и они будут проводить время так, как захочет Жан-Шарль, и хотя бы несколько дней проживут на ее вилле в Малибу. Тимми хотела только одного — быть с ним, и он мечтал о том же.

Следующие две недели тянулись нескончаемо долго. Каждый день казался Тимми вечностью и Жан-Шарлю тоже. Она благодарила судьбу за то, что у нее есть работа, она хотя бы все время занята. Забирала работу по вечерам домой, а в выходные делала эскизы моделей и фасонов, наводила порядок в своем доме в Бель-Эйр и на вилле в Малибу. Ей хотелось, чтобы все было чисто и красиво, она выбросила вещи, которые казались ей старыми и неинтересными или просто надоели. Купила в питомнике несколько горшков с домашними растениями, заказала новые полотенца, отвезла в Малибу новое постельное белье. Украшала как могла свое гнездышко для Жан-Шарля, хотя он не уставал повторять, что его интересует только она. За день до его приезда Тимми купила новые диски и для дома в Бель-Эйр, и для виллы. Продумала все до мелочей и купила еду, которая, как ей представлялось, должна ему понравиться. Купила французские журналы и разложила их на кофейном столике. А утром в день его приезда поставила в большую вазу огромный букет. Тимми хотелось, чтобы все было идеально. И как оказалось, даже погода была с ней заодно. Был ослепительно яркий солнечный день, на небе ни облачка, ветерок нежнейший, ласковый. Во всем чувствовалась весна. Тимми знала, что в Париже всю неделю стояли холода, так что Жан-Шарля здесь ждет еще один прекрасный подарок.

Тимми надела бежевые брюки и бежевый свитер, волосы оставила распущенными. На ногах туфли-балетки из кожи аллигатора, в руках бледно-желтая сумка «Келли» от Гермеса, которую она купила в Париже. Когда она выходила из машины в аэропорту, то была похожа на картинку из модного журнала. Нынче утром она не поехала на работу, слишком было много дел дома, наводила окончательный глянец. Кровать застелила идеально отглаженным роскошным постельным бельем «Пратези», для виллы она тоже купила все новое, небесно-голубого цвета с рисунком из мелких морских ракушек. Тимми не знала, заметит он все эти мелочи или нет, но даже если и не заметит, не все ли равно, ей самой хотелось украсить свой дом для него. В офисе она сказала, что ее не будет всю неделю, что в выходные закончила всю свою работу по созданию эскизов и теперь должна сделать перерыв. Когда Тимми уезжала накануне вечером из офиса домой, Джейд под нажимом Дэвида воздержалась от комментариев — в кои-то веки! — но посмотрела на нее с мрачным укором, потом, впрочем, позвонила ей и извинилась. Она в ужасной тревоге, объяснила Джейд, и Тимми сказала, что все понимает. Дэвид пожелал ей удачи, пусть они с Жан-Шарлем забудут обо всем на свете и радуются своему счастью. У Тимми было такое чувство, будто она уезжает в путешествие на медовый месяц. И в каком-то смысле так оно и было. У них с Жан-Шарлем сейчас начнется новая жизнь, вернее, это будет продолжением той новой жизни, которая началась для них в Нью-Йорке. Неужели им опять будет так же хорошо вместе, неужели это возможно? Нет, Тимми не будет об этом думать, и он тоже не думал. Он говорил, что хочет только одного — видеть ее. Накануне вечером, перед тем как садиться в самолет, он позвонил ей и потом отключил свой телефон. Оба волновались, как подростки. Ему предстояло лететь одиннадцать часов, и Тимми подъехала к аэропорту как раз к тому времени, как его самолет должен был садиться. Она была уверена, что он сейчас, подлетая к Лос-Анджелесу, волнуется так же сильно, как и она. И едва это свое волнение сдерживала, дожидаясь, пока он пройдет таможенный контроль.

Она стояла у выхода из зала иммиграционного контроля, и вот двери открылись, и она увидела, что он идет к ней, широко шагая, в брюках и свитере, блейзер накинут на плечи, голубой воротничок рубашки расстегнут, из кармана блейзера свисает красный галстук. Он был небрежно элегантен, как истинный француз, и очень красив, и сиял радостной улыбкой, глядя на Тимми. Мгновение — и они оказались в объятиях друг друга, он прижал Тимми к себе так крепко, что она задохнулась, и поцеловал. Их охватило такое счастье от того, что они снова вместе, что ни он, ни она сначала не могли произнести ни слова. Да и зачем им слова? Все, что они хотели сказать друг другу, сияло на их лицах.

— Как я скучала, — едва переводя дух, прошептала Тимми; она не могла оторвать от него рук. Прошло всего две недели, а обоим им казалось, что они не виделись чуть не тысячу лет. И сейчас без конца целовались, им было даже трудно идти.

— И я. — Жан-Шарль блаженно улыбался. — Думал, самолет никогда не прилетит. Он летел целую вечность.

Полет и в самом деле был долгий, но Жан-Шарль наконец прилетел!

— Ты устал?

Ей хотелось заботиться о нем, баловать его, исполнять все его желания, прихоти, и он был от этого в восторге.

— Нисколько. — Он сиял. — Я весь полет проспал. Посмотрел два фильма и съел отличный ужин. — Тимми знала, что на рейсах «Эр Франс» пассажирам первого класса подают черную икру. — Что будем делать сегодня? — с интересом спросил он. Но больше всего ему хотелось одного, и, как только они сели в машину, он выполнил это свое желание — поцеловал Тимми и нежно положил руку ей на грудь. Все то время, что они не виделись, он тосковал по ее телу. И вот сейчас они снова вместе, и не в Нью-Йорке, а в Калифорнии, как в это поверить!

— До чего же я счастлива, что ты здесь, — говорила Тимми, не в силах перестать улыбаться. Ей не терпелось показать ему свои любимые места, свой дом в Бель-Эйр, виллу на берегу океана, пойти с ним погулять по улицам, приготовить для него ужин, сходить в какой-нибудь ресторан, показать его людям — пусть все видят, какой он замечательный, — смеяться с ним, спать, заниматься любовью... Их ждало сказочное королевство счастья, и самым главным сокровищем в этом королевстве была их любовь, и оба они это знали.

Они ехали в Бель-Эйр по шоссе Санта-Моника-Фривей, которое оказалось на удивление незагруженным, по дороге о чем только не болтали, Жан-Шарль говорил Тимми, как важно для него быть с ней здесь, в ее привычной обстановке. Ему хотелось узнать о ней все до мельчайших деталей, разделить с ней мир, в котором она живет. Время за разговором летело незаметно, не прошло и часа после того, как она его встретила, а они уже подъехали к ее дому.

Тимми вошла в дом, Жан-Шарль за ней. Его поразило, с каким вкусом она здесь все декорировала, какой спокойный, умиротворяющий интерьер в гостиной, как гармонично в него вписываются картины и вазы. Он принялся все рассматривать, любовался всем, что она сделала, а потом его вдруг точно магнитом притянуло к книжному шкафу, он остановился и стал рассматривать фотографию Марка — все произошло так, как и должно было произойти. Жан-Шарль сразу понял, кто этот мальчик. Тимми молча смотрела на него, а он взял в руки снимок и стал вглядываться в глаза мальчика.

— Это ведь твой сын? — тихо спросил он. Она кивнула, и он увидел в ее глазах боль, которая никогда не изгладится.

— Да. Это Марк.

— Прелестный мальчик, — тихо сказал он, ставя снимок на место, подошел к ней и обнял. — Любимая моя, какое это горе... какое ужасное горе... Как бы я хотел, чтобы судьба тебя пощадила. — Она еще раз кивнула, и он положил руки ей на плечи. Она не заплакала, просто стояла и горевала о Марке и еще чувствовала в своей душе любовь к Жан-Шарлю. В эту минуту ее любовь к этим двум существам слилась в единое чувство, и хотя это чувство было окрашено печалью, оно принесло умиротворение. Тимми чуть отклонилась и улыбнулась ему, и тогда он опять ее поцеловал. Ее душа была полна, нежность и счастье переливались через край.

— Хочешь есть? — спросила она, идя вместе с ним в кухню, и он опять ее обнял. Казалось, он не может оторвать от нее рук. В ответ на ее вопрос он лишь засмеялся.

— Нет, любимая, я хочу только тебя. Я начал тосковать по тебе в ту самую минуту, как мы расстались.

Она улыбнулась счастливой улыбкой и тоже прильнула к нему.

— Но тебе все же надо поесть. — Она накупила столько всякой еды, которая могла бы ему понравиться, даже длинный французский багет; она заметила еще в Нью-Йорке, что он за едой не обходился без багета.

— Я все время полета только и делал, что ел. И сейчас есть не хочу. Хочу только тебя, — повторил он, целуя ее, и она почувствовала себя героиней романтического французского фильма о любви.

Тимми показала Жан-Шарлю весь дом, и наконец они дошли до ее спальни. Шторы были раздернуты, в окна лился яркий солнечный свет, кровать безупречно застелена, на низеньком столике возле нее огромный букет цветов в вазе. Жан-Шарль обвел взглядом спальню и улыбнулся.

— Как тут все красиво, Тимми. У тебя замечательный дом. — Ему очень нравилось любоваться ею именно здесь, дом идеально к ней подходил. Здесь царили небрежная элегантность, не бросающаяся в глаза роскошь, теплота, радушие, гостеприимство, артистичность, творческая мысль — все, что было свойственно и ей. Да, именно в таком доме она и должна жить.

Тимми не успела поблагодарить Жан-Шарля за добрые слова, он подхватил ее на руки и медленно понес к кровати.

— Я так устал, — лукаво прошептал он, — мне так хочется отдохнуть...

Она засмеялась, а он бережно опустил ее на постель, и она протянула к нему руки.

— Иди ко мне, любимый...

В ее глазах было столько любви, что он утонул в ней. Не Они начали срывать друг с друга одежду; мгновение — и вся она уже была разбросана по полу, а их обнаженные тела, так истосковавшиеся друг по другу, так же страстно переплелись и слились на постели, как сливались в Нью-Йорке. Но сейчас, в ласковом, интимном гостеприимстве ее дома, все было еще прекраснее. У нее было такое чувство, что она целиком и безраздельно принадлежит ему и всегда будет принадлежать, а ему казалось, что наконец-то он пришел к себе домой.

Они заснули, проснулись и опять предались любви, снова заснули, а когда решили встать, на улице уже стемнело. Тимми не могла нарадоваться на него, а он на нее. Они нескончаемо дарили друг другу себя, свои мысли, свою душу, свое сердце, свое тело... Жан-Шарль в какой-то миг сказал, прижимая ее к себе, что сейчас у них не два сердца, а одно, и она чувствовала то же самое. Каждое их соитие было так же прекрасно, как и первое, нет, каждое следующее казалось еще прекраснее...

Вечером они спустились на кухню в одних только купальных халатах на голое тело, и она приготовила ему омлет и салат и подала сыр бри и столь любимый им французский багет. Это был идеальный ужин, а после ужина они снова вернулись в спальню и снова прильнули друг к другу, а потом долго и блаженно сидели в ванне и разговаривали. Когда они были вместе, им казалось, что они перенеслись на другую планету, там не было часовых поясов, никто никого ни к чему не принуждал, не налагал ни за что ответственности, не требовал, чтобы люди что-то делали, чтобы, например, завтракали, обедали и ужинали в определенное время. Тимми и Жан-Шарль делали только то, что хотели, и все, что они хотели делать, делали вместе. За все время, что они провели вместе, у них не выдалось ни единой минуты, когда бы они отошли друг от друга. Обычно Тимми утомляло чье-то постоянное присутствие, и Жан-Шарля тоже, но сейчас оба с удивлением заметили, что им легко и приятно общество друг друга и что чем больше они остаются вместе, тем больше им не хочется разлучиться хотя бы на миг. Оба они попали в ловушку, у них развилась сильнейшая зависимость друг от друга, и они сами выбрали этот наркотик.

Когда они наконец заснули, была уже глубокая ночь. В Париже было около пяти дня, но что Жан-Шарлю до парижского времени! Проснулись они в десять утра, и, как только Жан-Шарль открыл глаза, он объявил, что умирает с голоду. Взглянул на свой турбийон и увидел, что в Париже время ужина. На этот раз Тимми поджарила ему стейк, потом они приняли душ и с великой неохотой оделись. Был такой же яркий весенний день, как и вчера, и они решили ехать в Малибу.

Выехали они уже за полдень, она медленно вела машину по Пасифис-Коуст-хайвей, а он любовался и ею, и пейзажем.

— Какая здесь красота, Тимми. И какая же ты красавица.

Никогда в жизни у Жан-Шарля не было такого сказочного дня, никогда в жизни он не был так счастлив. А когда увидел ее виллу на берегу, то ахнул от восхищения.

— Да это же просто чудо! — воскликнул он, оглядывая все вокруг. Ему нравилось все — и то, как Тимми декорировала виллу, ее белые и голубые тона, прекрасная открытая веранда, пляж, безбрежный океан. Они сразу спустились на пляж и пошли вдоль берега по щиколотку в воде, шли, пока не устали, потом повернули обратно и вернулись на виллу.

— Я мог бы жить здесь всегда, — мечтательно сказал Жан-Шарль.

— Как бы мне этого хотелось, — прошептала Тимми. У него в Париже своя налаженная жизнь, высокий статус всеми уважаемого врача и профессора, который он заслужил долгими годами труда, дети, которых он любит. А у Тимми здесь империя, которой она управляет. И оба знают, что если они хотят быть вместе, им придется продолжать трудиться так, как они трудятся сейчас, при малейшей возможности летать друг к другу, а все остальное время прозябать в тоске. Но, встретившись всего два раза, оба поняли, что как раз разлуки-то они и не вынесут. Жан-Шарль хотел быть с ней каждый день, вот так, как сейчас, а Тимми ни о чем другом и мечтать не могла, это было гораздо больше того, чего она ожидала.

Потом они долго лежали в шезлонгах на веранде, впитывали в себя солнце и разговаривали, разговаривали... Жан-Шарль ненадолго задремал — он все еще жил по парижскому времени, совсем в другом часовом поясе, а она лежала рядышком и караулила его сон — вольно раскинувшийся лев и его львица. Ей даже казалось, что он вот-вот замурлычет. Приближался вечер, становилось прохладно, и Тимми укрыла Жан-Шарля кашемировым пледом. Но вот солнце закатилось, и тогда она его разбудила; и они вместе вошли в дом и затопили в гостиной камин. А потом сели возле него и опять разговаривали. Тимми старалась избегать всех тем, которые могли быть связаны с их будущим, и уж тем более не спрашивала его, когда он уйдет от жены. Не хотела давить на него, пытаясь узнать, что он намерен делать и когда. Она доверяла ему совершенно. А вот о детях рассказать попросила.

— Жюли очень сдержанная девочка, даже, пожалуй, замкнутая. У нее прекрасный вкус. Она похожа на мать. И не так близка со мной, как мне бы хотелось. Она словно кошка — гуляет сама по себе, за всем внимательно наблюдает, все замечает. От ее взгляда ничто не укроется. Она очень близка с матерью и сестрой, но вот с Ксавье у нее такой дружбы нет. Он старше ее на шесть лет, и когда был маленький, терпеть не мог девчонок. Они вечно у него что-то брали, все ломали, любили играть в его комнате и устраивали там погром. А уж как дразнили, когда он приглашал к себе в гости девушек. И кончилось тем, что Ксавье вообще перестал приглашать девушек, и, наверное, правильно сделал... А Софи пятнадцать лет, и с ней очень легко. Мне кажется, она во многих отношениях еще совсем ребенок. Жюли гораздо более взрослая, любит красивую одежду, умеет хорошо выглядеть. А Софи иногда просто мальчишка-сорванец, а потом глядишь — нет, она женщина, истинная женщина, и столько в ней женских хитростей, уловок, словом, она вьет из меня веревки. Ксавье для нее — идеал мужчины, герой, а я всегда и во всем прав. Но с матерью они не ладят. Думаю, это возраст. Жюли в пятнадцать лет тоже не ладила с матерью. А сейчас они просто настоящие заговорщицы и плетут свои заговоры, в основном против меня.

Жан-Шарль улыбнулся. Было видно, как сильно он любит свою семью, какая близкая дружба у него с детьми. Тимми любила его за это только еще сильнее и жалела, что ей уже так много лет. Встреть они друг друга раньше, Тимми была бы счастлива родить ему ребенка, когда они наконец устроят свою совместную жизнь, она это вдруг с изумлением поняла, раньше ей ничего подобного в голову не приходило. И ночью, когда они лежали в постели, Тимми рассказала ему об этом. Жан-Шарль был взволнован и тронут до глубины души. Ему страстно хотелось, чтобы у них был ребенок.

Он долго смотрел на нее с нежностью, потом спросил:

— А это возможно?

Спросил осторожно и деликатно, но очень серьезно.

— Возможно, но вряд ли вероятно. Думаю, в моем возрасте это было бы не так-то легко. Даже уверена. — Тимми вдруг стало грустно оттого, что она так бездарно растратила впустую двенадцать лет своей жизни после смерти Марка. До встречи с Жан-Шарлем она никогда не думала, что можно родить еще одного ребенка. — Я иногда думала, что хорошо бы кого-нибудь усыновить. — Тимми рассказала ему о приюте Святой Цецилии, и он изумился тому, как много она для него делает, как искренне любит сирот, которым дает кров и семью. — Мне кажется, я потому никого так и не усыновила, что боялась еще раз слишком сильно полюбить, — объяснила Тимми не только Жан-Шарлю, но и самой себе. — Не только ребенка, но даже и мужчину. Насколько легче жить, когда держишься от всех на расстоянии.

— А сейчас? — спросил Жан-Шарль, обнимая ее. — Ты все еще боишься?

Тимми не сразу ответила, и он прижал ее к себе еще крепче.

— Нет, сейчас не боюсь. Когда я с тобой, я ничего не боюсь, — нежно прошептала она. — Боюсь только потерять тебя. Не хочу больше никогда терять тех, кого люблю.

— Никто этого не хочет.

И все же оба они знали, что многие легче смиряются с потерей любимых, чем Тимми, слишком уж много горя выпало на ее долю.

Они снова заговорили о его детях, говорили о его жизни, о ее жизни, обо всем на свете, говорили и не могли наговориться, а потом, как всегда, их охватила страсть, и, как всегда, потом они заснули, а проснувшись, снова устремились друг к другу... Их желание не иссякало, и когда в четыре утра он снова пожелал Тимми, она принялась подшучивать над ним. Сказала, что он ей солгал, ему не пятьдесят лет, а гораздо меньше. Мужчина в его возрасте не может так пылать страстью. Но он, как выяснилось, мог. Тимми смеялась и говорила, что он, конечно же, колдун, и Жан-Шарлю это было страшно приятно. Разжав наконец объятия, они вышли на веранду в купальных халатах, которые Тимми привезла из города, легли на шезлонгах и стали смотреть на звезды, держа друг друга за руку. Для Тимми это были минуты величайшего счастья, давно она ничего подобного не переживала, — а может быть, и вообще никогда не переживала.

Наконец они заснули в объятиях друг друга и на этот раз проспали почти до полудня. Тимми заварила для него чай и подала круассаны, а потом они пошли гулять по пляжу.

Тимми и Жан-Шарль прожили на вилле в Малибу четыре дня. Жан-Шарлю было здесь так хорошо, что он не хотел отсюда уезжать. В мире Тимми его окружали покой, любовь, умиротворенность, и это было чудо. Он словно спрятался в кокон, нигде и никогда в жизни ему не было так отрадно и уютно. И он чуть ли не с отвращением думал о том, что надо будет возвращаться в Бель-Эйр, хотя ему, конечно, хотелось познакомиться и с лос-анджелесской жизнью Тимми. А пока они ходили в ресторанчики, заглядывали в антикварные лавки, подолгу гуляли, пили капучино в ее любимой кофейне. Плавали в бассейне, часами нежились в теплой ванне, а по ночам в ее огромном мраморном джакузи. Большую часть времени они проводили в постели и в воде, точно младенцы в материнском лоне. Они и чувствовали себя близнецами, их души связывала пуповина любви.

И вот наступила их последняя ночь, она пролетела слишком быстро, как и вся неделя, что они провели вместе. Они лежали в ее огромной роскошной кровати и разговаривали, радовались тому, что пережили сейчас столько счастья, строили планы о том, как и когда им будет можно встретиться в следующий раз. И бесконечно удивлялись тому, что их страстный роман начался всего месяц назад. Им обоим казалось, что они всегда были вместе. Рассказывали друг другу о своих детских страхах и горестях, гадали о будущем, о детях... Детей у них скорее всего не будет, а вот будущее — они надеялись, что будущее у них есть. Но всему свое время, говорил ей Жан-Шарль всякий раз, как речь заходила об их будущем.

В тот день, когда ему надо было возвращаться в Париж, Тимми отвезла его в аэропорт. У обоих было тяжело на душе. За эту неделю они еще сильнее привязались друг к другу. Они уже привыкли жить вместе, делать то, что им обоим нравится. Тимми знала, что Жан-Шарль любит есть на завтрак, и с радостью все это готовила. Они часами занимались любовью, и это было нескончаемое счастье. Знали привычки и потребности друг друга, тайны, все события жизни, уязвимые места, глубинные, никому больше не известные страхи. Казалось, уже не осталось ничего, чего бы они не знали друг о друге. И все это они успели узнать за такое короткое время. А теперь им предстоит расстаться, они должны научиться жить друг без друга до следующей встречи. Это все равно что научиться жить без рук или без ног. Они знали, что, как и после первой разлуки, им потребуются гигантские усилия, чтобы войти в прежнюю колею, когда они сейчас расстанутся, и ни он ни она не хотели об этом даже думать. Жить врозь — какой абсурд! Они так щедро, так безудержно дарили друг другу свою любовь. И оба были убеждены, что время, которое они провели вместе, было великим даром небес.

За эту неделю, что Тимми прожила сейчас с Жан-Шарлем, случилось нечто, чему никто и никогда не смог бы поверить: она ни разу не позвонила в свой офис. И запретила звонить себе своим помощникам, ну разве что здание их штаб-квартиры сгорит дотла. Со всеми остальными проблемами пусть справляются сами. Тимми хотела, чтобы каждая минута ее жизни была посвящена Жан-Шарлю. И потому он не смог в полной мере осознать, как бесконечно много она трудится и в каких заботах проходит ее жизнь, когда его с ней нет. Но Тимми решила, что так будет лучше. Хотела сосредоточить и самое себя, и всю свою жизнь на Жан-Шарле, пока он здесь, и он был от этого в восторге. Равно как и она от этой своей новой роли. Чего ей не хотелось, так это быть в его присутствии генеральным директором «Тимми О». Нет, она будет с Жан-Шарлем всего лишь женщиной, которая его любит. И это казалось ему просто идеальным. Оба были счастливы. А Тимми только с Жан-Шарлем и почувствовала себя настоящей женщиной, ничего подобного в ее жизни раньше не было.

Тимми стояла и смотрела, как Жан-Шарль сдает багаж на стойке «ЭрФранс» и получает посадочный талон, и сердце ее разрывалось. Он убрал свой паспорт, и ее глаза начали наполняться слезами. Они немного постояли у стойки, потом отошли в терминал аэропорта... Но время бежало неумолимо, и ему еще нужно пройти процедуру службы безопасности, потом контрольно-пропускной пункт, выход на посадку... А ей нельзя идти с ним. Он стоял и долго-долго обнимал Тимми, целовал ее, прижимал к себе, и душу его переполняла любовь. Он просто не мог с ней расстаться. А Тимми, как и всегда с самого детства, прощаясь с теми, кого любила, чувствовала себя маленькой девочкой, которую предали и бросили, только сейчас эта горечь оставленности была особенно мучительной. Ведь знала она, что увидит Жан-Шарля вновь, и, Бог даст, произойдет это скоро, и все равно любая разлука с ним оказывалась для нее трагедией. У нее в висках билась одна мысль — а вдруг он не вернется, как ей тогда жить? Жан-Шарль уже знал об этом ее страхе и без конца твердил ей, что вернется, что обязательно вернется. Она ему верила, и все равно было невыносимо видеть, как он уходит.

— Люблю тебя, — прошептал Жан-Шарль в последний раз перед тем, как пройти через рамку, которая окончательно отрежет их друг от друга. Неотвратимое свершилось, они были разлучены.

— Я так тебя люблю... скорей бы снова встретиться... — лепетала Тимми.

Она не представляла себе, как он сможет еще раз прилететь к ней в Калифорнию. Ведь у него пациенты, он не может их бросить на целую неделю. Им выпала редкая удача, подарок богов, они оба это понимали.

— Когда ты опять приедешь в Париж? — спросил Жан-Шарль, охваченный почти такой же паникой, как и она, оттого что они расстаются. Его жизнь без нее была пустой и бессмысленной, как жить в такой пустоте?

— Приеду как только смогу, — пообещала Тимми. Ну конечно, она к нему приедет! Ей так легко найти какой-нибудь предлог. Да и предлогов никаких искать не надо, она просто изменит график своих поездок и полетит в Париж. Но в Париже не так-то все просто. Жан-Шарль еще не уехал из квартиры, в которой живет с женой и дочерьми, поэтому вместе они жить не смогут. А переехать на эти дни к ней в отель ему тоже будет неловко, их наверняка узнают, и она будет скомпрометирована, ведь он еще не оформил официально соглашение с женой об их раздельном проживании. Они обсуждали другую возможность — снять квартиру и жить там, пока Жан-Шарль не разведется и не купит для себя жилье. Это будет совсем скоро. Они дали друг другу клятву, что обязательно что-нибудь придумают. И вдруг Жан-Шарль почувствовал, что хочет жить с ней всегда, каждый день, потому и попросил приехать в Париж.

— Я постараюсь, — повторила она, и он снова ее поцеловал, наконец все-таки оторвался, сделав над собой чуть ли не сверхчеловеческое усилие воли, и с мрачным выражением на лице прошел через рамку. Но потом остановился и улыбнулся Тимми. У обоих в глазах стояли слезы, и ее это растрогало до глубины души, хоть она и назвала себя при этом дурочкой. Оба они были такие прекрасные дурачки, сентиментальные и романтичные. Но и в этом они были зеркальным отражением друг друга. А еще в мыслях, во взглядах, мнениях, в поступках. Тимми только диву давалась. Оба были убеждены, что их встреча произошла не без участия высших сил, и насколько это лучше, чем сайт знакомств. Их предназначил друг другу сам Господь Бог.

Жан-Шарль пошел на посадку, не переставая махать ей рукой, и крикнул: «Люблю тебя, люблю!» Она тоже крикнула ему: «Люблю!» — но вот он повернул к залу, где был выход на посадку, и она перестала его видеть, он скрылся из глаз. И Тимми охватила непереносимая тоска утраты, в душе возникла холодная, мертвая пустота.

Проводив Жан-Шарля, Тимми вернулась на стоянку, села в свою машину и несколько минут сидела без движения. В салоне еще ощущался запах его лосьона после бритья, она чувствовала на своих губах прикосновение его губ, словно его дух остался с ней и не хочет ее покидать. Потом она медленно, вся полная мыслями о нем и обо всем, что им подарила эта неделя, тронулась с места. И поехала к себе, в дом, который целую неделю был их любовным гнездышком, в котором стояла кровать, где они подарили друг другу столько страсти и столько счастья. Казалось, теперь все в ее доме пронизано им. Тимми не знала, когда он сюда вернется, зато знала каждой клеточкой своего существа, что она принадлежит ему, а этот дом — его и ее дом. Жан-Шарль оставил здесь на всем свою особую печать, как и на ней, Тимми, когда они влюбились друг в друга в Париже. Отныне она и его возлюбленная, его любимая женщина.

Глава 16

Прошло три недели, Жан-Шарль и Тимми без конца звонили друг другу, говорили, как друг друга любят, обменивались е-мейлами по многу раз в день. Пока у них еще не было ясных планов, где и когда они встретятся, но они лихорадочно их строили и волновались, точно голодные львы, которые мечутся по клетке, когда смотритель не пришел в урочный час их кормить.

Джейд и Дэвид сразу заметили, что Тимми очень расстроена, что она с радостью хватает телефон, когда он звонит, и очень много времени проводит у компьютера, печатая ему письма. Когда Джейд и Дэвид говорили ей, что звонит Жан-Шарль, она вспыхивала от радости. Все ее мысли были только о нем, единственно, чего ей хотелось, это увидеть его. Да, Тимми непереносимо тосковала о нем, и все же у нее было утешение: она знала, что он ее страстно любит и так же отчаянно стремится к встрече, как и она. Тимми была уверена, что они скоро будут вместе, просто пока они еще не придумали, как это осуществить. Но ни у него, ни у нее не было и тени сомнений, что большую часть времени они будут вместе, надо только дождаться июня, когда он переедет из их общей с женой квартиры.

А пока они жили ожиданием следующей встречи. В Париже началась эпидемия какого-то очень тяжелого гриппа, считалось, что его штамм занесен из Северной Африки, и Жан-Шарлю некогда было перевести дух — больных поступало все больше и больше. Они разговаривали по телефону утром и вечером, Тимми все пыталась придумать, как бы ей вырваться, но тут на фабрике в Нью-Джерси опять начались серьезные неприятности. Профсоюз грозил объявить «дикую» забастовку, большинство сотрудников советовали Тимми плюнуть на профсоюз. Она и склонялась к тому, чтобы плюнуть, хотя и понимала, что даст этим ребятам в руки опасное оружие, которое они могут обратить против нее, а этого ей никак не хотелось. Лучше бы все-таки как-то всех умиротворить, пусть даже за это придется заплатить дорогой ценой. И пока она обсуждала со своими юрисконсультами, как уладить конфликт, один из крупнейших универсальных магазинов, который продавал одежду «Тимми О», захотел утроить свой заказ, и это создало еще одну производственную проблему.

Тимми в конце концов решила, что придется ей лететь в Нью-Йорк и лично со всеми договариваться. Прошло три недели с того времени, как она рассталась с Жан-Шарлем, и оба они были на пределе отчаяния. И тут вдруг Тимми озарило, что конфликт на восточном побережье ей послала сама судьба, это ее счастливый шанс, хоть ей, возможно, предстоит пережить стресс долгих, изматывающих переговоров. Она позвонила Жан-Шарлю и рассказала о своей непредвиденной поездке — летит она завтра утром. Конечно, ему ох как нелегко сразу сорваться с места, бросив своих больных.

— Наверное, я там пробуду три-четыре дня, — объяснила она ему, и это означало, что к этим трем-четырем дням можно будет приплюсовать выходные. — У тебя нет никакой возможности выкроить два дня и прилететь?

Все это время Тимми не выезжала за пределы Калифорнии, ей и на западном побережье хватало проблем самого разнообразного толка, а на Жан-Шарля навалилась целая лавина работы — его ассистент, который обычно брал на себя пациентов Жан-Шарля, когда тот уезжал, сломал ногу на лыжах. Но несколько дней назад Жан-Шарль сказал Тимми, что его ассистенту уже лучше.

Услышав, что Тимми летит на восточное побережье, Жан-Шарль обрадовался как ребенок. Если говорить об организационной стороне дела, то встретиться в Нью-Йорке гораздо проще, ведь туда лететь всего шесть часов, а в Калифорнию почти в два раза дольше — одиннадцать, на дорогу приходится тратить целые сутки. Конечно, Нью-Йорк для Жан-Шарля намного более доступен.

— Сделаю все, что смогу. Мой ассистент снова приступил к работе, нога все еще в гипсе, но он может ходить. — Жан-Шарля охватил ужас, когда он увидел своего молодого помощника обездвиженным и беспомощным сразу после травмы. — Позвоню тебе вечером, — пообещал он. Тимми заверила его, что он может позвонить ей хоть в последнюю минуту. Она надеялась пробыть в Нью-Йорке несколько дней и провести с Жан-Шарлем выходные. Для них обоих это уже давно стало вопросом жизни и смерти. Жить так долго в разлуке было непереносимо, они терзались и мучились. И сейчас оба были счастливы, что появилась возможность встретиться. Эти три недели, когда они были физически разъединены, показались им вечностью, хотя они без конца разговаривали по телефону, обменивались е-мейлами, делились друг с другом всем, что происходит в их жизни, объяснялись в любви. Тимми и представить себе не могла, что в мужчине может быть столько нежности, как в Жан-Шарле.

Он позвонил Тимми, когда у нее была полночь, а у него в Париже уже наступило завтра и было девять утра, и сказал, что ему удалось обо всем договориться. Он вылетает из Парижа в четверг вечером, после работы, восьмичасовым рейсом, самолет приземлится в Нью-Йорке, когда по местному времени тоже будет восемь, и сможет остаться до вечера воскресенья, а обратно полетит ночным рейсом. Ассистент согласился заменить его на эти три дня, хотя сломанная нога все еще в гипсе. Жан-Шарль был окрылен, Тимми тоже. В предвкушении встречи с Жан-Шарлем ей будет легче одолевать трудности, которыми ей грозит предстоящая неделя, а трудности эти были нешуточные. Но зато потом их обоих ждет великая награда.

Тимми крепко заснула, мечтая о выходных, когда он еще раз прилетит к ней и она его встретит, — какое же это счастье! Летела она в Нью-Йорк первым утренним рейсом, а это означало, что ей вставать ни свет ни заря, выехать из дома она должна в пять утра. Это был бизнес-рейс, и в салоне первого класса была еще только одна женщина кроме Тимми. Все остальные были мужчины чрезвычайно солидного и респектабельного вида, и, как всегда, с Тимми полетел Дэвид. Джейд осталась дома защищать крепость. И на этот раз Тимми с Дэвидом и со своими юрисконсультами тоже сумела договориться с профсоюзными деятелями, которые готовы были конфликтовать по поводу и без повода, — форменная пороховая бочка, готовая в любую минуту взорваться. Решить их проблемы раз и навсегда, и тем более в короткий срок, было невозможно, но Тимми хотя бы удалось выторговать почти два года мирного сосуществования с помощью компромиссов, на которые пришлось пойти. Они даже придумали, как выполнить тройной объем заказов, увеличив производственные мощности на Тайване и наняв необходимый штат рабочих. К вечеру четверга, когда должен был прилететь Жан-Шарль, Тимми навела во всех делах фирмы порядок, хотя вид у нее был измученный, и Жан-Шарль встревожился, увидев ее. Она похудела со времени их последней встречи, и сейчас, пока Жан-Шарль был с ней, он старался как можно чаще ее кормить. А Тимми, когда бывала с ним, освобождалась от всех забот и тревог. Так все случилось и сейчас. Он приехал в гостиницу, и они тотчас же кинулись в объятия друг к другу. И хотя они каждый вечер ходили в какой-нибудь ресторан ужинать, большую часть времени все же проводили у себя в номере. Все три дня шел дождь, и Тимми больше всего на свете хотелось лежать с ним в постели, обнявшись, разговаривать, заниматься любовью, и ему это казалось бесконечным наслаждением. Они дарили друг другу не только счастье страсти, которая казалась им неутолимой, не только безоглядную щедрость любви, но и великий душевный покой и утешение, которые помогали им держаться на плаву и давали силы жить, когда они были вдали друг от друга. Тимми вздохнула с облегчением, когда Жан-Шарль сказал ей, что через два месяца уедет из квартиры, где живут его жена и дочери. Сказал также, что дочери смирились с его отъездом, и у квартиры даже наметились потенциальные покупатели, их несколько. Жан-Шарль был по-прежнему убежден, что к началу июня узел его домашних проблем развяжется, и Тимми с замиранием сердца этого ждала. Ведь тогда он уже будет один, и в Париже они смогут жить вместе. Он хотел, чтобы Тимми помогла ему выбрать квартиру и декорировать ее вместе с ним. Хотел, чтобы отныне она принимала участие во всех сторонах его жизни, и надеялся, что через несколько месяцев сможет познакомить ее со своими детьми. Тимми все это очень радовало.

В субботу вечером они отказались от заказанного столика в ресторане Джузеппе Чиприани, им не захотелось уходить из своего номера в гостинице. На улице лил дождь, и им было так отрадно и уютно в постели, они наслаждались каждой минутой, проведенной вдвоем. Тимми сказала, что ей не хочется одеваться и идти в модный ресторан, и они остались в своем коконе, дремали, разговаривали, а когда стали заниматься любовью ночью, Тимми почувствовала какую-то особенную, новую и совершенную близость с ним, она не чувствовала такого раньше. Их любовь была полна такой страсти, и они порой достигали в этой страсти таких захватывающих дух высот, что становилось страшно, слишком уж много они друг для друга значили. Казалось, что на какое-то мгновение сливаются не только их тела, но и души, и сердца, и мысли. Жан-Шарль тоже почувствовал это ночью, и когда они выпустили друг друга из объятий, в ее глазах стояли слезы. Никогда в жизни ни с кем она не ощущала ничего хоть отдаленно напоминающего это удивительное состояние. И все, что они делали вместе, связывало их так же сильно, как физическая близость, а после близости, когда она лежала в изнеможении с ним рядом, ее душа распахивалась перед ним и желала остаться в таком же нерасторжимом слиянии. Каждая близость была еще прекраснее предыдущей и открывала для них что-то новое и неизведанное. И сегодня она пролежала в его объятиях всю ночь, крепко к нему прижавшись, и его руки ни на миг не ослабили объятий. Она незаметно уплыла в сон, а Жан-Шарль лежал и смотрел на нее спящую, и сердце его переполняла невыразимая нежность. Она еще раньше нашла на его теле такие точки, о значимости которых он и не подозревал, и сегодня они сделали еще новое открытие. Она подарила ему себя и приняла от него в дар то, что он ей преподнес. И всю ночь, пока Тимми спала в кольце его рук, ей снилось, что он и она — одно существо.

Спали они долго, а когда наконец проснулись, то увидели, что лежат лицом к лицу, и тотчас же заулыбались. Оказывается, они спали не только лицом к лицу, но и нос к носу, губы к губам. Он поцеловал ее, и они так и остались лежать, вставать им совсем не хотелось. Тимми за всю ночь так и не переменила позы. Жан-Шарль заказал для них завтрак в номер, завтрак принесли, но Тимми все равно не вставала. Лежать бы вот так всегда в его объятиях и дремать. Наконец она все же поднялась и только ради него умылась и причесалась. Когда Тимми села завтракать рядом с ним, она показалась Жан-Шарлю необыкновенно красивой. И он, и она пробежали взглядом какие-то статьи в воскресной газете и стали их обсуждать. Тимми всегда набрасывалась на новости делового мира, а Жан-Шарля интересовала научная рубрика. Сколько всего увлекательного, о чем можно поговорить за завтраком; да, в совместной жизни скучать им не придется.

После обеда они пошли в Метрополитен-музей, потом под дождем вернулись в гостиницу. Тимми была бесконечно счастлива и умиротворена. Перед тем как ехать в аэропорт, они в последний раз предались любви, хотя Тимми все еще казалась сонной. На этот раз она так устала к приезду Жан-Шарля, что никак не могла выспаться. По дороге в аэропорт она задремала в такси, положив голову ему на плечо, и он нежно ее обнял, оберегая ее сон. Как же ей сейчас было хорошо! А потом им снова пришлось пережить агонию прощания друг с другом. Тимми обещала Жан-Шарлю, что через несколько недель прилетит к нему в Париж. Она решила провести радикальную реорганизацию их ткацких фабрик во Франции, чтобы можно было организовать производство и там. А если это не удастся, все равно на свете нет ничего прекраснее Парижа весной. Сейчас апрель, но она надеялась, что к первому мая ей удастся вырваться в Париж и повидаться с ним, и это будет еще лучше. А там останется всего месяц до назначенного им срока, он освободится от необходимости жить в одной квартире с женой. Но даже и об этом Тимми сейчас не думала. Она словно плыла рядом с ним, словно парила. И когда он в последний раз ее поцеловал, ей было не так грустно, как прежде. Она чувствовала, что находится с ним в полной гармонии, чувствовала удивительную согласованность и их мыслей, и движений. Два сильных независимых человека слились в одно существо, не чудо ли?

Это ощущение не покидало ее и потом, когда она вернулась в Калифорнию. Ее душу наполнял неведомый ей раньше покой, и любила она Жан-Шарля еще сильнее, чем всегда. Но шли дни, а Тимми все никак не удавалось организовать свою поездку в Париж, хотя она и старалась. Ей нужен был повод, чтобы полететь туда, хотя можно ли найти более серьезный повод, чем встреча с Жан-Шарлем? Тимми хотела убить одним выстрелом двух зайцев. Она летела в Париж — или хотела туда лететь, — потому что любила его, но ей также хотелось уладить дела, которые у нее были всюду, куда бы она ни приезжала. Ей будет чем заняться, когда Жан-Шарль занят на работе.

Прошло три недели после отъезда Жан-Шарля. Тимми наметила целую серию встреч с руководством новой ткацкой фабрики в одном из пригородов Парижа и ждала подтверждения, и вдруг в один прекрасный день в офисе с ней случился приступ неукротимой рвоты. Джейд заказала им всем на обед суши, и Тимми понимала, что отравилась, что-то было явно несвежее. Она уже не помнила, когда ей было так плохо, и давно так не пугалась. Она позвонила Жан-Шарлю и рассказала обо всем, и он решил, что ей нужно ехать в больницу, в отделение неотложной помощи. Она сильно обезвожена, ей следует поставить капельницу. Но Тимми ненавидела больницы и решила подождать, к вечеру ей стало лучше, и она никуда не поехала. Утром она чувствовала сильную слабость и к тому же досадовала, что ткацкая фабрика до сих пор не прислала подтверждения. Было первое мая, ей хотелось скорее в Париж, скорее увидеть Жан-Шарля. Долгие месяцы ожидания подходили к концу. Через месяц учебный год кончится, и Жан-Шарль переедет, он уже подыскивал себе квартиру. Все постепенно налаживалось, устраивалось... И вдруг Тимми опять скрутила тошнота. Тошнота то откатывала, то опять накатывала, и Тимми снова позвонила Жан-Шарлю рассказать, как ей плохо. Он сказал, что это скорее похоже на приступ желчно-каменной болезни, а не на отравление, или, возможно, это какая-то разновидность вирусного гриппа. На этот раз Тимми позвонила своему доктору и приехала к нему в отделение «Скорой помощи». Она была такая бледная, даже прозрачная, что доктор, едва ее увидев, сразу же решил сделать все анализы, какие только можно. Тимми отказывалась, но Жан-Шарль настаивал, тем более что ее опять начало рвать.

Тимми провела в больнице два поистине ужасных дня. Джейд позвонила ей на мобильный телефон и сообщила, что от ткацкой фабрики наконец-то пришло подтверждение. На следующей неделе у Тимми были назначены переговоры с ее руководством, и она с радостью рассказала об этом Жан-Шарлю. Но его больше волновало ее нездоровье.

— Бог с ней, с ткацкой фабрикой, — сердился он, — сделай все анализы, на которых настаивает твой врач. Хочешь, я поговорю с ним?

— Не надо, — сказала она уже более спокойно. — Я чувствую себя лучше. Наверняка это грипп. Какая глупость делать такую прорву анализов из-за пустяка. Со мной все отлично, я уверена.

— Благодарю вас за точно поставленный диагноз, коллега. Поговорим, когда будут готовы результаты анализов. —

Жан-Шарль хотел убедиться, что у Тимми не гепатит. Она так загоняла себя работой и при этом постоянно перелетала с места на место, что у нее могло развиться что угодно, включая и язву. И Тимми позволила врачам делать с собой все, что больница хотела. У нее взяли кровь и мочу для анализа, а она к тому времени почувствовала себя лучше и уехала домой, виня себя за то, что устроила вокруг себя такую суету скорее всего на пустом месте. Но ее очень растрогала забота Жан-Шарля. Он непременно хотел поговорить с ее врачом, когда будут готовы результаты анализов, вдруг обнаружится что-то серьезное.

— Пожалуйста, перестань волноваться. Я совершенно здорова.

Тимми приехала домой, легла в постель и заснула. Она совсем обессилела. Утром ей стало гораздо лучше, хотя слегка подташнивало, и она поехала на работу. Когда позвонил врач, она уже совсем разошлась. О его звонке сказала ей Джейд, и Тимми сняла трубку. Она слегка растерялась, что он звонит, ведь она убедила себя, что совершенно здорова.

— Здравствуйте, Тимми, — приветливо сказал доктор, когда она ему ответила. — Как самочувствие?

— Отлично, — сказала Тимми с легким смущением в голосе. — Чуть-чуть подташнивает, но, мне кажется, уже все прошло. Не знаю, что это было — отравление или грипп, но клянусь вам — в обозримом будущем я суши есть не стану.

Такой сильной тошноты она никогда не чувствовала, разве что, может быть, в Париже осенью, когда прорвался воспалившийся аппендикс. Да, пожалуй, так, но тогда тошнота была другая.

— А я не вполне уверен, что у вас все прошло. Вы не могли бы заехать ко мне сегодня во второй половине дня, мы посмотрим ваши анализы.

— Что-то плохое?

Тимми вдруг встревожилась.

— Нет, ничего плохого. Просто я не люблю обсуждать результаты анализов по телефону. И я подумал, что хорошо бы вам заехать, если у вас сегодня выберется время. Или завтра утром. Ничего срочного нет. Все отлично.

Тимми его слова не убедили. Если все так хорошо и отлично, зачем он хочет, чтобы она приехала? Ей стало страшно.

У нее сегодня на вторую половину дня были назначены две встречи, чтобы поехать к доктору, ей придется эти встречи отменить, извинившись перед теми, кто ее ждет. Но после всего, что доктор ей сказал, у нее появилось искушение махнуть на все рукой и ехать к нему.

— Что-то очень серьезное?

Тимми чувствовала, как ее охватывает паника.

— Господь с вами, Тимми, — воскликнул доктор, стараясь успокоить ее. Он лечил ее уже много лет. — Я согласен с вашим диагнозом. Наверное, вы и в самом деле съели что-то недоброкачественное и отравились. Но некоторые ваши показатели в анализе крови оказались повышенными по сравнению с нормой. И с моей стороны было бы безответственно не сообщить вам об этом.

Судя по его тону и по его словам, все было не так страшно, как ей сначала подумалось, и она начала успокаиваться.

— Но это не рак?

Тимми всегда предполагала самое плохое.

— Ну конечно, нет! Просто очень хорошо, что мы сделали все эти анализы после приступов, которые у вас были два дня назад. И потом, как я помню, вы уже давно не обследовались. Так что приходите.

— Я была страшно занята, сплошные поездки, — стала оправдываться она, и все это, кстати сказать, была чистая правда.

— И поэтому, в частности, тоже полезно провериться. Да, очень хорошо, что мы сделали анализ крови. Мало ли чего вы могли подцепить во время ваших поездок.

— Я два месяца назад была на Тайване. Но я никогда не пью местную воду, куда бы ни прилетала, и еду выбираю с осторожностью. Надеюсь, я не подцепила никакой гадости?

Он засмеялся, и Тимми вздохнула с облегчением, потому что смех был веселый.

— Нет, не подцепили. Перестаньте волноваться, успокойтесь. Щадите свой желудок несколько дней. И приезжайте завтра, если выберете время.

Тон у него был уже почти совсем беззаботный, и Тимми окончательно успокоилась.

— В какое время?

Сегодня она не могла отменить назначенные встречи, но завтра охотно приедет. Интересно, что он ей скажет, нужно узнать.

— Как вам десять утра?

— Договорились.

В Нью-Йорк она позвонит из дома, а в офис приедет немного позже, уже после визита к доктору.

— Тогда до встречи. И пожалуйста, не ешьте на ночь суши, — пошутил он.

— Нет уж, Брэд, в этом можете быть уверены. Значит, завтра в десять утра.

Голос у нее был бодрый и беззаботный, но сама Тимми ни бодрости, ни тем более беззаботности не чувствовала.

Тимми положила трубку, и тут все завертелось так, что ей было и не вспомнить о разговоре с доктором. Предстояли две встречи одна за другой, сначала с консультантом по дизайну, которого Тимми хотела взять на работу, а потом со своими рекламными агентами, нужно было готовить рекламную кампанию для их зимней коллекции. Они всегда все делали за шесть — девять месяцев вперед. И вспомнила она о том, что говорил ей доктор, уже когда ехала домой. Вряд ли Брэд Фридмен углядел в ее анализах что-то серьезное, иначе обязательно настоял бы, чтобы она приехала сегодня. Вечером Тимми рассказала обо всем этом Жан-Шарлю. У него уже было утро завтрашнего дня.

— А он сказал тебе, какие параметры выше нормы? — встревоженно спросил Жан-Шарль.

— Не сказал. Просто велел мне прийти завтра.

— Ты могла подхватить какую-нибудь инфекцию, или это что-то аллергическое. Не понимаю, почему он не сказал тебе по телефону.

Жан-Шарль был недоволен, что все откладывается, голос у него был озабоченный.

— Наши врачи любят наводить тень на плетень. Никогда не скажут результаты анализов по телефону.

— Пожалуйста, позвони мне сразу же, как с ним поговоришь. Если он будет темнить, я сам поговорю с ним. Такое впечатление, что он просто напускает на себя важность. Я с тобой согласен: если бы это было что-то серьезное, он, я думаю, попросил бы тебя приехать сразу же.

Тимми была рада, что Жан-Шарль согласился с ней, и после разговора с ним она почувствовала себя лучше, а ночь проспала крепким сладким сном.

Утром Тимми проснулась рано, позвонила всем, кому следовало, в Нью-Йорк и выпила чашку чаю. После отравления ее желудок все еще был очень чувствителен, поэтому она съела на завтрак только тост, отставила в сторону йогурт и поехала к Брэду Фридмену, но пришлось ползти в пробках, и попала она в больницу только в четверть одиннадцатого. Сестра тотчас же провела Тимми в его кабинет. Здесь никогда не допускали, чтобы ей приходилось ждать доктора. Даже если он был занят, ее провожали в его личный кабинет. В больнице, как и всюду и везде, она была персона грата. И сейчас ей тоже не пришлось ждать. Доктор пришел минут через пять. Пока она сидела эти пять минут, ее снова охватила тревога. А если у нее все-таки что-то серьезное, и он просто пытался успокоить ее на какое-то время и уж потом сказать ей страшную новость лично, какая бы эта новость ни была?

— Как вы себя чувствуете? — спросил он, жизнерадостно улыбаясь. Он был фанат здорового образа жизни, много играл в теннис, был женат во второй раз на женщине, которая была моложе его на двадцать лет, и имел от нее троих маленьких детей.

— Хорошо, — сказала Тимми, волнуясь и чуя недоброе. Но бог с ним, с моим самочувствием. Расскажите мне лучше, что со мной.

Он видел, как она встревожена.

— Я хотел задать вам несколько вопросов, потому и пригласил вас к себе. Я довольно давно вас не видел, а в вашей жизни случается столько всяких перемен, иногда очень важных. Насколько я могу судить, вы по-прежнему не замужем, ведь вы нам не сообщали об изменении вашего семейного положения.

— Да при чем тут мое семейное положение? Я что, заразилась какой-нибудь венерической болезнью?

Если так, то она наверняка обязана этим Заку, существует множество гадостей, которые медленно развиваются и никак себя не проявляют. Ей и в голову не пришло, что ее мог заразить венерической болезнью Жан-Шарль, хотя она спала с ним гораздо позже, чем с Заком.

— Нет, никаких венерических заболеваний нет, на них мы вас тоже проверили. Какие у вас отношения с вашим нынешним мужчиной? — спросил Брэд, внимательно вглядываясь в ее лицо.

— Господи, так что же?.. ВИЧ, СПИД?

Он улыбнулся и покачал головой, услышав такое предположение. На ВИЧ он ее тоже проверил, но результатов этого теста еще не было, однако они и не внушали ему никакой тревоги. В ее возрасте и при том, что он о ней знал, ей не грозило попасть в группу риска и стать жертвой ВИЧ.

— Нет, мы обнаружили нечто другое, для меня это оказалось сюрпризом, возможно, будет сюрпризом и для вас. А может быть, вы просто забыли рассказать мне об этом. Моя лаборантка не знает меры в своем усердии, исследует предстательную железу у женщин и делает тест на беременность девяностолетним пациенткам. Когда я попросил ее сделать для вас клинический анализ крови по всем показателям в отделении неотложной помощи, она, видно, поставила галочки во всех без исключения графах. И когда я вам говорил о повышенных по сравнению с нормой показателях, я имел в виду хорионический гонадотропин, и это меня несколько удивило. Поэтому мы при помощи вашей крови и мочи провели тест на беременность. И в том и в другом случае получили положительный результат. Вы, Тимми, может быть, уже знали об этом, но я решил пригласить вас к себе и в личном разговоре все обсудить с вами, узнать, как вы намерены поступить.

— Что обсудить? — Тимми в изумлении смотрела на него. — Нет, постойте, давайте все сначала. Я что, беременна? Вы шутите?

Это невозможно... да нет, почему, вполне возможно. Она доверилась Жан-Шарлю. Они не пользовались презервативами. А любовью занимались бесконечно, у нее никогда в жизни ничего подобного не было. По нескольку раз в день и по нескольку раз за ночь. Она просто никогда всерьез не думала, что в таком возрасте может забеременеть. Она говорила об этом Жан-Шарлю, и он тоже считал, что такое маловероятно. Если женщина в ее возрасте хочет забеременеть, она должна приложить к этому немало усилий, тут требуются поддерживающая гормонотерапия, помощь новейших технологий. Но ей, как оказалось, ничего этого не понадобилось. Ей даже в голову не приходило, что она может забеременеть сама, любя Жан-Шарля с такой страстью, на которую способны юноши и девушки в двадцать лет.

— Ваши циклы по-прежнему регулярны?

Казалось, ему совершенно безразлично, что она ответит — да или нет. Но ведь все это случилось не с ним! А Тимми была так ошеломлена тем, что он ей только что сказал, что у нее все мысли вылетели из головы. И чувства были парализованы, на нее точно столбняк напал.

— Нет, они сбиваются, но все равно приходят. Может быть, это ошибка? Может быть, это не мои анализы, а чьи-то другие? — с надеждой спросила она.

— Нет, никакой ошибки нет. А ваш высокий уровень хорионического гонадотропина свидетельствует о том, что ваш организм поддерживает беременность, во всяком случае пока. Как вы думаете, какой у вас срок?

— Понятия не имею.

Она спала с Жан-Шарлем в феврале, марте и апреле. А сейчас начало мая.

— Самое большее — чуть меньше трех месяцев, самое меньшее — около месяца.

В последний раз она виделась с Жан-Шарлем почти месяц назад.

— По моим выкладкам срок примерно пять недель, а если вести отсчет по последней менструации, то шесть.

Он сыпал медицинскими терминами, Тимми они казались тарабарщиной, и голова у нее шла кругом. Нет, с ней не могло такого случиться... И что скажет Жан-Шарль? Конечно, умозрительно она очень хотела иметь ребенка, но живой, реальный ребенок сейчас, именно на этом этапе их отношений, уже нечто другое. Может быть, Жан-Шарль совсем и не обрадуется. А что чувствовала она, Тимми, ей и самой сейчас было не понять. Слишком она была потрясена, и все же какая-то часть ее существа ликовала, но она твердила себе, что это безумие. Они не муж и жена, их разделяют шесть тысяч миль, он все еще живет в одной квартире со своей женой, а ей, Тимми, сорок восемь лет.

— Если бы срок был больше, вы бы уже заметили признаки. Ведь у вас уже была однажды беременность.

Брэд Фридмен знал о ее сыне. Тимми пришла к нему, когда Марк уже умер, а Деррик ее бросил.

— Вы считаете, потому меня так и тошнило? — Тимми никак не могла опомниться.

— Может быть. Скорее всего суши и в самом деле было недоброкачественное, но, может быть, ваш организм из-за беременности реагирует сейчас на все более обостренно, и вам стало так плохо. — До Тимми все еще плохо доходил смысл его слов. — Я вас спрашиваю, что вы собираетесь по этому поводу делать. Мне неизвестно, насколько у вас серьезные отношения с отцом ребенка. Если эта беременность для вас нежелательна, возможно, вы захотите прервать ее прямо на этом сроке. — Беременность... прервать беременность... хорионический гонадотропин... последняя менструация... все эти слова кружились вокруг ее головы, точно птицы. — Вам следует показаться гинекологу и принять решение как можно скорее, особенно если вы считаете, что ваш срок около восьми недель. Мне бы хотелось, чтобы вы определились до конца месяца, и я уверен, вы согласны, что это необходимо. У вас серьезные отношения с этим человеком?

— Более чем, — призналась Тимми. — Но ему пятьдесят семь лет, и он живет в Париже, и мы встречаемся с ним всего три месяца, даже чуть меньше. — Не говоря уже о том, что Жан-Шарль все еще живет в квартире своей жены и что уйдет от нее не раньше, чем через месяц, но всего этого она не стала рассказывать Брэду Фридмену. Впрочем, возможно, известие о ее беременности подтолкнет Жан-Шарля к более решительным действиям. Или, напротив, оттолкнет от Тимми, и он навсегда уйдет из ее жизни. Она и сама не знала, какой вариант более вероятен. Нельзя на мужчину взваливать такое, будь это даже Жан-Шарль.

— Мой гинеколог только что ушел на покой, — добавила она, как будто это могло что-то изменить или на что-то повлиять. Какая глупость! Тимми просто не знала, что сказать, в голове не было ни одной мысли.

— Могу порекомендовать вам двух-трех неплохих гинекологов. Это не проблема, — сказал он, сочувственно глядя на Тимми. — Не знаю, что вы думаете относительно рождения ребенка в вашем возрасте. И генетически, и физически риск весьма велик. Можно будет сделать молекулярно-генетическую диагностику методом амниоценеза и пробы ворсинчатого хориона. Трудно предсказать, насколько опасен в вашем возрасте естественный процесс родов, но сейчас есть женщины, которые рожают сами. Некоторые современные врачи считают нормальным верхним предельным возрастом для деторождения пятьдесят лет. У меня есть пациентки, которые не только рожали сами, но и настаивали на этом. Здоровье у вас отличное. Думаю, в этом отношении проблем у вас не будет, главное, чтобы с генетикой было все в порядке. Но ведь вы чрезвычайно занятая женщина, ваша империя требует от вас столько времени и сил. Возможно, вы ничего подобного не планировали, насколько я могу себе это представить. Вы ведь не пользовались презервативами? Или, может быть, он соскользнул?

— Нет, мы ничем не пользовались. Он недавно сделал тест на ВИЧ для страхового полиса, и я тоже. — Тимми сделала такой тест через два месяца после того, как она в последний раз спала с Заком, просто для собственного спокойствия, на всякий случай, и рассказала об этом Жан-Шарлю. И хотя она говорила с ним о детях, они никак не ожидали зачатия, и именно сейчас. — Какая абсурдная ситуация: женщина сорока восьми лет звонит мужчине и говорит, что она беременна.

— Как по-вашему, какая у него будет реакция? — спросил Брэд, с участием глядя на нее.

— Не знаю, — грустно сказала Тимми. — Мы любим друг друга как сумасшедшие. Но у него непростая ситуация. Есть дети, он живет во Франции, сейчас разводится с женой. Любимая работа, которая отнимает чуть ли не все время.

— Как и у вас, — заметил Брэд Фридмен, и Тимми кивнула. Конечно, и она занята сверх меры, и уж чего она не ожидала в этой своей круговерти, так это беременности и ребенка. Тимми нужно время, чтобы все осмыслить. И Жан-Шарлю она пока ничего не скажет. Сначала сама должна понять, на каком она свете.

Брэд написал на листке бумаги несколько имен и протянул ей листок. Он рекомендовал ей трех гинекологов и посоветовал в ближайшее время показаться кому-нибудь из них, а потом хорошо бы решить, оставит ли она ребенка и будет вынашивать под наблюдением врачей или же решит прервать беременность. Послушать его, так решение принять легче легкого, о чем тут думать.

— Спасибо, — сказала Тимми, кладя листок с именами гинекологов в сумочку. Потом снова посмотрела в лицо своему доктору. — Вы больше ничего не нашли?

— Нет. — Он ободряюще улыбнулся ей. — Все остальное у вас в полном порядке. По-моему, и того, что мы у вас нашли, достаточно.

— Да уж, — вздохнула она, — вполне.

Как это «достаточно» вместить в сознание? Оно было слишком огромно.

— Сообщите мне о своем решении.

— Обязательно, — обещала Тимми и вышла из кабинета. Ей было грустно. Надо же, чтобы так не повезло! Известие о беременности должно быть великой радостью, тем более что она так беззаветно любит Жан-Шарля, но ребенок лег бы огромной тяжестью на отношения, которым едва три месяца от роду. Даже Тимми это понимала. Но может быть, у Господа свои планы? Удивительно, как неожиданно все в жизни порой складывается.

Тимми позвонила Джейд из машины и сделала то, чего никогда раньше не делала. Сказала ей, что заболела, едет сейчас домой, а дома ляжет в постель. Именно этого ей сейчас и хотелось. Заползти в свою нору, спрятаться от всех и подумать. Сегодня пятница, она поедет в Малибу, будет гулять по пляжу. Джейд попросила Тимми беречь себя и выразила надежду, что к понедельнику она поправится. Сама она в отличном настроении, они с архитектором договорились провести выходные вместе.

Только Тимми разъединилась с Джейд, как Жан-Шарль позвонил ей на ее мобильный телефон в машину. Хотел поскорее узнать, что сказал врач, что показали анализы и какие параметры повышены. Тимми слушала его, в глазах у нее были слезы, и она изо всех сил старалась не всхлипнуть. Лгать Жан-Шарлю было отвратительно, но она еще не была готова сказать ему правду. Ей и в самом деле нужно время, чтобы все обдумать и сначала принять решение самой. В ее жизни произошло событие величайшей важности. А если Жан-Шарль не останется с ней, если так и не уйдет от своей жены? И вдруг Тимми стало казаться, что именно от этих «если» зависит почти вся ее жизнь.

— Оказалось, какая-то совершенная чепуха, — солгала она. — Анализы показали, что у меня что-то вроде аллергии. Доктор решил, что это была аллергическая реакция на рыбу. Ну и кроме того, рыба была скорее всего несвежая. Он считает, что у меня желудочная инфекция, и посадил на антибиотики.

— Я тоже предполагал что-то подобное. Какая глупость, что он не сказал тебе все это по телефону. Важность на себя напускает. Как же меня бесит, когда врачи это делают, — произнес Жан-Шарль с большим неудовольствием.

— Меня тоже, — сказала Тимми. По ее щекам катились слезы.

— Любимая, что-то случилось? У тебя странный голос. Какой антибиотик он тебе прописал?

Тимми на минуту задумалась — господи, что бы такое придумать? Потом наугад назвала:

— Эритромицин. Почти на все остальные у меня аллергия.

— От эритромицина у тебя может опять расстроиться желудок. Я бы предложил тебе что-то другое. — Может быть, и Брэд Фридмен предложил бы ей что-то другое, но Тимми понятия не имела, какие антибиотики прописывают при желудочных инфекциях. — Обязательно скажи мне, если эритромицин тебе не подойдет. Звони ему в выходные, не деликатничай, тем более что он совершенно напрасно тебя потревожил.

Тимми бы не сказала, что совершенно напрасно. И Жан-Шарль тоже так не сказал бы, она уверена. Как же она его любит... И вдруг Тимми поняла, что больше всего на свете хочет родить от него ребенка. Но она должна проявить мудрость и принять правильное решение. Это решение повлияет на жизнь многих людей. На ее жизнь, на жизнь Жан-Шарля, на жизнь их ребенка, даже на жизнь его детей от жены, с которой он еще не развелся. И тут возникала еще одна проблема. Как ни любила Тимми Жан-Шарля, но его брак еще не расторгнут и он живет с кем-то другим. Все это она должна принять во внимание.

— Ты едешь на работу? — спросил он. Судя по голосу, настроение у него было хорошее, но Тимми подумала, что, узнай он ее новость, вряд ли ему удалось бы сохранить это настроение. Интересно, сильно бы она выбила его из колеи?

— Если честно, я все еще чувствую себя паршиво. Еду домой, хочу лечь.

— Бедная ты моя девочка. Как обидно, что меня нет рядом с тобой, я бы обнял тебя, утешил.

— И мне тоже обидно. — Тимми с трудом подавила рыдание. — Я тебе позвоню из дома.

— Вообще-то я сегодня веду детей ужинать. Позвоню тебе сам, когда вернусь.

— Желаю приятного вечера, — растерянно сказала она, потом спохватилась и сказала, что любит его. Она и в самом деле любила. Но это не значило, что она имеет право родить его ребенка и испортить ему жизнь. Они разъединились, и она всю дорогу до дома проплакала.

Жан-Шарль позвонил ей к вечеру, как и обещал, позвонил и поздно ночью, когда у него уже наступило субботнее утро и он проснулся. Как и всегда, звонил весь уик-энд. Был трогательный, любящий, тревожился, как ее желудок. Несколько раз спрашивал, не хуже ли ей от антибиотика, и она говорила, что нет, все хорошо. Но он чувствовал, что она не такая, как обычно. Тимми придумывала какие-то объяснения, но все то время, что не разговаривала с ним, она лежала в постели и плакала. Такого тяжелого решения ей еще никогда не приходилось принимать — оставить ребенка или нет, и без всякой поддержки со стороны Жан-Шарля. Имеет ли она право лишить ребенка отца, если по каким-то причинам ее отношения с Жан-Шарлем прервутся? Неужели она и в самом деле чувствует такую огромную ответственность перед ним? И к своему удивлению и облегчению, она сама себе ответила «да». А если родится больной ребенок, ведь ей так много лет? И опять она с удивлением поняла, что это не имеет для нее решающего значения. Она была готова рискнуть, а если и в самом деле рискнет, всегда можно будет сделать анализ по околоплодным водам и провести всякие другие тесты. Так в чем загвоздка? Весь уик-энд она мучила себя этими вопросами, то медленно бродя по пляжу, то лежа в шезлонге на веранде. Загвоздка заключалась в том, что Жан-Шарль женат, их роману меньше трех месяцев, и если он по каким-то причинам не уйдет от жены, ей придется поднимать ребенка одной. Но самое страшное — если с ребенком опять случится что-то трагичное, как случилось с Марком. Тимми знала, что потерю еще одного ребенка она не переживет, такое горе ей будет уже не по силам. Пусть даже ребенок пробыл в ее жизни совсем недолго, всего несколько дней, как Блейк. Что же делать? Убежать от жизни, потерять это маленькое существо еще до того, как оно родилось? Разве она на такое способна, разве сможет когда-нибудь себя простить? Тимми не была глубоко религиозна, но католическая закваска все же сказывалась, и она считала, что аборт это грех, во всяком случае для нее, и в особенности потому, что у нее достаточно средств, чтобы вырастить и воспитать ребенка и прекрасно его обеспечить — с мужем или без мужа. В конце концов она почувствовала, что самое главное во всем этом — нравственная сторона. Но не только. Еще важнее определить, насколько сильно она любит Жан-Шарля и насколько сильно хочет родить от него ребенка, пусть даже это предел неразумия.

В воскресенье утром у нее уже не осталось никаких сил, думать она могла только о своем покойном сыне. Образ Марка ее буквально преследовал. Она мать ребенка, который умер, она любила своего сына больше всего на свете, а его у нее отняли. И вот сейчас Господь посылает ей еще одного ребенка, пусть он выбрал не самое подходящее время и не самые удобные обстоятельства, так как же она смеет отказаться от этого дара? И потом, она же сама росла сиротой. Родители Тимми умерли, когда ей было пять лет. Она уже много лет отдает и свое время, и силы, помогая таким же сиротам, как она, хочет сделать их жизнь лучше, счастливее. Все эти дети никому не нужны, заботиться о них — ее долг и ее глубинная потребность. И коль это так, разве она может закрыть свое сердце перед этим нежданным ребенком? Разве может отринуть еще одного нежеланного ребенка лишь потому, что его зачатие было случайностью? А если этот мальчик или эта девочка станут самой большой радостью в ее жизни? Какое она имеет право не позволить этому ребенку жить?

И еще один, самый важный, самый главный аргумент. Тимми любит отца этого ребенка, как никогда и никого в своей жизни не любила. Она хочет разделить с ним жизнь, она отдала ему свое сердце, впустила в свою жизнь, прилепилась к нему душой и телом, но главное — ее сердце навсегда принадлежит ему. Разве она может отвернуться от ребенка, в котором воплотилась их любовь? А если Жан-Шарль все-таки уйдет от жены и свяжет свою судьбу с ней, с Тимми, и это их единственный шанс родить ребенка? Она уже немолода, рассчитывать, что такое с ней случится еще раз, не приходится. Просто чудо, что это вообще произошло! Тимми знала, что если она откажется от этого ребенка, то всю жизнь будет потом страдать, корить себя, что поступила так из страха и трусости. И никогда себе этого не простит, и Жан-Шарль, наверное, никогда ее не простит. И вдруг она почувствовала, что жизнь этого ребенка гораздо важнее, чем ее жизнь и жизнь Жан-Шарля. Да, она может его потерять, в ее возрасте такое возможно. Но если не потеряет, он заслужил право на жизнь. Она не может отнять его у себя, не может отнять его у Жан-Шарля, ведь он — плод их любви. А их союз основан не на сексе — на любви.

И в конце концов решение принял Марк, когда она в воскресенье вечером вернулась в свой дом в Бель-Эйр, подошла к его фотографии и стала на нее смотреть. Взяла снимок в руки, стала всматриваться в глаза сына. Она почти физически ощущала его присутствие рядом с собой, руки чувствовали прелестную шелковистость его волос, огромные зеленые глаза мальчика, так похожие на глаза Тимми, глядели на нее. Она так давно потеряла его и так долго тоскует о нем. Тоскует всегда, каждый день, каждую минуту... И вот сейчас возник еще один ребенок, он не займет место Марка в ее душе, но даст ей возможность полюбить ребенка еще раз. Только чудовище может похоронить сына, а потом позволить себе убить еще одно дитя. Этот ребенок для нее такое же чудо, каким был Марк. Даже большее чудо, потому что она любит Жан-Шарля, и ей все равно, уйдет он от жены или нет. Она не сказала ему о ребенке, потому что не хотела оказывать на него давление и потому что должна была сначала осмыслить все сама.

Ложась вечером в постель, Тимми знала: решение принято. Ей казалось, она видит, как Марк улыбается ей оттуда, где сейчас находится его душа. И она чувствовала, что в его душе сейчас мир и покой, как и в ее душе. Это дитя послал ей сам Господь, это последняя возможность в ее жизни родить ребенка, она зачала его с человеком, которого так сильно любит. Нет, Тимми не может отвергнуть этот дар любви, как не может отвергнуть его отца. Это дитя сотворила их любовь.

Жан-Шарль позвонил ей, когда она уже начала погружаться в сон, и в первый раз за все эти дни он почувствовал, что с ним говорит его прежняя Тимми.

— Я волновался за тебя, — прошептал Жан-Шарль, услышав ее сонный голос.

— Я поправилась, все хорошо. Я тебя люблю. — Тимми не могла выразить, не смела сказать, как сильно его любит. — Очень-очень-очень...

И он улыбнулся в ответ на ее слова.

— Я тоже тебя люблю. Какое счастье, что мы через несколько дней увидимся.

В своем смятении и в мучительных сомнениях относительно ребенка Тимми забыла, что они должны встретиться. Она летит в Париж договариваться с хозяевами ткацкой фабрики. И сейчас ей придется рассказать Жан-Шарлю о ребенке. Он имеет право знать, и не только знать, но и высказать свое отношение. И потому может оттолкнуть ее, если его мнение не совпадет с ее решением. Но нет, конечно, он ее никогда не оттолкнет. Тимми надеялась, что он тоже обрадуется. А через месяц-полтора уйдет от жены.

— Спокойной ночи, любимая, — прошептал Жан-Шарль, и Тимми, повторив еще раз, что любит его, положила трубку. И через минуту заснула с улыбкой на лице. Через несколько дней она прилетит в Париж и скажет ему, что у них будет ребенок. Бог даст, все будет хорошо.

Глава 17

Тимми уже сложила свои вещи, готовясь завтра лететь в Париж, но в полночь ей позвонил Жан-Шарль. Голос у него был очень встревоженный, она даже не сразу узнала его. Тимми показалось, что он плачет.

— Что случилось, cheri?

Она знала уже довольно много французских слов и несколько раз давала себе обещание, что начнет заниматься французским по методу Берлица. Когда-нибудь, когда будет время. Может быть, в другой жизни. Но ей хотелось выучить французский язык ради него.

— У нас все очень сильно изменилось, — сказал он мрачно, и от этих его слов сердце Тимми чуть не остановилось.

Он с ней расстается — вот все, о чем могла подумать Тимми в первый миг. Она даже не вспомнила о ребенке, которого носит и о котором он еще не знает. Да, сейчас он ей скажет, что все кончено, и сердце ее стало вырываться из груди, Тимми начала задыхаться, ужас парализовал ее дыхание. Сработал рефлекс — она снова перенеслась в сиротский приют, ее посылают то в одну семью, которая хочет ее удочерить, то в другую, а потом раз за разом возвращают обратно, и так год за годом.

— О чем ты говоришь? — Голос у Тимми сорвался. Она никогда не слышала, чтобы Жан-Шарль говорил так глухо и мрачно.

— Жена заболела. Очень серьезно. У нее рак. Сегодня поставили окончательный диагноз.

— Господи, какое несчастье!

Тимми вмиг забыла о себе, о нем. Ее переполняла жалость к его жене. Но сквозь эту жалость стало медленно пробиваться осознание того, как это событие может повлиять на их с Жан-Шарлем отношения. И она почувствовала, что, вероятно, уже повлияло.

— У нее в груди было небольшое затвердение. Я считал, что это обыкновенная доброкачественная киста, и никогда не говорил тебе об этом. Но ее это затвердение беспокоило, она и всегда боялась заболеть раком. Сегодня мы получили результаты биопсии. Рак во второй стадии. Ей удалят только затвердение, а не всю грудь, но придется пройти курс химиотерапии и облучения. Она просто убита, я тоже страшно расстроен за нее. — Он говорил с Тимми не холодно, нет, просто голос его звучал совсем по-другому. Она никогда не слышала в нем таких интонаций. И ужаснулась тому, что это может означать для них с Жан-Шарлем — или уже означает. — Тимми, она просила меня остаться пока с ней, не уезжать в июне. Ей очень страшно, и она хочет, чтобы я был с ней, пока она проходит курс химиотерапии и облучения. Такой курс длится несколько месяцев — от двух до шести, в зависимости от того, как ее организм будет реагировать. У нее выпадут волосы, и она будет очень скверно себя чувствовать. Ведь она мать моих детей. Я не могу сейчас оставить ее, как бы сильно мы с тобой ни любили друг друга. А я люблю тебя беспредельно, — повторил он, но неожиданно голос Джейд, который Тимми мысленно услышала, заглушил его слова. Именно от таких поворотов в отношениях и остерегала ее Джейд. Тимми, конечно, не заподозрила, что он лжет. Но этот предлог остаться с женой был, возможно, первым в цепочке множества других, и кончится все тем, что Жан-Шарль так никогда и не уйдет от жены.

— Не знаю, что тебе сказать, — пролепетала ошеломленная и перепуганная Тимми. — Мне очень жаль ее... и страшно за себя, — честно призналась она.

— Нет-нет, не надо бояться, — сказал Жан-Шарль уже немного спокойнее. Он с огромным волнением ждал, как отзовется на его сообщение Тимми, у него был очень тяжелый день, всех потрясло известие, что у жены рак, она была в панике, дети тоже, включая и сына, надо было всех успокаивать и держаться самому. Мать его детей была серьезно больна. — Это ничего не меняет. Просто наши планы на какое-то время отодвигаются. — Или навсегда перечеркиваются, подумала Тимми. Сейчас шесть месяцев казались для нее огромным сроком. Она еще не побывала у гинеколога, но всю неделю ее мучительно тошнило. Она была беременна, но не знала точно, какой срок. От пяти до восьми недель. И через несколько дней она хотела ему все рассказать. Судя по тому, что Жан-Шарль ей только что сказал, Тимми будет уже на седьмом или на восьмом месяце, когда он уедет из квартиры жены, если его жена в достаточной степени оправится, чтобы отпустить его, и если у него не появится еще какого-нибудь предлога остаться в семье. Хотя, конечно, нельзя отрицать, что сейчас он представил вполне уважительную причину. Тимми все понимала, однако ее страхи уже подняли головы. Она холодела от ужаса при мысли, что Жан-Шарль никогда не уйдет из дому, не оставит свою жену. Возможно, Джейд права.

— Ты молчишь, Тимми. О чем ты думаешь? — спросил Жан-Шарль встревоженно — теперь он уже волновался за Тимми. — Тимми, я тебя люблю. Пожалуйста, помни об этом, что бы ни случилось у меня здесь.

— Я боюсь, — искренне призналась она. — Мне безумно жалко твою жену. Для женщины нет более страшного кошмара. Каждый раз, как мне делают маммограмму или еще какое-нибудь исследование, я боюсь, что обнаружат рак. И химиотерапия звучит так страшно. Я не обвиняю ее в том, что она просит тебя остаться с ней. Я бы тоже боялась. Просто хотела бы понять, чем все это обернется для нас с тобой. — А если ее тяжелое состояние затянется, а если ей станет хуже? Он ее никогда не оставит. — Знаю, я кажусь тебе эгоисткой, но я люблю тебя и не хочу, чтобы ты остался с ней навсегда.

— Кто же говорит о том, чтобы остаться навсегда? Всего несколько лишних месяцев. — Сначала Жан-Шарль говорил о четырех месяцах, сейчас четыре превратились в шесть. Он проведет их со своей женой. А что, если ее болезнь их сблизит, поможет залечить старые раны, которые они нанесли друг другу, восстановит их брак? Что тогда будет с Тимми? Она останется при напрасных хлопотах и пиковом интересе, как говорит Дэвид. Брошенная. С разбитым сердцем. Одна. Да еще и с его ребенком в придачу. Она не хотела, чтобы именно это обстоятельство влияло на его решение. Не будет она тянуть его к себе силой, не будет использовать ребенка, чтобы манипулировать Жан-Шарлем. Пусть он сделает выбор сам, честно и справедливо. Не нужно, чтобы его за одну руку тянула к себе больная раком жена, а за другую беременная любовница. Если он придет к Тимми, то пусть придет потому, что любит ее, а не потому, что считает себя обязанным прийти к ней из-за ребенка или еще по какой-то причине, такое для Тимми неприемлемо. Она хотела завоевать его честно, одним только оружием любви, а не навязать ему чувство долга по отношению к ребенку, которого он должен признать, хотя на самом деле ребенок ему совсем не нужен. Сказать Жан-Шарлю о ребенке сейчас — значило бы играть нечестно, а Тимми вообще не хотелось играть с ним ни в какие игры. Она повременит со своей новостью о беременности, по крайней мере до тех пор, пока у него не утрясутся нынешние сложности. Может быть, на это потребуется много времени.

И тут Жан-Шарль нанес Тимми еще один удар.

— Тимми, мне кажется, тебе не стоит приезжать завтра, если только, конечно, этого не требуют твои неотложные дела. Моя жизнь очень осложнилась. Я вряд ли смогу вырваться, и для нас обоих это было бы очень тяжело. Сейчас мне не хотелось бы расстраивать жену. Надеюсь, ты понимаешь.

Тимми молчала. Это был удар в солнечное сплетение, она задохнулась от пронзительной, непереносимой боли. Лучше бы он ударил ее кулаком. Жан-Шарль бросает ее, пусть не совсем, не окончательно, но и это было больно. Каждой клеточкой своего существа она помнила, что ее уже не раз бросали и что быть брошенной — не самое лучшее, что может случиться с человеком. Для нее, Тимми, это было предельное несчастье. Брошена и одинока, пусть пока еще не окончательно. Она снова почувствовала себя пятилетней девочкой, у которой нет ни отца, ни матери и до которой никому нет дела.

— Понимаю, — наконец выдавила она. — Сообщи мне, когда все станет спокойнее.

— Я позвоню тебе завтра. Если бы ты знала, как я расстроен, — глухо сказал он. — Но здесь никто не виноват. — Конечно, он прав. Никто не виноват, и он тоже не виноват. Но Тимми было больно осознать с такой пронзительной ясностью, что его преданность и забота принадлежат в первую очередь его жене, а не ей. На стороне жены была жизнь, прожитая с ним вместе, а это-то страшило Тимми больше всего. Она холодела от ужаса при мысли, что жена может в конечном итоге победить. А она, Тимми, потерпит поражение. — Я тебя люблю, — тихо сказал Жан-Шарль.

— Я тоже тебя люблю, — произнесла Тимми, и оба положили трубки. И он, и она чувствовали опустошение.

Едва они разъединились, как Тимми охватила паника. Он не хочет, чтобы она прилетела в Париж. Тимми не знала, когда она его теперь увидит и увидит ли когда-нибудь вообще. Что может быть страшнее? И Тимми всеми силами гнала от себя эти страхи. Она лежала в постели, сжавшись в комочек и обхватив коленки руками, и плакала. Что, если она его никогда больше не увидит? Она спрашивала себя, повлияет ли это как-то на ее решение оставить ребенка, но в глубине души знала, что обратного пути нет. Она оставит ребенка не только потому, что это его ребенок, но и потому, что он нужен ей, Тимми, так захотел Марк, и она благодарна за это Господу. Но, конечно, для нее очень важно, что она зачала его от Жан-Шарля. Она лежала и думала, что он, возможно, никогда об этом не узнает и никогда больше не встретится с ней, и это самое тяжелое. Конечно, она впадает в мелодраму, но попробуй не впасть при таких-то обстоятельствах. Их отношения сейчас висят на волоске. Как ни любит его она и как ни твердит ей о своей любви он, все равно он — женатый мужчина и живет сейчас со своей женой, которая очень серьезно больна и нуждается в его поддержке. И будет жить с ней, пока ей не станет лучше. Положение сложилось такое, что все худшие опасения Тимми оправдались. Хуже может быть только одно: Жан-Шарль так навсегда и останется со своей женой.

Тимми пролежала в постели и проплакала всю ночь. В шесть утра она наконец встала и оделась. Потом послала е-мейлы всем, с кем должна была встретиться в Париже, написала, что возникли чрезвычайные обстоятельства и она вынуждена отложить свой визит в Париж. Аннулировала забронированный билет на самолет, отказалась от заказанного номера в гостинице и села в кухне, глядела на чашку чаю, но не сделала ни глотка. Со вчерашнего вечера у нее не было во рту ни крошки, и есть ей не хотелось. Наконец она выпила чаю и поехала на работу. Когда она вошла в свой кабинет, не было еще восьми. Появившаяся немного погодя Джейд с удивлением взглянула на поглощенную работой Тимми.

— Что это ты тут делаешь?

Тимми деловито и озабоченно перекладывала на столе бумаги, стараясь не смотреть Джейд в глаза. Джейд сочла это представление неубедительным.

— У Жан-Шарля непредвиденные обстоятельства. Я перенесла свою поездку. Полечу через несколько дней, когда все уладится.

— Какие такие непредвиденные обстоятельства? Что-то личное или связано с работой? — подозрительно спросила Джейд.

— Семейные дела. — Тимми не хотелось посвящать Джейд в подробности. События развивались в точном соответствии со сценарием, который с самого начала набросала для Тимми Джейд, все оказалось слишком предсказуемым. Тимми не хотелось давать в руки Джейд этот козырь и самой расстраиваться еще больше. Зачем ей нужно, чтобы Джейд каркала «Вот оно, я тебе говорила!», а Джейд обязательно начнет каркать, может быть, она бы и хотела сдержаться, но не в ее это силах, слишком еще свежа ее собственная рана. И потом, она ведь считает, что все мужчины одинаковы, разубедить ее невозможно. Что ж, может быть, они и в самом деле все одинаковые. Но Тимми отчаянно хотелось, чтобы Джейд была не права.

— Что-то с женой? — не отставала Джейд, и Тимми очень строго посмотрела на нее. Смысл взгляда был ясен: «Отстань!»

— Слишком долго объяснять. Кто-то из членов семьи заболел, и он сейчас связан по рукам и ногам.

— Готова спорить на что угодно — заболела жена. Я такое уже проходила. У жены Стэнли была болезнь Крона. Каждый раз, когда она начинала опасаться, что он уйдет, она ложилась в больницу и начинала умирать. Я научилась безошибочно предсказывать эти ее обострения. А у нашей жены что?

Рак у нее, пропади все пропадом. Болезнь Крона — это нежные весенние цветочки, разве можно сравнивать. Но все равно Тимми не понравилось то, что сейчас сказала Джейд.

— Какая разница что, — примирительно сказала Тимми. — Надеюсь, через несколько дней все встанет на свои места, и я полечу в Париж.

— Дай бог, чтобы так все и было.

И Джейд вышла из кабинета, вид у нее был мрачный. Она очень расстроилась из-за Тимми. А уж как была расстроена сама Тимми...

Тимми зашла в туалет, заперла дверь, села и долго плакала. Потом ее вырвало, но она знала, что это не утренняя тошнота беременных женщин, а страх. Ее всегда рвало, когда она пугалась. А сейчас ей было страшно. Очень-очень страшно.

Она подумала, что, может быть, от страха у нее случится выкидыш. Это развяжет по крайней мере один узел, но Тимми ни в коем случае не хотела выкидыша, она желала этого ребенка, хоть и не знала, удастся ей его выносить или нет. И уже всей душой его любила. Какая же она все-таки дура!

Жан-Шарль позвонил ей на работу уже к вечеру. У него в Париже было почти два ночи, а ее весь день тошнило. Сейчас она должна была бы лететь к нему, и через несколько часов он бы ее обнял. Голос у него был глухой от усталости, он без конца повторял Тимми, что любит ее, просто им нужно немного потерпеть — и все уладится.

— Когда ей начнут делать химиотерапию? — спросила Тимми бесцветным голосом. Все только о жене да о жене, Тимми как будто и нет на свете.

— Сначала ей должны сделать операцию. Операция назначена на следующую неделю. Химиотерапию можно будет начать только после того, как шов после операции заживет. Возможно, врачи решат сначала делать облучение.

Жан-Шарль был полностью поглощен заботами о жене, его охватила истерия тревоги, вызванная зловещим диагнозом. Умом Тимми все прекрасно понимала и даже жалела его жену. Но эмоции превратили ее в маленького испуганного ребенка, в несчастное потерянное существо. И это потерянное существо было к тому же еще и беременно, и у него было множество своих великих трудностей, о которых Жан-Шарль ничего не знал. Тимми его за это не винила. Ведь она не могла ему ничего сказать, даже если бы захотела. Ему сейчас не хватало только сообщения о том, что она беременна. Из сострадания к нему Тимми решила ничего ему не говорить, пока все не уляжется и не успокоится. У жены могли обнаружить рак груди и в еще более неподходящее время. Тимми не могла не задать себе вопроса, а как бы стали развиваться события, если бы жена Жан-Шарля заболела уже после того, как он от нее ушел. Вернулся бы Жан-Шарль к ней? Может быть, и вернулся бы. Так что уж лучше, что она заболела сейчас, иначе все было бы намного тяжелее. Дождаться, чтобы он пришел к ней, к Тимми, купил квартиру, начал с ней новую жизнь, а потом вернулся домой ухаживать за заболевшей женой? Не слишком-то счастливый конец драматической истории, в которой они стали действующими лицами.

Перед тем как попрощаться, Жан-Шарль сказал Тимми, что при малейшей возможности будет звонить ей, но ведь он жил сейчас в сумасшедшем напряжении, все вдруг завертелось в налетевшем вихре. Он сказал, что его жена держится очень мужественно, но безумно боится. Тимми тоже безумно боялась — за него. А он и не догадывался, как страшно ей самой. После его вчерашнего звонка, когда он рассказал Тимми свою новость и она отменила поездку в Париж, ее ни на миг не отпускала паника.

День прошел тихо, все считали, что Тимми улетела в Париж, и потому ей никто не звонил, она тоже не звонила никому. Она сидела за своим столом и честно пыталась заниматься делами, но почти ни в чем не преуспела. Ей никак не удавалось сосредоточиться, и в конце концов она отложила эскизы в сторону. Единственное, на что она сегодня была способна, это плакать, и она плакала, когда дверь кабинета была закрыта. Джейд сказала Дэвиду, что у Тимми случилось что-то очень серьезное, и оба они ее не тревожили до конца дня. Дэвид заявил со свойственным ему оптимизмом, что все уладится, он в этом уверен, он совершенно уверен в Жан-Шарле. Джейд громко фыркнула и, печатая шаг, промаршировала к своему рабочему столу, хотя в душе безмерно огорчалась за свою подругу и начальницу и негодовала на Жан-Шарля. Всю неделю Тимми выглядела ужасно плохо.

В пятницу она ушла с работы в шесть вечера и сразу же поехала к себе на виллу, не стала даже заезжать домой за вещами. Не взяла с собой работу на выходные, не взяла никаких книг. Весь уик-энд Тимми проплакала, засыпала, просыпалась, шла гулять по пляжу и плакала, плакала... Когда она не думала о Жан-Шарле, то думала об их еще не родившемся ребенке. В ближайшие дни она должна показаться гинекологу. Сначала она планировала это сделать после возвращения из Парижа. Но ей, в сущности, безразлично, какой у нее срок. Самое главное — она носит его ребенка. Это ее тайна, величайшая радость ее жизни, как бы ни складывались обстоятельства в жизни Жан-Шарля. Хотя Тимми и пугало, как складывались его обстоятельства сейчас. Но она решила, что ребенок будет, даже если она останется одна.

И никогда еще Тимми не чувствовала себя такой одинокой, как сейчас. В эти дни на вилле она очень много думала о Марке. Какой же он был прелестный малыш, когда только что родился, и как сильно она его любила. А когда он умер, она словно сгорела дотла. Ей хотелось умереть. И вот сейчас случилось чудо, Господь дал ей еще одну возможность родить ребенка, родить его от мужчины, которого она безмерно любит. Ребенок от Жан-Шарля — может ли быть на свете большее счастье? Ей только хотелось рассказать ему об этом в Париже, но обстоятельства неожиданно сложились так, что об этом и думать пока нечего. Иногда к Тимми вдруг возвращалась надежда, она начинала думать, что Жан-Шарль прав, это вовсе не конец, а всего лишь отсрочка, как будто на минуту погас экран монитора. Бог даст, жена Жан-Шарля благополучно пройдет курс лечения и он сможет наконец уйти из семьи. Тимми оставалось только ждать и следить за тем, как развиваются события, и верить тому, что он ей говорит.

Разговаривая с Тимми в эти выходные по телефону, Жан-Шарль был необыкновенно нежен. Звонил он по нескольку раз в день, успокаивал ее, бесконечно извинялся за то, что попросил ее не приезжать в Париж.

— Надеюсь, все пройдет благополучно и через несколько месяцев жизнь войдет в прежнюю колею, — убеждал он ее. — Думаю, к концу лета я даже смогу переехать.

Тимми тоже на это надеялась, но как же долго будет тянуться лето, пока она его ждет, а ее живот все растет и растет. Жан-Шарль выразил надежду, что, может быть, Тимми сможет прилететь к нему через две-три недели. Его жене уже сделают операцию, она будет после нее оправляться, а химиотерапию начинать еще рано. Это единственные несколько дней в ближайшее время, когда он смог бы вырваться. Тимми ничего на это не отвечала. Она явно отодвинулась на задний план в его жизни, главное для него сейчас — это его жена, ее болезнь, их дети, их гораздо более насущные проблемы. Тимми не видела его уже месяц и совершенно не представляла себе, когда теперь они смогут увидеться снова. Но еще больше ее тревожило другое: она — женщина, которую он любит всего три месяца, он прилетал к ней три раза, и вместе они провели всего четырнадцать дней — четырнадцать дней и ночей страстной любви. Разве может Тимми ожидать, что эти две недели с ней, даже если к ним приплюсовать три месяца нескончаемых телефонных разговоров и е-мейлов, перевесят в сознании Жан-Шарля почти тридцать лет, которые он прожил со своей женой? Тимми для него не более чем фантазия, мечта, которую он надеялся материализовать в жизни, но это оказалось ему недоступным. Единственная реальность во всем этом — ее ребенок. Все остальное лишь фантом, лишь пустая надежда, что она когда-нибудь смогла бы разделить с ним его жизнь. Если перестать витать в облаках и спуститься на твердую землю, то становится очевидно, что Жан-Шарль делит жизнь со своей семьей, и эта жизнь катится по привычной, давно налаженной колее, хоть он и твердит Тимми, как сильно ее любит.

В воскресенье вечером, возвращаясь домой, Тимми заехала в приют Святой Цецилии повидать детей и в конце концов осталась с ними ужинать. Вместо ожидаемых двух детей к ним поступило трое. Среди них был прелестный мальчик шести лет, которого пришлось забрать из патронатной семьи, — мало того что его зверски избивали в родной семье, так еще и приемные родители оказались садистами. Такое иногда случается. За ужином мальчик не произнес ни слова, только смотрел на всех огромными глазищами, и все попытки Тимми вовлечь его в разговор ни к чему не привели. Мальчик мучительно напомнил ей Блейка. Она недавно получила от его бабушки и дедушки открытку, они писали ей, что мальчик хорошо осваивается в новой жизни. И все равно Тимми порой тосковала о Блейке. Он всегда будет жить в ее сердце.

Сестра Анна объяснила, что ребенок страдает от посттравматического стресса и не говорит, совсем как Блейк. Он проходит курс лечения. Прощаясь, Тимми нежно провела рукой по его головке, но он тотчас вскинул руку, отталкивая ее, и в ужасе отскочил. Глаза Тимми наполнились слезами, она слишком хорошо представляла себе жизнь, которую вели эти дети перед тем, как им попасть в приют Святой Цецилии.

Поздно вечером опять позвонил Жан-Шарль, но сейчас он уже не говорил о том, что она смогла бы прилететь к нему. Говорил, как сильно ее любит, но голос был измученный. В Париже уже наступило утро понедельника, в клинике его ждали пациенты. Он сказал, что операция жены назначена на вторник. Сейчас он только об этом и мог говорить, и Тимми его молча слушала. Что она еще могла сделать для него? И она тоже твердила Жан-Шарлю, что любит его и ждет и будет ждать. Жан-Шарль говорил, что только благодаря ей и держится. Ей смертельно хотелось увидеться с ним, тем более сейчас, но она не хотела оказывать на него давление и потому ничего не говорила об этом своем желании. Пусть он знает, что Тимми понимает, каково ему сейчас приходится. Она надеялась, что если будет хотя бы стараться поддерживать его, это в конечном итоге обернется благом для них обоих, но на нее все чаще накатывали волны паники. Да уж, нелегкое время они сейчас переживают. Она его любит, но у нее нет никакой уверенности в нем. Она только знает, что они любят друг друга как сумасшедшие и что это безумие продолжается три месяца. И единственное, в чем она уверена, так это в том, что зимой у нее родится ребенок, если, конечно, беременность будет протекать нормально, ведь в ее возрасте вполне возможен неблагоприятный исход. И поскольку Тимми твердо решила, что ребенок у нее будет, разумнее всего пока подождать и ничего не говорить Жан-Шарлю, для этого есть тысяча и одна причина. Что касается ее, Тимми, она своего решения не переменит.

Тимми чувствовала, как дитя в ней растет, и от этого ее любовь к Жан-Шарлю тоже росла, она отчаянно тосковала по нему. И все эти дни то и дело плакала. Дэвид и Джейд не могли не видеть, какая Тимми ходит мрачная, но ни он, ни она ни о чем ее не спрашивали и вообще старались держаться в сторонке. Если Тимми захочет им рассказать, она сама все расскажет, так они считали. А она ничего не говорила им о том, что собирается в Париж, и после того как отменила свои встречи с текстильными предприятиями, никаких больше планов о сотрудничестве не строила. До конца мая в ее жизни не случилось ничего такого, что бы ее как-то изменило.

Незадолго до Дня памяти она снова завела с Жан-Шарлем разговор о том, что ей хочется прилететь в Париж. Его жене удалили опухоль, и через две недели должен был начаться курс химиотерапии. Наступил тот самый промежуток, о котором он говорил Тимми раньше, когда хотел, чтобы она к нему приехала. Она напомнила ему об этом, собираясь ехать в Малибу на три долгих выходных. На этой неделе она наконец-то побывала у гинеколога. Ребенок развивался нормально, она видела его на экране сонографа, видела, как бьется крошечное сердечко, и даже заплакала, увидев сонограмму. Ей сделали снимок сонограммы, и она все время носила этот снимок с собой. Согласно компьютерным расчетам и сведениям, которые она сама сообщила врачу, Тимми была на десятой неделе беременности, и ребенок должен был появиться на свет в начале января. Все это по-прежнему казалось Тимми чем-то не вполне реальным, особенно потому, что о ее беременности никто не знал, даже Жан-Шарль. Это была ее глубочайшая, заветнейшая тайна, она берегла ее, как зеницу ока, как берегла свою любовь к Жан-Шарлю и любовь Жан-Шарля к себе, хотя они не виделись с апреля, с того самого его судьбоносного приезда в Нью-Йорк, когда она зачала от него ребенка. Тимми все еще выжидала подходящего времени, когда можно будет сказать ему об этом, ей так этого хотелось, но только не по телефону и не в разгар драматических событий у него в семье. Нет, она дождется, когда все успокоится, он позволит ей приехать в Париж, ждать уже недолго, и она наконец ему скажет.

В пятницу вечером перед выходными, на которые приходился День памяти, Тимми спросила Жан-Шарля, какие дела у него намечены на ближайшее время. На другом конце раздался тяжелый вздох, и затем наступило молчание. Жан-

Шарль все это время был как натянутая струна, нервы не выдерживали, Тимми чувствовала это всякий раз, как он разговаривал с ней. У него было такое чувство, будто его рвут на части. Он сказал Тимми, что его девочки панически боятся за мать. Их семья сейчас переживает очень тяжелое время. Можно подумать, что Тимми сейчас было легко и весело!

— Не знаю, Тимми. Я очень хочу тебя видеть. Каждый день хочу попросить тебя приехать. Но я просто не могу сейчас вырваться. Даже если бы ты приехала в Париж, я не смог бы проводить время с тобой так, как мне хочется, потому что с женой случилось несчастье, а дети совсем растерялись, безумно боятся за мать, и я должен их поддерживать. Я слишком уважаю тебя и не хочу разочаровать и огорчить.

Тимми была уверена, что он сказал это из самых добрых побуждений, и все равно почувствовала, что ее отталкивают. У нее чуть было не вырвалось, что она все равно готова приехать и увидеться с ним хоть на несколько минут, но ему это явно было не нужно, и он попросил Тимми подождать еще две-три недели, тогда станет понятно, как действует на жену химиотерапия. Еще одна отсрочка, хоть повод и вполне уважительный. Какие аргументы Тимми могла выдвинуть против рака, панического ужаса его детей и даже его собственной тревоги и горя, которое на них обрушилось? Никаких аргументов у нее не было. А что же она, Тимми? — спрашивал тихий голос откуда-то из глубины. Для нее сейчас нет места в той его жизни, она должна посмотреть правде в глаза, он может только разговаривать с ней по телефону. А ей нужно больше. Намного больше.

— А ты не смог бы вырваться на день-другой до того, как врачи приступят к химиотерапии?

Она даже надеялась, что на этот раз он позволит ей прилететь, потому что День памяти приходился на понедельник и она была свободна. Да Тимми и в любом случае прилетела бы, ей врач сказал, что можно. А сама она чувствовала, что радость встречи перевесит дискомфорт долгого полета и усталость. Она прошла бы по раскаленным угольям, чтобы его увидеть, а его бы такая мысль наверняка удивила. Этими раскаленными угольями сейчас был усыпан пол в его собственном доме. Когда Тимми удавалось успокоиться, она искренне его жалела. Но еще больше она жалела себя.

— Не знаю, что тебе сказать, любимая. Думаю, нам все-таки стоит подождать.

Подождать? Чего?! Что его жена после химиотерапии превратится в живой труп и у нее выпадут волосы? А дети впадут в еще большее отчаяние? Тогда он и вовсе не сможет ни на миг вырваться. Тимми видела, что́ ее ждет впереди, картина была безрадостная. Для них будущее тоже не сулило ничего хорошего. Жене предстоит тяжелейший в ее жизни период, Тимми знает это не понаслышке, с ее подругами такое происходило. И Жан-Шарлю тоже не позавидуешь, у него помимо этого еще и пациенты, которых он должен лечить.

— Прости, что я так поступаю с тобой и прошу проявить терпение. Но я знаю, что к концу лета, когда химия окажет свое воздействие, жене станет гораздо лучше. Облучение тоже трудно переносится, но все же легче, чем химиотерапия.

Вся жизнь сейчас сосредоточилась вокруг лечения жены Жан-Шарля, потому что он сам был на этом сосредоточен. И как ни сочувствовала ему Тимми, но и ей тоже было от него что-то нужно, а он ей во всем отказывал, она лишь знала, что далеко, в Париже, живет женатый мужчина, который ее любит, — или говорит, что любит. Их роман уже начинал казаться чем-то далеким и нереальным, во всяком случае ей, Тимми, и, вероятно, ему тоже. Единственной реальностью был ребенок, о котором Жан-Шарль не знал и о котором Тимми не хотела рассказывать ему, пока они не встретятся. Узнав, что она беременна, он еще больше растеряется и впадет в еще большее отчаяние, а ему сейчас и без того несладко. Тимми не хотела подливать масла в огонь, щадя и его, и себя. Она дала себе обещание и была твердо намерена его выполнить. Она не будет хитрить, просить, принуждать, шантажировать, бить на жалость. Расскажет ему об их ребенке только тогда, когда он сможет почувствовать, что это подарок судьбы, а не угроза. А пока пусть живет и не знает, что в ее лоне растет их дитя.

— Что ты пытаешься мне сказать? — печально спросила она, когда Жан-Шарль отказался поддержать ее надежду на встречу с ним, даже если она прилетит в Париж всего лишь на выходные. Их положение становилось все более и более безнадежным, и положение Жан-Шарля тоже. Их любовь была чем-то вроде прицепного вагона к поезду мучений, которым представлялась его жена.

— Я говорю, что не знаю, как быть, — вздохнул он. — Я люблю тебя, но не представляю, когда мы сможем увидеться. У жены рак, дети в отчаянии. Мне пришлось снять нашу квартиру с продажи, у нее начинается истерика от одной мысли, что ей придется куда-то переезжать в разгар такого мучительного лечения, и хотя бы от этого я ее избавил. Тимми, что я могу сказать? — У Тимми похолодело внутри. Он раньше не говорил ей, что снял квартиру с продажи. — Что ты хочешь, чтобы я сделал, когда вокруг происходит такое?

Тимми хотела, чтобы он уехал от них, несмотря ни на что, и точно так же заботился о жене, живя в своей собственной квартире. Но говорил Жан-Шарль таким тоном, что ее слова показались бы ему жестокими, и потому Тимми их произносить не стала. Он должен решить все сам, но он ничего не решал. Он сейчас поступал как глубоко порядочный человек по отношению к своей жене и к своим детям, но не к Тимми. И самое скверное, Тимми даже, кажется, и не винила его за это. Она все понимала. Но все равно ей было страшно. А оттого, что она беременна, страх только усиливался. Впрочем, даже не будь она беременна, она все равно тревожилась бы и расстраивалась. Больше всего она боялась, боялась с самого начала, что он так и не уйдет от жены и они не будут вместе. Все, о чем рассказывала Джейд, бледнело перед тем, что выпало на долю Тимми: рак штука серьезная, перед ним все аргументы бессильны.

— Не знаю. — На глазах Тимми показались слезы. Она в эти дни беспрестанно плакала. Как же она тосковала по Жан-Шарлю! И он тоже говорил, что отчаянно тоскует по ней. Боль невозможно измерить, невозможно определить, кто страдает больше, а кто меньше, чья ставка в игре выше. Обоим им сейчас приходится тяжело, кому это знать, как не Тимми. Ей захотелось хоть на минуту рассеять мрак, иначе

318

просто не выжить. — Может быть, нам стоит последовать примеру героев «Незабываемого романа».

— А что это такое? — спросил Жан-Шарль, и по его голосу Тимми поняла, что он оскорбился. — Я вовсе не считаю наши отношения романом. Не надо этим шутить, Тимми. Ты любовь всей моей жизни.

А он любовь всей ее жизни. Но они до сих пор не вместе и, может быть, никогда вместе и не будут. Тимми не могла об этом не думать. То, что происходило, было слишком страшным. Слишком уж их положение было зыбким и ненадежным.

— Ты тоже любовь всей моей жизни, — призналась Тимми серьезно. А потом начала рассказывать: — «Незабываемый роман» — это фильм, очень старый фильм. Классика. В нем играют Кэри Грант и Дебора Керр. Они встречаются на корабле и влюбляются друг в друга, оба с кем-то помолвлены, но они договариваются встретиться ровно через шесть месяцев на смотровой площадке «Эмпайр-Стейт-билдинг», когда смогут устроить свою жизнь. Оба должны найти работу, оба должны расторгнуть помолвку. Словом, назначают друг другу свидание на площадке «Эмпайр-Стейт-билдинг», если сумеют освободиться от своих обязательств. Кэри Грант говорит ей, что не будет таить на нее зла, если она не придет. Дебора Керр обещает ему то же самое. И вот настает назначенный день. Он ее ждет, а она, спеша на встречу с ним, попадает под машину, и, конечно, они не встречаются. Она в инвалидном кресле и не хочет, чтобы он ее такой видел, и потому не звонит ему. Через сколько-то времени он видит ее, кажется, в театре, но не понимает, что ее ноги парализованы, и ужасно обижается на нее. Пишет ее портрет, ведь он художник, а потом ему говорят в выставочном салоне, что портрет купила какая-то женщина в инвалидном кресле... и тогда он все понимает и начинает разыскивать ее... — Тимми рассказывала, и по ее лицу катились слезы. — И потом они живут долго и счастливо. Хотя, когда он ее нашел, она сначала пыталась ему врать. Но он увидел в ее спальне портрет, который написал, и понял, что она была та самая женщина в инвалидном кресле и что он ее все равно любит.

— Веселенькая история, — заметил Жан-Шарль; его и растрогало, и позабавило, что она вспомнила об этом старом фильме в связи с их отношениями. — Надеюсь, ты не запланировала попасть под машину, Тимми, и не собираешься кататься в инвалидном кресле.

На его вкус все это отдавало мелодрамой.

— Нет, не собираюсь. Я просто подумала, что, может быть, ты захочешь назначить мне свидание через несколько месяцев, и тогда мы будем просто ждать этого дня. Все равно ты пока не можешь со мной видеться, а я все жду и жду с замиранием сердца, когда ты позволишь мне приехать. Может быть, пока нам стоит об этом забыть.

Тимми уже не пыталась скрыть, что плачет, и Жан-Шарль вдруг ужасно расстроился.

— Ты и в самом деле этого хочешь, Тимми? — Голос у него был такой же несчастный, как у нее, чувствовалось, что он испугался. Он не хотел потерять Тимми и готов был сделать все, только бы этого не случилось. Но сейчас он был бессилен, в его жизни все смешалось, его семья нуждается в нем, и все остальное отодвинулось на второй план, даже Тимми. И он знал, как это все несправедливо по отношению к ней, все время чувствовал, как сильно он виноват, и не знал, к кому бросаться на помощь и при этом не предать других. И ему подумалось — что ж, может быть, Тимми права?

— Не хочу, — искренне призналась Тимми. — Я хочу видеть тебя. Сейчас. Немедленно. Сию минуту. Я люблю тебя. И тоскую по тебе как сумасшедшая. Но видимо, при нынешнем состоянии твоей жены для тебя все это сейчас невозможно. И может быть, ты не будешь чувствовать на себе такого гнета, если мы назначим друг другу день встречи и дадим себе обещание разобраться к тому времени со своей жизнью, насколько это возможно.

В жизни Тимми все было просто и ясно, ей не надо ни с чем разбираться, а Жан-Шарлю надо, и он это знал. Но то, что сейчас предложила им обоим Тимми, могло еще и облегчить ее жизнь. Она хотя бы не будет каждый день страдать от разочарования, что он не просит ее приехать в Париж, и не говорит, что никак не может прилететь к ней повидаться.

— Если бы мы с тобой так договорились, ты бы стала по-прежнему разговаривать со мной по телефону? — встревоженно спросил Жан-Шарль.

— Думаю, нам не стоит звонить друг другу... — Она заплакала навзрыд, и этого Жан-Шарль уже не мог выдержать. Ему хотелось только одного — обнять ее и чтобы все опять стало хорошо. То, что у его жены обнаружили рак, было ужасно для всех для них, а ему было особенно тяжело еще и от того, что он из-за болезни жены предает Тимми. Он очень ясно понимал, какой это удар для Тимми, какой страх ее терзает, ведь в ней так сильны детские страхи, что ее бросят. Такое положение, какое сложилось у них сейчас, кому угодно трудно перенести, что уж говорить о Тимми. Жан-Шарль ненавидел себя за то, что вынужден причинять ей такое горе. — Не знаю, проживу ли я столько месяцев, не разговаривая с тобой, — проговорила Тимми, захлебываясь слезами. — Я и сейчас умираю от тоски по тебе.

Только разговоры с ним по телефону и помогали Тимми продираться сквозь дни и ночи страха и одиночества. Если бы она не слышала его голоса, ей было бы еще тяжелее, может быть, просто невыносимо. Особенно сейчас, когда она беременна и так нуждается в его поддержке, и не важно, знает он об их ребенке или нет.

— И я не проживу, — твердо сказал Жан-Шарль. — Моя дорогая, любимая, постарайся не тревожиться. Я люблю тебя. Мы снова будем вместе. Навсегда. Я тебе обещаю. — А если они не будут вместе? Но Тимми не задала ему этого вопроса. — Но может быть, ты и права. Может быть, нам не следует пока пытаться встретиться, по крайней мере до конца лета. В понедельник будет первое июня. К первому сентября закончится курс химиотерапии. Облучение переносится уже гораздо легче. Все самое тяжелое время я проведу с ней. Ни она, ни дети не смогут упрекнуть меня, что я оставил ее во время болезни. В сентябре я смогу спокойно от них уехать. Тимми, если ты дашь мне время до сентября, я буду тебе бесконечно благодарен. — Тимми не могла не задать себе мысленно вопрос, а что будет, если жене станет не лучше, а хуже, а дети отнесутся к его уходу от них совсем не так доброжелательно, как он ожидает? Что, если он их вообще не оставит? Но его она об этом не спросила. Она старалась вести себя достойно, и он тоже. И она надеялась, что, давая ей обещания, он не проявляет наивности. — Мы тоже назначим встречу на площадке «Эмпайр-Стейт-билдинг» первого сентября? — шутливо спросил он, и Тимми засмеялась сквозь слезы.

— Совсем не обязательно. — И она снова засмеялась. — Что скажешь по поводу Эйфелевой башни? Но если мы будем по-прежнему разговаривать по телефону, мы будем знать, кто из нас придет на свидание, а кто нет.

— Я обязательно приду, — сказал он серьезно. — И это не обещание, Тимми, это клятва. Первого сентября я стану навсегда твоим, и делай со мной все, что захочешь.

Тимми быстро прикинула в уме и заключила, что к тому времени она уже будет примерно на шестом месяце. Когда они встретятся, его ожидает большой сюрприз. Но она подождет. Если он обещает, что будет принадлежать ей всю жизнь, она подождет еще три месяца. Он достоин того, чтобы его ждали, Тимми знала это и сердцем, и душой, и умом. Она не будет усиливать гнет, под которым он живет, и не скажет ему о ребенке. До их встречи она будет справляться со всем одна, а если понадобится, то и всю жизнь. Тимми надеялась, что ребенок, которого она сейчас носит, будет с ней всегда. И Бог даст, с Жан-Шарлем тоже.

— Что ж, договорились, — грустно сказала Тимми. Ее сердце разрывалось от мысли, что она не увидит его еще целых три месяца, но ничего другого не оставалось, иначе ему не сохранить душевное здоровье. — Первого сентября на Эйфелевой башне.

— Я буду ждать тебя в ресторане Жюля Верна, — сказал он, чувствуя, что все звучит немного смешно. — А до тех пор буду звонить тебе каждый день. Обещаю.

Обоим было грустно, когда они положили трубки. У нее было такое чувство, что, заключив с ним это соглашение, она что-то скорее потеряла, чем приобрела. Потеряла возможность постоянно испытывать разочарование и страдать из-за того, что он нарушает обещания. Но она также отказалась от надежды встретиться с ним раньше, чем через три месяца. Им обоим будет очень трудно. Она просто надеялась, что их любовь это выдержит. Хотя кто знает? Надежды, мечты, огромная любовь к нему — вот все, что у нее осталось, да еще ребенок, которого она носит и о котором он знать не знает, а может быть, никогда и не узнает. Если Жан-Шарль не придет на встречу с ней первого сентября, Тимми никогда не расскажет ему о ребенке, она уже это решила. И если так случится, она останется со своим ребенком одна на всю жизнь, и согревать ее будут только воспоминания о Жан-Шарле. Думать об этом было страшно. И она все же надеялась, что Жан-Шарль придет на свидание с ней первого сентября, как он и обещал. Ей оставалось лишь молиться, надеяться, верить ему и ждать.

Глава 18

Следующие месяцы дались Тимми нелегко. Она крепилась, старалась держаться изо всех сил, но не видеть Жан-Шарля оказалось еще труднее, чем ей представлялось. Как и ожидалось, химиотерапия подействовала на его жену самым разрушительным образом, уже через неделю у нее выпали волосы, дети были в ужасе от того, что мать может умереть. И было пока не ясно, принесет химиотерапия ожидаемый результат или нет. Когда Жан-Шарль говорил с Тимми по телефону, голос у него был глухой и тусклый. Он все время твердил Тимми, что любит ее, но постепенно стал превращаться для нее в отделившийся от живого человека голос. Неужели она когда-то была так счастлива в его объятиях? Ей с трудом в это верилось. Единственным неопровержимым доказательством этого был ее растущий живот.

Уже и лето наступило, а Тимми по-прежнему скрывала свою беременность от Дэвида и Джейд, почти не прилагая к этому усилий. Она уставала больше обычного и, приехав домой, ложилась отдохнуть. Случалось, ее подташнивало, иногда болела голова, но она не рассказывала им о своих неприятных ощущениях и не делилась ни своими надеждами, ни подозрениями, ни страхами. Она от всех все таила, и поскольку была высока и стройна, ничего и не было заметно. Она стала носить более свободные блузки, а в июле купила джинсы следующего размера, но все равно выглядела такой же хрупкой и легкой. Никто и не мог бы заподозрить, что она беременна. Это было последнее, что людям пришло бы в голову. Джейд как-то сказала Дэвиду, что Тимми вроде бы слегка поправилась, но оба они знали, что Тимми сейчас переживает не самое легкое время. Было ясно, что Жан-Шарль отодвинул ее на второй план, и Тимми в конце концов призналась им, что у его жены рак и что они решили взять тайм-аут до сентября. Больше она не сказала ни слова, но оба ее помощника знали, что Жан-Шарль ей по-прежнему звонит. Дэвид продолжал надеяться. А Джейд ни на миг не сомневалась, что все кончится, как и всегда, гнусным предательством, хотя на сей раз делилась своими мрачными прогнозами только с Дэвидом.

— Этот тип уже древняя история, — сказала Джейд Дэвиду, когда уже шла середина июля. Со времени встречи Тимми с Жан-Шарлем в апреле в Нью-Йорке прошло три месяца. — Он больше не появится. Он нужен жене, потому что она больна, а дети не простят его, если он уйдет. И даже если жена сейчас поправится, следующие пять-десять лет они будут дрожать от страха, что процесс возобновится. О нем надо забыть навсегда, — отрезала Джейд.

— А ты хотя бы отдаленно не допускаешь предположения, что человек старается вести себя достойно и что он в конце концов уйдет? Джейд, он порядочный парень. И достоин восхищения за то, что старается все сделать честно.

— Все это дерьмо собачье. А за то, как он поступает с Тимми, он, по-твоему, тоже достоин восхищения? Ты на ее лицо посмотри! Краше в гроб кладут. И то сказать, разве это жизнь? Поверь мне, уж я-то знаю, каково ей сейчас. Она, наверное, в глубине сердца знает, что он не уйдет из семьи. Просто еще не готова себе в этом признаться.

— Черт, ну сколько можно каркать. Я уверен, они любят друг друга. Подождем лучше до сентября, а там уж будем судить да рядить. Тимми ведь ждет. Если он к тому времени к ней не вернется, я, может быть, и соглашусь, что в твоих предположениях есть доля правды. Ну да, он надеется, что к сентябрю все уладится, но ведь может и не уладиться. Может быть, он вернется к Тимми в ноябре, или в декабре, или даже в январе. Но что вернется — я уверен. Готов спорить на что угодно. Я нутром чую, что он порядочный мужик.

— Ты просто защищаешь мужчин, потому что сам мужчина. Поверь мне, он не вернется.

— Спорю на тысячу долларов, что вернется.

Дэвид готов был испепелить Джейд взглядом, а она смотрела на него жестко и холодно.

— Идет, — согласилась она. — Мне как раз нужна новая сумочка от Шанель. Каков твой крайний срок?

— Первое октября. Дадим ему месяц отсрочки.

— Нет, первое сентября.

— Очень уж ты сурова. А что, если он вернется к ней чуть позже и я окажусь прав?

— Тогда я буду одалживать тебе мою сумочку.

Джейд знала, что он спуску ей не даст, и они засмеялись.

— Нет, это невыгодная сделка. Ты продашь свою сумочку и купишь мне новые клюшки для гольфа.

— Ладно, договорились, если он вернется к ней после первого сентября, приглашаю тебя в дорогой ресторан на ужин.

— Идет.

Они скрепили пари рукопожатием, и в эту минуту в кабинет вошла Тимми. Завтра было четвертое июля, и она собиралась поехать на выходные в Санта-Барбару, но, судя по ее выражению, ничуть этому не радовалась. Она сейчас ничему не радовалась и чаще обычного выходила из себя, хотя Жан-Шарль по-прежнему звонил ей каждый день, Джейд и Дэвид это знали. Несколько минут после его звонка она чувствовала себя счастливой, а Жан-Шарлю не показывала и виду, как ей тяжело, но потом ее настроение опять падало. Джейд давно не видела ее такой угнетенной, Дэвид за нее тревожился. Оба они тревожились.

— Что это вы, ребятки, затеяли?

Тимми застала их за рукопожатием, которым они скрепили свое пари, и почуяла какой-то подвох. Джейд в эти дни ходила окрыленная. Ее роман с архитектором расцветал пышным цветом. Дэвид встречался с тремя девушками, с которыми познакомился через Интернет. Тимми считала, что все это глупости, но пусть их, чем бы дитя ни тешилось. Они молоды, пусть развлекаются. А она в эти дни могла думать только о своем ребенке, хотя никто о нем и не догадывался.

— Ничего! — ответили они в унисон. — Мы просто поспорили, удастся Дэвиду затащить в постель девушку, с которой он только что познакомился на сайте знакомств, или нет.

— Какие же вы бессовестные! — Тимми улыбнулась. — Бедная девушка. Если бы она только знала, что на нее заключают пари. Можно узнать, какая сумма?

Дэвид покачал головой и засмеялся:

— Нет, нельзя.

Он протянул Тимми несколько отчетов, и она вернулась в свой кабинет. Все это время она держалась очень замкнуто. И в первую очередь потому, что не хотела слышать, как Джейд будет твердить: «Я тебе говорила!» Как бы там ни было, Жан-Шарль был полон любви и нежности, звонил ей каждый день, как и обещал. Жене было очень плохо, дети растеряны и убиты, но свою встречу в ресторане на Эйфелевой башне первого сентября они не отменяли. Только надежда на эту встречу и помогала Тимми держаться сейчас на плаву. Не так уж много, но больше было не за что ухватиться. А он и не подозревал, что она ждет ребенка. Да и с чего бы ему подозревать?

Он лишь неизменно просил прощения, что разбудил ее, когда звонил ей в полночь из своего кабинета в девять утра по парижскому времени. Раньше она в это время работала или читала, а сейчас почти всегда спала. Его тревожило, что она стала больше спать, боялся, что это депрессия. И ему ни разу не пришло в голову, что причина совсем в другом, что она просто беременна.

Они по-прежнему часами разговаривали по телефону, делились друг с другом всем, что происходило в их жизни. Тимми рассказывала ему о своей работе, обо всем, что она делает, о том, как проводит выходные на своей вилле в Малибу. Обо всем она ему рассказывала, но только не об их ребенке, а ребенок рос себе спокойно в ее лоне и рос — плод их любви друг к другу. В самые мрачные минуты Тимми порой становилось непереносимо тяжело от мысли, что он, быть может, никогда и не узнает о существовании этого ребенка. Если он останется с женой, Тимми ему ничего не скажет, она это твердо решила. Она хотела рассказать ему о ребенке только в том случае, если он будет с ней. Если же нет, всю ответственность за ребенка она берет на себя, Жан-Шарля это все не касается. Она не хочет быть для него обузой, не хочет вызывать к себе жалость. Он ей нужен таким, каким был раньше, когда они зачинали этого ребенка, в неизмеримой любви друг к другу. Только так, на меньшее она не согласна.

Выходные в Санта-Барбаре прошли очень скучно, да и могло ли быть иначе. Весь июль Тимми работала, уезжала на уик-энды в Малибу, навещала детей в приюте Святой Цецилии. Однажды она потеряла там сознание, день выдался уж очень жаркий, было душно, тягостно, и сестра Анна встревожилась.

— Да нет, я совершенно здорова. Просто много работаю, как всегда, — отмахнулась Тимми, стараясь ее успокоить. Они поговорили о разных разностях. Мудрую старую монахиню не обманули наигранная жизнерадостность Тимми и ее бравада. Она знала, что у Тимми что-то случилось, надеялась откровенно поговорить с ней, если Тимми захочет, и старалась подвести ее к признанию. Тимми сердечно обняла сестру Анну и уехала со слезами на глазах. Монахини готовились повести всех детей в двухнедельный туристический поход на озеро Тахо и пригласили с собой Тимми, но она отказалась. Она чувствовала себя усталой, а две недели был слишком долгий срок, она не могла выкроить столько времени в своем рабочем графике. Однако сказала, что, может быть, приедет к ним на выходные, и в самом деле приехала в первый же уик-энд в начале августа. Сестра Анна страшно обрадовалась, дети весело бросились к ней навстречу, когда увидели, что она выходит из машины.

— Как же замечательно, что вы к нам приехали, — говорила сестра Анна, обнимая Тимми. И дети, и монахини жили здесь в палатках, которые поставили сами, дети были в восторге; свой особняк в Санта-Монике они заперли и поставили на охрану, так что сейчас он пустовал.

— Я уж сто лет как не ходила в туристические походы, — с сожалением сказала Тимми. — И мне кажется, что я и не хочу.

Она сама им призналась, что избаловала себя за эти годы и что ей нравится комфорт, среди которого она живет.

— Вам обязательно понравится! — уверяла ее сестра Анна, и она оказалась права.

Каждый вечер они жгли костер, поджаривали маршмеллоу, и Тимми тут показала себя специалистом высокого класса, потому что и сама все это делала маленькой девочкой в приюте. Она удила вместе с детьми рыбу, ходила на прогулки, собирала гербарий, убегала в панике от медведя, который показался где-то вдалеке, а потом исчез. И наконец в последний день плавала вместе со всеми в озере, хотя поклялась, что ни за что не войдет в воду. Вода, как и следовало ожидать и как опасалась Тимми, была ледяная, но она получила огромное удовольствие от купания с детьми, научила плавать того самого мальчика, который отказывался говорить, когда поступил в приют, а сейчас болтал — не остановишь. Сидя вечером у костра, Тимми учила детей песням, которые сама знала. Из озера она вылезла счастливая и запыхавшаяся и, заворачиваясь в полотенце, заметила, что сестра Анна смотрит на нее и улыбается. Их взгляды встретились, и женщины прочли в глазах друг друга умиротворенность и любовь.

Заговорила сестра Анна с Тимми только поздно вечером, когда другие монахини укладывали детей спать, несмотря на их споры и протесты. Они играли в мяч на берегу озера и вообще любили долго не ложиться и рассказывать истории про привидения, пугая друг друга до смерти, чем и намеревались заняться сейчас в своих палатках.

Тимми и сестра Анна сидели у костра, Тимми поджарила на огне еще маршмеллоу на палочке и протянула сестре Анне. Она всегда любила вести с ней задушевные беседы, а сейчас ей было особенно приятно ее общество после чудесного времени, проведенного с детьми. Тимми было жалко расставаться со всеми с ними утром, но в штаб-квартире фирмы уже вовсю кипела работа, они готовились к октябрьскому показу своей коллекции, хотя до показа оставалось еще больше двух месяцев. Это время у них всегда было очень напряженным.

— Как я рада, Тимми, что вы к нам приехали, — негромко сказала сестра Анна. — Вы для наших детей просто ангел-хранитель. Не только потому, что бесконечно много для них делаете, но и потому, что показываете им пример. Вы убеждаете их своей жизнью, что можно пережить очень трудное детство, а потом добиться и огромных успехов, и счастья.

Тимми все это время не чувствовала себя особенно счастливой, но признаваться в этом сестре Анне не стала. И еще она не разговаривала с Жан-Шарлем по телефону целых три дня. В горах не было мобильной связи, и в каком-то смысле ей было так даже легче. Она уже не знала, о чем с ним говорить. Устала лгать ему, скрывая свою беременность. До назначенного дня встречи на Эйфелевой башне оставался почти месяц, и Тимми начала сомневаться, что он придет на свидание, хотя курс химиотерапии, который проходила его жена, подходил к концу. Интересно, думала Тимми, решится ли он вообще когда-нибудь ее оставить? Слишком уж он глубоко врос корнями в свою прежнюю жизнь. Надежды Тимми таяли, а может быть, она просто заранее готовила себя к разочарованию, что он не придет. Что ж, возможно, и в самом деле не придет. Тимми знала, что, задай она этот вопрос Джейд, та стала бы уверять ее, что, конечно же, он не придет, и ждать нечего. Тимми начинала склоняться к мысли, что Джейд права.

Тимми не видела Жан-Шарля четыре месяца, и это означало, что она на пятом месяце беременности. Ее беременность была незаметна, потому что никто подобного и предположить не мог. Но если бы кто-то знал, он бы обратил внимание, что ее живот слегка обозначился. И Тимми казалось, что ее попка стала в два раза толще, хотя ничего подобного не было и в помине. Несколько дней назад она почувствовала, что ребенок впервые шевельнулся в ней, но тут же сказала себе, что это всего лишь ее воображение. Движение было легкое, словно ее сердца коснулась на лету своими крыльями бабочка, и Тимми заплакала, ощутив его. Как бы она хотела поделиться своими ощущениями с Жан-Шарлем, когда он позвонил ей через несколько минут и спросил, почему она плачет. Тимми сказала, что читает грустную книгу. «Незабываемый роман» она уже давно ему послала, и он говорил ей, что жене и дочкам фильм очень понравился. Тимми не пришла от этого сообщения в восторг, хотя Жан-Шарль хотел доставить ей удовольствие. Иногда даже он не понимал чего-то очень важного, хоть и любил ее всем сердцем и был по-прежнему нежен и заботлив.

Сестра Анна внимательно наблюдала за Тимми, когда она облизывала пальцы, съев последнюю зефирину. У нее сейчас был хороший, здоровый аппетит, и ела она больше, чем когда-либо раньше.

— Вы не сочтете меня бестактной, если я задам вам один вопрос? — негромко спросила сестра Анна, и Тимми ей улыбнулась.

— Конечно, нет. Спрашивайте о чем хотите. — Она подумала, что сестра Анна, которая заведовала приютом, хочет попросить ее увеличить их бюджет, возможно, для того, чтобы чаще устраивать такие каникулы, каким они все так радуются сейчас. — Так что?

— Я смотрела на вас, когда вы выходили из озера. Я конечно, мало что смыслю в таких вещах... — Сестра Анна улыбнулась. — Но мне показалось, что я увидела... небольшую припухлость... может быть, я ошибаюсь... но я подумала, что, возможно... — Она вдруг вспомнила, как месяц назад Тимми потеряла сознание. И решилась высказать свои догадки, которые, конечно, попали в самую точку. — Возможно ли, чтобы Господь послал вам свое благословение? — спросила она, и Тимми улыбнулась. Она была тронута — какое возвышенное отношение к тому, что произошло с ней! Тимми пока не хотела никому ничего рассказывать, но она знала, что сестра Анна сохранит ее тайну, если Тимми ей доверится. А доверяла она ей совершенно. Все равно все в конце концов увидят, но пока еще есть время.

Тимми долго смотрела на огонь, потом взглянула в глаза старой монахине. И увидела в них любовь и поддержку. Глаза Тимми наполнились слезами, она кивнула, и сестра Анна обняла ее и стала говорить, как же она счастлива за Тимми. Тем более что она знала о сыне, которого Тимми похоронила, и видела, как она горевала, потеряв Блейка.

— Вы не шокированы? — удивленно спросила Тимми.

— Что вы, ничуть. Я считаю, что вы счастливица. Я посвятила свою жизнь религии, и единственно, чего мне всегда не хватало, это собственно ребенка. Если бы я могла начать все сначала, думаю, я родила бы ребенка, но меня уже столько лет окружают дети, — она опять улыбнулась Тимми, — что в общем-то это не имеет значения. Но на вашем месте я бы бесконечно благодарила небо за этого ребенка и радовалась каждому мгновению его жизни.

Услышав эти слова, Тимми заплакала. И стала рассказывать сестре Анне о Жан-Шарле, о том, как она встретила его и полюбила, об их мечтах и планах, о том, что у его жены рак, и что они должны встретиться через месяц на Эйфелевой башне. Тимми убеждала сестру Анну, как убедил ее в свое время Жан-Шарль, что к тому времени как им встретиться, их брак уже давно распался изнутри. Тимми никогда не стала бы разрушать живой брак и красть чужого мужа. Решение развестись Жан-Шарль принял сам еще до того, как они встретились. И сейчас тоже сам решил остаться пока с женой.

— Знаете, Тимми, я не знаю этого человека, но, судя по тому, что вы о нем рассказываете, он внушает мне доверие. Он поступил очень порядочно по отношению к своей жене и детям. И он хороший человек. Не думаю, что он вас предаст.

— Хотелось бы мне чувствовать такую же уверенность, — печально вздохнула Тимми. Весь последний месяц ее буквально разрывали на части сомнения. Четыре месяца без него казались вечностью, она сейчас даже представить себе не могла, что Жан-Шарль уйдет от жены. — Пока я не встретила его, я не верила в любовь с первого взгляда, — призналась она.

331

— Я верю, что такое бывает, — задумчиво проговорила монахиня. — Но со мной не случилось. — Она засмеялась. — Зато слышала много таких историй, и хотя сначала у влюбленных не все шло гладко, но они все преодолевали и соединялись. Уверена, вы тоже будете вместе.

— Вы будете за нас молиться? — спросила Тимми. В первый раз за всю свою жизнь она попросила кого-то, чтобы за нее молились. Но она верила в силу молитвы сестры Анны. Была уверена, что Господь ее слышит.

— Конечно, буду. И за ваше дитя тоже. — Лицо сестры Анны стало серьезным. — Насколько я понимаю, вы не рассказали ему о ребенке?

Тимми покачала головой.

— Хочу, чтобы он ушел от них, потому что он сам хочет уйти и потому что любит меня. Не хочу тянуть его силой, нагружая на него обязательства и чувство вины. Он поступил честно по отношению к своей жене. Я не хочу, чтобы он поступил всего лишь «честно» по отношению ко мне. Я хочу, чтобы он пришел ко мне, потому что любит меня.

— Я уверена, что он вас любит, — негромко сказала сестра Анна, — но, может быть, ему стало бы легче, если бы он узнал о ребенке. Ведь это и его ребенок тоже.

— Расскажу ему, когда мы встретимся на Эйфелевой башне. Я не хотела взваливать на него еще и этот груз, когда ему и без того тяжело. А если он не придет, значит, ему и не надо ничего знать. Чего я меньше всего хочу, так это стать для него обузой. Я его люблю. Но не собираюсь принуждать его быть со мной, потому что ношу его ребенка. Ведь я всегда смогу ему рассказать все потом, когда ребенок родится. Хочу, чтобы сначала все стало ясно в наших отношениях. В сентябре мне уже ничего не придется говорить. Скоро и так все станет заметно. И он увидит сам... Если придет.

— Обязательно придет, — сказала сестра Анна, улыбаясь. У нее не было ни малейших сомнений, как и у Дэвида. А Тимми казалось, что она уже больше ничему не верит. Она жила словно в лихорадке между приступами страха и любви. Четыре месяца она продержалась на доверии к нему, теперь это доверие иссякало. Может быть, ей помогут молитвы сестры Анны. И все кончится хорошо, если он придет первого сентября встретиться с ней в ресторане на Эйфелевой башне. — Обязательно позвоните мне из Парижа. — Сестра Анна улыбалась счастливой улыбкой, было видно, что она ни на миг не сомневается — все будет замечательно. — Или еще лучше — приезжайте вместе сюда, к нам, когда вернетесь. Как будет чудесно, если вы приедете сюда с новорожденным, — радовалась она, и Тимми не могла не улыбнуться. Все, что с ней происходило, казалось ей чем-то нереальным, и только разговор с сестрой Анной помог ей хоть на время спуститься на землю. Ей вдруг вспомнилось, что сестра Анна говорила о том, какой важный пример она подает детям.

— Знаете, я не сделала в своей жизни ничего выдающегося. У меня процветающий бизнес, но и только. Я не замужем. У меня нет детей. Нет семьи. Единственное, что заслуживает уважения из созданного мной, это «Тимми О».

— Вы показываете всем, каким должен быть человек, — спокойно произнесла сестра Анна. — Вы — пример того, как нужно преодолевать трудности и невзгоды и никогда не опускать рук. Это дает людям надежду. Порой надежда нам бывает нужна больше, чем любовь. Конечно, нам нужны и любовь, и надежда. А вы дарите нашим детям надежду, показывая, чего можно добиться в жизни, а чтобы помочь им добиваться, вы дарите им любовь. Что может быть драгоценнее этого дара?

Тимми глядела на сестру Анну и думала, что именно любовь и надежду она ей сейчас и дарит, а это было самое главное, в чем она сейчас нуждалась. Сестра Анна своей любовью вдохнула в Тимми надежду, что Жан-Шарль будет с ней. Она угадала, что Тимми сейчас нужно больше всего. И Тимми обняла старую монахиню с нежностью и с благодарностью.

— Спасибо, — прошептала она, глядя ей в глаза.

— Все будет хорошо, Тимми. — Старая монахиня похлопала ее по руке. — Доверьтесь воле Господа. Жан-Шарль придет на вашу встречу.

Тимми кивнула, от души надеясь, что так оно и будет.

Глава 19

На следующее утро, когда Тимми прощалась с детьми, к лагерю подъехала машина и из нее вышли два священника. За рулем сидел молодой священник, на втором, пожилом, были белый воротничок католического священника и джинсы. Он подошел к окруженной детьми и монахинями Тимми. Сестра Анна представила священников, и Тимми с удивлением посмотрела на пожилого. Он показался ей знакомым, но она не могла вспомнить, где его видела. Круглое лицо ирландца, шапка седых волос, острые голубые глаза, в них вспыхивали искорки, когда он смеялся. Он пожал Тимми руку, когда сестра Анна их знакомила, внимательно посмотрел на нее и нахмурился.

— Тимми О'Нилл?.. Вы, конечно, никогда не были в заведении, которое называется приют Сент-Клер?

Тимми широко распахнула глаза и вдруг вспомнила — он был тот самый священник, к которому приходили на исповедь дети из сиротского приюта, где она росла. Он всегда приносил детям сладости, девочкам хорошенькие заколки для волос. А ей, она помнила, как-то подарил большой голубой бант, чтобы завязывать волосы. Она никогда не могла забыть его щедрости и доброты и носила бант, пока он не истрепался. Больше у нее бантов в жизни не было.

— Отец Патрик?

— Боюсь, что да. — Он так и засиял улыбкой. — Он самый и есть. А вы — я в жизни не видел таких острых коленок, как у вас, и уж точно не встречал ребенка, у которого было бы столько веснушек на лице. Как вы жили все эти годы?

Тимми засмеялась, услышав вопрос, и сестра Анна тоже. Он, наверное, был единственным человеком в стране, а может быть, и во всем мире, кому было неизвестно ее имя.

— У меня в Лос-Анджелесе фирма по производству одежды, — скромно сказала Тимми, и он еще раз с удивлением поглядел на нее.

— Господи, так вы что же, та самая «Тимми О»? Мне ни разу в жизни не пришло в голову связать эти имена. Я всегда покупаю ваши джинсы и классические рубашки. Вы шьете очень хорошую одежду, — похвалил он Тимми. Священник жил в Соединенных Штатах уже больше пятидесяти лет, однако говорил по-английски с резким ирландским акцентом.

— Пожалуйста, больше не покупайте, — улыбнулась Тимми. — Я пришлю вам все, что может пригодиться, когда вы вернетесь к себе. А я уже собралась уезжать. Так рада, что встретила вас.

Отец Патрик был одним из немногих в ее сиротском детстве, о ком Тимми сохранила добрые воспоминания, и сейчас она искренне обрадовалась встрече с ним. И тут все они — и отец Патрик, и молодой священник, и дети, и монахини — принялись уговаривать Тимми остаться. Она в конце концов согласилась остаться до ужина. Ночью ей надо было вернуться в Сан-Франциско, а потом лететь в Лос-Анджелес. Завтра у нее масса работы плюс встречи, которые нельзя отменить. Но ей самой было приятно провести день с отцом Патриком и поговорить о прошлом.

Обедали все вместе с детьми и вспоминали, вспоминали... Тимми обрадовалась, когда узнала, что отец Патрик очень интересуется деятельностью приюта Святой Цецилии и часто здесь бывает. Они с сестрой Анной старинные друзья.

— Вы делаете очень много доброго, — похвалил он Тимми. — Как радуется мое сердце, когда я узнаю, что люди, пережившие много страданий, стараются сделать других людей счастливыми. Эти дети нуждаются в вас, Тимми. Слишком многие из них оказываются вне пределов внимания системы опеки и попечительства, как это случилось с вами, они не находят себе усыновителей и не попадают в патронатную семью. Помню, как нелегко вам жилось в приюте Сент-Клер. Я никак не мог понять, почему вас постоянно возвращали. Возможно, потому, что вам уже было довольно много лет, когда родители вас оставили. Насколько я помню, они долго не подписывали заявление об отказе от родительских прав.

Тимми подумала, что, видно, отец Патрик сильно постарел, раз начал забывать и путать подробности. Он забыл, что ее родители погибли, зато помнил все остальное, и это тронуло ее до глубины души.

— Вообще-то мои родители погибли, потому я и оказалась в приюте Сент-Клер. Думаю, я была не очень-то обаятельным ребенком. Может быть, людям не нравились мосластые коленки и физиономия в сплошных конопушках, да еще и рыжие патлы. Как бы там ни было, меня всегда привозили обратно. В приют Сент-Клер. Помню, я однажды призналась вам на исповеди, что ненавижу патронатных родителей за то, что они отказываются от меня, а вы мне сказали, чтобы я не расстраивалась из-за этого, и дали мне сникерс, и даже не заставили читать «Радуйся, Мария, благодати полная» за то, что я призналась, как всех ненавижу.

— Я не считал, что вы в чем-то виноваты. — Он улыбнулся, но в его глазах мелькнула тревога.

Потом разговор перешел на жизнь и заботы приюта Святой Цецилии, и только уже вечером, после того как Тимми в последний раз искупалась с детьми, отец Патрик снова к ней подсел.

— Тимми, я хотел бы поговорить с вами, — начал он деликатно. Прежде чем начать этот разговор с Тимми, он посоветовался с сестрой Анной, и оба они пришли к заключению, что она имеет право узнать правду, хотя он, вероятно, нарушит какие-то правила, открывая ее Тимми. Но оба они понимали, что Тимми давно уже не маленький ребенок и сможет эту правду принять, может быть, она даже каким-то образом повлияет на ее жизнь, пусть даже прошло очень много времени. — Я в общем-то не должен вам об этом рассказывать, хотя законы, касающиеся этих предметов, изменились. Если вы решите действовать дальше, вам будут обязаны все рассказать. Навязывать вам эти сведения никто не станет, но я подумал, что, возможно, вы пожелаете знать. Тимми, ваши родители не погибли. Они отказались от вас и вернулись в Ирландию. Я их никогда не видел, но эту историю хорошо знаю. Они были очень молоды, убежали из дому. И поженились, потом у них родились вы, а жизнь никак не налаживалась. Им обоим было слегка за двадцать. Не было ни денег, ни работы, поднять ребенка им было не под силу. И они отдали

336

вас на удочерение, а сами вернулись в Ирландию к родителям. Не знаю, остались они вместе или разошлись. Помню, что они не сразу подписали отказ от родительских прав, стало быть, думали, колебались. Замахнулись на многое, а силенок не хватило, потому они и отказались от вас и уехали домой. Помнится, они и в самом деле разбили машину, и вы тоже ехали с ними, но нисколько не пострадали. Оба были пьяны, столкнулись лоб в лоб, но каким-то чудом все остались живы. И тут они, бог их знает почему, сразу приняли решение. «Скорая помощь» отвезла их в больницу, а вас они попросили отдать в приют Сент-Клер. Кажется, у вашей мамы была сломана рука, и она не могла ухаживать за ребенком; может быть, она поступила правильно. Вы в ту ночь вполне могли разбиться насмерть с пьяными лихачами-родителями. Благодарение Господу, этого не случилось. — Слушая отца Патрика, Тимми вспомнила, как «Скорая помощь» везла ее в приют Сент-Клер. В памяти не сохранилось, как она ехала с родителями в машине, как ее забирали от них, в каком состоянии они находились. Она их больше никогда не видела и думала, что они той же ночью и умерли. — Ваша мать просила нас сказать вам, что они разбились насмерть. Думала, так вам будет легче понять.

Отец Патрик волновался, рассказывая Тимми эту историю, а Тимми она просто потрясла. Это было худшее из всех предательств, было бы даже легче, если бы ее родители умерли. Они просто сдали ее в приют, пусть кто хочет удочерит ее, а сами уехали в Ирландию. И даже если на самом деле все было гораздо сложнее, именно это Тимми и поняла. Они избавились от трудностей, бросив дочь, — пусть другие о ней заботятся. И так никогда и не вернулись. Вот чего Тимми больше всего на свете боялась всю свою жизнь — что ее бросят, и теперь она поняла, откуда этот страх. То, что с ней случилось, и было ее худшим кошмаром, и даже сейчас она боялась, что этот кошмар может повториться с Жан-Шарлем. Что ж, ее бросили родители, которых она любила и которые говорили ей, что любят ее...

— Вы расстроились? — спросил отец Патрик, увидев, какое у Тимми сейчас лицо.

— Нет, ничего. Вы не знаете, где они сейчас?

Он покачал головой.

— Наверное, в Ирландии. Никакими сведениями об их нынешнем положении мы не располагаем, это я знаю точно. Поскольку они от вас отказались, они не имеют права пытаться связаться с вами. Но если вы пожелаете, приют должен будет предоставить вам имеющиеся документы. Вы сможете найти там какие-то ориентиры, которые помогут вам их разыскать, — если, конечно, вы этого хотите. — Отец Патрик знал, что некоторые оставленные дети хотят найти своих родителей, говорят, что для них это очень важно. Он не предполагал, что это может быть важно для Тимми. Она так великолепно преуспела в жизни, производила впечатление счастливой женщины без всяких комплексов, но ведь никто не знает, какие тайные призраки терзают нашу душу, и он счел, что его долг — открыть Тимми правду о родителях, когда она сказала, что они разбились и умерли. Ему почему-то казалось, что она наверняка уже давно обо всем узнала, но вот оказалось, что нет, и он поэтому ей и рассказал. Был уверен, что она имеет право узнать, как все было на самом деле, а не довольствоваться той унизительной ложью, с которой ей пришлось прожить всю жизнь.

— О'Нилл — это моя настоящая фамилия? — спросила Тимми, все еще не в силах опомниться от потрясения.

— Думаю, да, — деликатно подтвердил он.

Весь вечер Тимми казалась немного рассеянной и ушедшей в себя, но никто не догадывался, в каком она сейчас смятении.

Как они и договорились, она уехала сразу после ужина, дети и монахини толпой провожали ее и махали на прощание руками. Священники уехали за несколько минут до нее, и Тимми взяла у отца Патрика адрес, чтобы послать ему разные вещи из коллекции «Тимми О». Она поблагодарила его за сведения, которыми он с ней поделился. И всю дорогу, пока ехала на машине до Сан-Франциско, а потом летела из Сан-Франциско в Лос-Анджелес, только о них и думала. Всю ночь она пролежала без сна.

А рано утром ей позвонил Жан-Шарль и безмерно обрадовался, что наконец-то смог до нее дозвониться. Они не разговаривали четыре дня. Тимми рассказала о том, как навещала детей во время их туристического похода, а потом и о том, что узнала от отца Патрика о своих родителях. Она ничего не могла поделать со своим голосом — он у нее дрожал и прерывался. Прошло столько лет, а Тимми все никак не могла пережить потрясение. Всю жизнь она считала, что попала в сиротский приют, потому что ее родители погибли. И вот теперь узнала, что они были живы и просто бросили ее, и это перевернуло всю ее жизнь. Насколько тяжелее знать, что ты оказалась никому не нужной.

— Они просто бросили меня и уехали в Ирландию и никогда потом за мной не вернулись.

Теперь Жан-Шарлю было легче понять, что все страхи, которые терзали Тимми всю жизнь, и все ее проблемы уходили корнями в предательство, которое совершили родители по отношению к ней. И их предательство усиливало страх Тимми, что он ее тоже оставит, Жан-Шарль это понимал. Он слышал по ее голосу, как она расстроена.

— Наверное, они были еще очень молоды, и им было страшно, — осторожно сказал Жан-Шарль. — Трудно поднимать ребенка, когда тебе никто не помогает. Наверное, у них не было денег, они не знали, что делать.

— Могли бы взять меня с собой в Ирландию. Я ведь была не новорожденный младенец, которого можно положить на ступеньки церкви или выбросить в мусорный бак. Мне уже исполнилось пять лет, — сказала Тимми с возмущением, и даже Жан-Шарль почувствовал его силу. Но сейчас Тимми была бессильна что-то изменить. Прошло сорок три года, как они уехали. Единственным воспоминанием, которое они оставили о себе Тимми, оказались шрамы в ее душе. После того как ее родители подписали заявление об отказе от родительских прав, им было отказано в каких бы то ни было дальнейших сведениях о ней, да, судя по всему, они и не пытались ничего узнать. Бросили ее и навсегда забыли — первые предатели в жизни Тимми, но, увы, не последние.

— Тимми, обо всем этом надо забыть. Ты ведь ничего не можешь изменить.

Жан-Шарль старался отвлечь Тимми как только мог, даже напомнил об их свидании в ресторане на Эйфелевой башне. Сказал, что все идет хорошо, жена чувствует себя лучше, дети немного успокоились, он уверен, что через три недели он будет ждать ее там, скорее бы прошло это время. Тимми едва смела надеяться. Через три недели у них начнется новая жизнь! Жан-Шарль сказал, что готовится к переезду и не позже чем через две недели все им скажет.

— Я приду и буду тебя ждать, — обещал он. Это прозвучало смешно и романтично.

— Когда мы встретимся, я расскажу тебе что-то интересное, — с улыбкой пообещала Тимми, и Жан-Шарль тотчас же захотел узнать, что это такое. Им столько всего хотелось рассказать друг другу, стольким поделиться. И впереди их ждала целая жизнь, только бы он пришел к ней. А Тимми ждала его с такой любовью, о которой и рассказать невозможно, ждала, распахнув объятия. Первого сентября у них и в самом деле начнется новая жизнь! Наконец-то она дала волю своей надежде и стала думать, что, может быть, сестра Анна права.

Поговорив с Жан-Шарлем, Тимми вскоре поехала на работу и весь день думала только об одном. Не о том, что говорил ей Жан-Шарль и что так радовало и вселяло надежду, а о том, что открыл ей накануне отец Патрик, а Жан-Шарль просил забыть. Она не соглашалась с ним. Верно, она сейчас не может ничего изменить, но по крайней мере имеет право узнать о своих родителях все, что удастся. Из своего дела, которое хранится в архиве приюта, она, конечно, не узнает, почему они ее бросили. Однако какие-то подсказки все же в нем могут найтись.

В половине пятого Тимми позвонила в приют Сент-Клер и попросила прислать ей все имеющиеся в ее деле записи. Послала им факсом письменное освобождение от ответственности и потом провела три лихорадочных дня в ожидании, как та самая кошка на раскаленной крыше, а когда наконец получила свое дело, то ее постигло разочарование. В нем почти ничего не было. Имена родителей — Джозеф и Мэри О'Нилл, матери двадцать два года, отцу двадцать три. Оба ирландцы, неимущие, безработные, вернулись в Ирландию, где жили их родители. Копия свидетельства о браке, значит, Тимми не незаконнорожденный ребенок, хотя какое это имеет значение. Все оказалось проще простого, Тимми была им не нужна, им не на что было кормить ее, вот они от нее и избавились. Они приплыли в Америку еще совсем зелеными юнцами, поженились, родили ребенка, а когда поняли, что устроить здесь жизнь им не удается, бросили девочку и вернулись домой. И попросили, чтобы их дочери сказали, что они умерли, ей будет хотя бы не так горько. В деле была их выцветшая фотография — на вид подростки лет четырнадцати-пятнадцати. Тимми была похожа на мать, а рыжие волосы унаследовала от отца. Она сидела и смотрела на фотографию людей, которые бросили ее сорок три года назад, и рука, державшая снимок, дрожала, а по щекам катились слезы. Она хотела их ненавидеть, но не могла. Ей сейчас хотелось только одного — чтобы они объяснили ей, почему так поступили, и сказали, скучали ли по ней, когда бросили и уехали. Хотелось знать, любили ли они ее вообще когда-нибудь, жалели ли, что отдали на усыновление. Стало ли им после этого легче, или их сердце разбилось? Почему-то это было для нее очень важно, хотя она не могла бы объяснить почему. Она вдруг поняла, что, может быть, на самом деле она просто хочет узнать, любили они ее или нет.

Долго она сидела со своей папкой одна, может быть, целый час, потом позвонила по внутреннему телефону Джейд.

— Мне нужно разыскать кое-кого в Ирландии, — коротко сказала она. — Джозеф и Мэри О'Нилл. По-моему, в Дублине. Как это сделать? Обратиться в бюро поиска или нанять частного детектива?

— Если хочешь, я могу поискать в Интернете. И еще позвонить в бюро поиска в Дублине. Фамилия очень распространенная, так что мне могут выдать несколько Джозефов и Мэри. Если дашь мне еще какие-то сведения, я сначала всех отсортирую, а потом подходящих передам тебе. Твои родственники, надо полагать? — спросила Джейд. Задание показалось ей совсем не трудным.

— Передай мне все, что найдется. Я позвоню им сама.

Все оказалось на удивление, даже до смешного легко. В Дублине нашлись три супружеские пары с такими именами, их адреса ни о чем не говорили Тимми. Сначала она растерялась — что же делать дальше? Просто звонить им и спрашивать, была ли у них когда-нибудь дочь по имени Тимми, а потом брякнуть: «Привет, я ваша дочка»? Туповато. В конце концов Тимми решила, что будет звонить как бы от имени приюта Сент-Клер. И ей повезло — если можно назвать везением — на второй попытке. Она сказала ответившей ей женщине, что приют закрывает досье, которые хранятся много десятков лет, и спросила, не хочет ли семья получить документы, приют их вышлет. К телефону подошла ее мать.

— Нет, не надо. — Женщина говорила с резким ирландским акцентом. — У нас есть копии. Да и какой смысл? Муж умер год назад.

Тимми не знала, какой во всем этом смысл, однако упорно продолжала говорить, чтобы женщина только не положила трубку. Она отчаянно искала в памяти отзвуки ее голоса, но не находила. Это был голос старой женщины.

— Не надо посылать нам ваши документы, — твердо сказала женщина, и Тимми почувствовала, что ее в очередной раз отвергли. Они отказывались даже от нескольких строчек, подтверждавших, что Тимми какое-то короткое время существовала в их жизни.

— Почему? — спросила Тимми дрожащим голосом. Ей на самом деле хотелось спросить, любили ли они ее когда-нибудь и зачем столько лет назад бросили.

— Не хочу, чтобы их увидели другие дети, если со мной что-то случится. Они ведь о ней ничего не знали, да и сейчас не знают.

Значит, у Тимми есть братья и сестры, и родители их не бросили, а Тимми они не любили и потому бросили. Ей хотелось спросить почему. И сколько у них детей? Зачем они рожали детей, если от своего первого ребенка отказались? Это невозможно, невозможно понять. И как они могли бросить ребенка, которому исполнилось пять лет? Это самая главная, самая мучительная тайна, в которую Тимми хотела проникнуть. И тут женщина задала вопрос, от которого сердце Тимми дрогнуло.

— А как она? В этих документах есть что-нибудь о ней? — печально спросила женщина. Голос у нее был совсем как у старухи. Тимми прикинула, что ей сейчас всего шестьдесят пять, а по голосу чуть ли не восемьдесят, видно, жизнь она прожила нелегкую.

— Конечно, у нас нет записей, относящихся к более позднему времени, — сказала Тимми, продолжая разыгрывать роль, которую придумала, чтобы удостовериться, что разговаривает со своей родной матерью, — но, насколько нам известно, у нее все сложилось хорошо.

— Слава богу. — Женщина вздохнула с облегчением. — Я всегда думала: интересно, кто ее усыновил, хорошие ли они люди. Мы думали, будет лучше, если ее воспитает кто-то другой. Мы тогда были еще совсем молодые. — И при этом бессердечные, трусливые и подлые, подумала про себя Тимми, и слезы обожгли ей глаза. В ней вдруг вспыхнул такой гнев, какого она не испытывала никогда в жизни. Этот гнев и еще печаль буквально ее раздавили. Вероятно, сами того не понимая, эти люди исковеркали всю ее жизнь, нанесли ей незаживающие раны, которые так всегда и будут болеть. И все потому, что бросили ее.

— Вообще-то ее так никто и не усыновил, — жестко сказала Тимми. — Когда вы ее оставили, ей уже было слишком много лет. Все хотят усыновить младенцев, знаете ли. Устроить судьбу пятилетней девочки гораздо труднее. Мы отдавали ее в несколько семей, то ли в девять, то ли в десять, но она нигде не прижилась. Несколько лет ее пытались брать на патронатное воспитание, но всякий раз отсылали обратно. Она уже стала совсем большая. Хорошая была девочка, просто не складывалось, так бывает. Так что она выросла в приюте Сент-Клер.

Молчание на другом конце провода длилось, длилось, Тимми слышала, что женщина плачет, и вдруг ей стало стыдно за свою месть.

— Господи, господи... а мы-то всегда думали, что ее удочерят какие-нибудь богатые люди, будут хорошо к ней относиться... Если бы я знала... — «Знала — что? Если бы ты знала, ты бы не рассталась со мной? Взяла бы меня с собой в Дублин? Так почему же, почему ты меня бросила?» Тимми хотелось кричать, но в горле застрял ком, надо было успокоиться, иначе женщина на другом конце провода поймет, кто Тимми такая. — А нельзя ли узнать ее адрес? Может быть, я смогу написать ей письмо и все объяснить... Ее отец так меня и не простил за то, что я уговорила его оставить ее. Я думала, так для нее будет лучше. Мы же были совсем нищие и сами почти еще дети.

— Я посмотрю, что можно сделать, — уклончиво ответила Тимми. У нее голова шла кругом от того, что она услышала. — Я вам позвоню и сообщу.

— Спасибо... — Голос у женщины прерывался. — Спасибо... А если вы позвоните, прошу вас — не объясняйте ничего моим детям... попросите к телефону меня.

— Хорошо. Благодарю вас, — глухо произнесла Тимми.

Она потом долго сидела и невидящим взглядом глядела в окно своего кабинета. В лице у нее не было ни кровинки. Потом она сняла трубку и заказала себе билет до Дублина на завтрашний утренний рейс. Она хотела ее увидеть. Телефонный разговор не дал ей того, чего она ждала. Может быть, и ничто ей этого не даст. Может быть, и в самом деле уже ничего не изменить, время ушло. Но если все же нет, если остался хоть один шанс, Тимми хотела увидеть в своей матери еще что-то, и увидеть собственными глазами. Едва она положила трубку, заказав себе билет, как в кабинет вошла Джейд.

— Пожалуйста, отмени все мои встречи. Я завтра улетаю. По семейным делам, — коротко распорядилась Тимми.

— Те самые О'Ниллы, которых я разыскала в Дублине? — Тимми кивнула. — Что-нибудь еще? — Тимми покачала головой. — Надолго улетаешь?

— Думаю, на день-два.

До свидания с Жан-Шарлем в ресторане на Эйфелевой башне оставалось еще целых три недели, и он явно был не готов встретиться с ней раньше, чем они договорились. Тимми не скажет ему, что она в Европе. И никому не скажет, зачем туда летит. Кто знает, что случится, когда она туда прилетит, и что она там найдет. Но что бы там ни случилось и что бы Тимми там ни нашла, она знала твердо и безоговорочно, что должна совершить это паломничество не только для того, чтобы встретиться со своей матерью, но и для того, чтобы найти ту частицу себя, которую искала всю жизнь.

Глава 20

Полет из Лос-Анджелеса до Лондона продолжался одиннадцать часов, и Тимми почти все это время спала. Она лежала в своем кресле, смотрела в иллюминатор и думала о женщине, которая была ее матерью, представляла себе, как они встретятся, как это будет тяжело. Может быть, она потеряет сознание, или у нее случится сердечный приступ, или она бросится обнимать Тимми... Какие только фантазии не приходили ей в голову! И как угадать, что произойдет на самом деле? А может быть, не произойдет ничего. Может быть, им будет тягостно и скучно, хотя, судя по вчерашнему разговору, так быть не должно бы. У этой женщины хотя бы хватило милосердия заплакать, когда Тимми ей сказала, что ее так никто и не удочерил и что она выросла в приюте Сент-Клер.

Ее родители, как и все бедняки в Ирландии, были уверены, что в Америке мостовые вымощены алмазами, а местные богачи буквально нарасхват хотят удочерить конопатых пятилетних сироток. Реальность сиротского детства Тимми отстояла на миллионы световых лет от их младенческих представлений. И теперь уже ничего не изменить, поздно. Тимми просто хотела увидеть эту женщину и постараться понять, что же случилось, что должно произойти с людьми, чтобы они отказались от родного ребенка. У Тимми у самой был ребенок, и она так сильно его любила, что у нее в голове не умещалось — как родители могли ее бросить? Да, может быть, у них не было денег, не было будущего, семья им не помогала. Может быть, они тогда смотрели на все по-другому...

И сейчас, нося в своем чреве ребенка, Тимми не позволила бы никому и ничему на свете принудить себя отказаться от этого ребенка, бросить его, как бы ей ни было страшно,

345

как бы бедна она ни была, пусть даже она останется совсем одна на свете. Он был ее плотью и кровью, плотью и кровью Жан-Шарля, Тимми отдала бы за него свою жизнь, убила бы всех, кто покусился на его жизнь, она будет любить его до конца своих дней. Она надеялась, что Жан-Шарль будет с ней. Но пока еще ничего не решено. Сначала Тимми должна встретиться со своей матерью, постараться понять, что она за человек. Для нее это что-то изменит, может быть, она даже сможет увидеть историю своей жизни другими глазами. И будет отныне ощущать себя в этом мире иначе. Может быть, они бросили Тимми столько лет назад не потому, что в ней было что-то не так, а потому, что в них самих чего-то не хватало. Она и раньше это знала, но почему-то всегда чувствовала себя виноватой, иначе не оказалась бы в сиротском приюте. Сейчас она должна убедиться во всем сама.

В Лондоне ей пришлось ждать два часа до рейса на Дублин, потом она села на самолет местных авиалиний. В Дублине она дрожащими руками набрала номер телефона своей матери и прямо из аэропорта ей позвонила. У нее был заказан номер в гостинице «Шелбурн», но сначала она хотела увидеть Мэри О'Нилл. Покончить со всем сразу и освободиться. Как и вчера, трубку сняла мать Тимми, и у Тимми вдруг пропал голос, она не сразу смогла заговорить. Все оказалось гораздо труднее, чем она себе представляла. Однако она решила, что не надо устраивать матери сюрпризов, лучше сначала позвонить. Вполне возможно, что мать Тимми вообще не пожелает встретиться с ней.

— Алло? — сказал тот же голос, что Тимми слышала вчера.

— Миссис О'Нилл? — У Тимми прерывалось дыхание.

— Да.

— Мэри О'Нилл? — Тимми хотела окончательно удостовериться, что говорит со своей матерью, но Мэри О'Нилл уже узнала голос американки, которая звонила ей накануне.

— Да. Вы опять звоните из приюта Сент-Клер?

— Я звоню... — Тимми старалась унять дрожь в голосе. Она стояла в автоматной будке, ее дорожная сумка рядом с ней на полу. — Я звоню из аэропорта. Не из приюта Сент-Клер. Из дублинского аэропорта, — объяснила она.

— Зачем вы прилетели?

Женщина испугалась, может быть, подумала, что ее хотят наказать за то, что она бросила своего ребенка, разоблачить перед всем миром.

— Хочу повидать вас, — тихо сказала Тимми, и весь ее гнев вдруг исчез без следа. Голос у женщины был такой несчастный, такой бесхитростный, такой старый. — Я Тимми. Я в Дублине. Прилетела, чтобы встретиться с вами. Можно зайти к вам на несколько минут?

Тимми затаила дыхание. Мать молчала, и Тимми услышала, что она опять плачет. Обеим было тяжело.

— Вы меня ненавидите? — спросила она, захлебываясь рыданиями.

— Нет, — грустно ответила Тимми. — Не ненавижу. Я просто не понимаю. Может быть, нам стоит поговорить. Вам потом вовсе не надо будет со мной встречаться. — Тимми не хотела вторгаться в ее жизнь. Хотела просто увидеть ее и уйти с миром. Хоть это мать обязана для нее сделать. Может быть, это окажется подарком, который они друг другу сделают, — взамен той любви, которую Тимми не получила от нее.

— Мы были чуть ли не нищие. Голодали. Твоего отца посадили в тюрьму за то, что он украл для нас бутерброд и яблоко. Ты все время плакала, потому что хотела есть. А работу найти не удавалось. Образования у нас никакого не было, мы ничего не умели, нашего выговора никто не понимал. Иногда мы ночевали в парке, ты все время простуживалась и болела, а на врача у нас не было денег. Я боялась, что ты умрешь, если останешься с нами. В тот вечер, когда случилась авария, ты могла разбиться насмерть. Твой отец взял машину у приятеля и сел за руль пьяный. Он был еще совсем мальчишка. Я поняла, что тебе нужны настоящие родители, а не такие непутевые, как мы. И решила отдать тебя в приют. Полицейские предложили отвезти тебя в приют Сент-Клер.

Вот так все просто. Просто для них. Но не для нее, Тимми. Полицейский предложил пьяной парочке отдать их ребенка в приют, и Тимми стала сиротой. Тимми слушала свою мать, и по ее спине бегали мурашки. Ведь они чуть ее не погубили!

Мэри всхлипнула, вспоминая, какая беспросветная жизнь у них была почти полвека назад. Тимми с трудом верилось, что у них до такой степени не было средств, чтобы не прокормить своего ребенка. Но может быть, и в самом деле не было? Зачем этой женщине лгать ей сейчас? Недоброе дело они совершили, и с тех пор прошло очень много времени. И Тимми во многих отношениях сумела пережить свою детскую травму и создала себе достойную жизнь. И никто ей никогда не помогал, и уж тем более ее родители.

— Почему вы не взяли меня с собой в Дублин? — грустно спросила она.

— У нас не было денег. Родители не могли купить нам билеты. У нас хватило только на два билета до дому, и здесь тоже мы не смогли бы тебя прокормить. После того как мы вернулись, у нас десять лет не было детей, а потом мы родили двоих. Потом твой отец заболел туберкулезом, а я нанялась прислугой к богатым людям. Мы всегда жили на гроши. И я мечтала, что тебе одной из всех нас повезло, ты живешь в роскошном доме, у богатых людей, получила хорошее образование, стала настоящая леди.

Она почти все правильно намечтала, только эту мечту Тимми исполнила сама, никто ей не помогал.

— Сейчас у меня все хорошо, — грустно сказала Тимми, смахивая слезы. — У меня уже давно все хорошо, — стала убеждать ее Тимми. — Я преуспела в жизни. Но тогда, раньше, мне пришлось нелегко.

Как же она была несчастна в приюте Сент-Клер все свое детство и раннюю юность!

— Простите! — зарыдала мать. Потом робко попросила: — Может быть, вы зайдете выпить чашку чаю, раз прилетели в такую даль?

Если бы Тимми говорила злобно и враждебно, вряд ли Мэри согласилась бы повидаться с ней, тем более что и сама не знала, хочет ли она увидеть дочь, но Тимми разговаривала с ней по телефону спокойно и вежливо, и она решила побороть свой страх и пригласила ее. Она чувствовала, что обязана сделать хотя бы это.

— С удовольствием.

Тимми записала адрес и через полчаса приехала. Мать жила в одном из бедных пригородов Дублина в стареньком домишке, который, судя по его виду, давным-давно не ремонтировали, да и не было у него надежды, что его когда-нибудь отремонтируют.

Тимми позвонила у двери. На ее звонок долго не отзывались, потом появилась женщина. Тимми сначала увидела ее в окно. Она медленно отворила дверь и уставилась взглядом на Тимми. Она была почти такая же высокая, такого же сложения, как Тимми, те же черты лица. На ней были халат и шлепанцы, волосы стянуты на затылке в тугой узел. В глазах покорная тоска, руки изуродованы артритом. Лицо покрыто морщинами. Видно, она и правда прожила нелегкую жизнь. На вид ей было не меньше восьмидесяти лет, а на самом деле всего шестьдесят пять.

— Здравствуйте, — мягко сказала Тимми. — Я Тимми.

И она нежно обняла женщину и прижала ее к себе, прощая за все, что она сделала и чего не должна была делать, за то, что в двадцать два года была глупой трусливой девчонкой и бросила свою пятилетнюю дочь. Тимми ее смутно помнила, но почти все ее воспоминания выцвели, как старые фотографии. Мэри О'Нилл долго стояла, не в силах шевельнуться, а Тимми ее обнимала. Потом она повела ее в кухню, положив руку ей на плечи. Мэри радостно улыбнулась и сказала, что Тимми рыжая в отца, а красавица в свою бабушку. Трудно было поверить, что этих двух женщин связывают какие-то узы, да и на самом деле их не связывало ничего, что можно было бы счесть важным. Судьба повела их разными путями. И слишком они были разные, у Мэри никогда бы не достало мужества преодолеть то, что выпало на долю Тимми. Она поняла это, глядя на свою дочь.

— Какая ты красавица, — сказала она и засмеялась сквозь слезы. — И мне кажется, ты богатая. — Она заметила бриллиантовый браслет на руке Тимми, золотые серьги-кольца, дорогую сумку, хотя на Тимми были джинсы и тенниска.

А потом обратила внимание на выступающий животик. Во время полета на Тимми был свободный жакет, но в Дублине было жарко, и она его сняла. Здесь ей было безразлично, видят люди ее живот или нет. — Ты беременна? — удивилась мать, и Тимми кивнула. — Правда? Ты замужем? У тебя есть еще дети?

Им надо было многое узнать друг о друге, пока они пили чай.

— Была замужем. Я уже одиннадцать лет, как развелась. У меня был сын, но он двенадцать лет назад умер, у него была опухоль в мозгу. У меня есть в Париже любимый человек, это его ребенок. Не знаю, поженимся мы с ним или нет. Но у меня будет от него ребенок, и я счастлива. Больше у меня детей не было, и все эти годы после смерти сына мне было очень тяжело.

Вот и все, что матери следует знать о Тимми, и она кивнула, отпив глоток чая.

— Надеюсь, на этот раз у тебя родится здоровый ребеночек. Несколько лет назад мой внук умер от лейкемии. Всякое бывает. Дочка тоже очень сильно горевала. — Как странно, что она рассказывает Тимми о своей дочери словно бы чужому человеку. Но Тимми ведь и правда им всем чужая. — Наверное, у тебя хорошая работа.

Как ни просто была одета Тимми, даже мать поняла, что и ее драгоценности, и аксессуары стоят больших денег.

— Да, хорошая, — спокойно ответила Тимми.

— Я рада за тебя. Где ты живешь?

— В Лос-Анджелесе.

Мать кивнула. Сколько всего нового она узнала, голова идет кругом.

Они старательно избегали воспоминаний о детстве Тимми, и Тимми поняла, что матери не хочется о нем слышать, не хочется ничего знать. Ну что ж, не хочет — и не надо, теперь это уже не имеет никакого значения. Зачем Тимми казнить мать своими рассказами, она просто рада, что приехала сюда и видит ее. Пустота внутри ее начала худо-бедно заполняться. Пока они пили чай, в дом вошла довольно молодая женщина с двумя детьми. На вид ей было лет тридцать семь — тридцать восемь, и волосы у нее были такие же рыжие, как у Тимми, но этим сходство и ограничивалось. Женщина была в джинсах, на ногах вьетнамки; дети были очаровательные. Женщина приветливо улыбнулась Тимми, но не узнала ее. Да и почему она должна ее узнать, спрашивала себя Тимми. В жизни этих людей она не существует и никогда не существовала. О ней забыли много лет назад, она для них — глухая тайна, которую они унесут с собой в могилу. Мать поглядела на Тимми с тревогой, и Тимми кивнула. Она все поняла. Она не расскажет своей сестре, кто она. Сестре этого не надо знать.

— Мама, а я и не знала, что у тебя гости, — сказала молодая женщина и представилась Тимми — Бриджет. Налила себе чашку чаю и села к ним, а дети вышли в неухоженный садик играть.

— Это дочь наших американских друзей, мы с твоим отцом с ними познакомились много лет назад. Она меня разыскала и прилетела в Дублин. Мы с ее мамой уже давно потеряли связь. Она умерла много лет назад, — добавила ее мать, и Тимми, глядя на ее лицо, поняла, что она сказала правду. Мать, которая бросила ее в сиротском приюте и навсегда исчезла, и в самом деле все равно что умерла. И ребенок, каким была для них Тимми, тоже умер. Они похоронили ее, когда оставили в приюте Сент-Клер.

— Как замечательно, что вы разыскали маму, — говорила Бриджет и улыбалась. — Вы ведь в Ирландию приехали в отпуск? Вам обязательно надо побывать на озере Коста, там изумительно красиво, — приветливо сказала она и вышла во дворик посмотреть, что делают дети.

Тимми поднялась со стула.

Дольше оставаться было незачем. Она сделала все, что хотела. Поговорила с матерью, увидела сестру. Правда, не до конца поняла, почему они так поступили с ней. Ну да, сами совсем еще дети, ничего не смыслят, всего боятся, да еще и родили ребеночка, испугались ответственности и убежали, как последние трусы. Увидев свою мать, Тимми выполнила свой долг перед собой. Может быть, эти ее родители, сами того не понимая, все же подарили ей прекрасный подарок. Они подарили ей ее самоё, Тимми, и силу, которую она в иных обстоятельствах не смогла бы обрести, и эта сила помогла ей пережить смерть Марка, предательство Деррика, создать империю «Тимми О» и теперь поддерживать Жан-Шарля во всех тяжелейших перипетиях его жизни, ждать его, любить его ребенка и заботиться о нем всегда. Не ведая о том, родители подарили Тимми силу, которой у них и в помине не было, и до сих пор они об этом не догадываются.

У ее матери не хватило мужества признаться сестре, кто Тимми такая и зачем пришла к ним. Тимми прошла мимо их жизни точно отголосок давно забытых времен, на который у Мэри О'Нилл не хватило душевных сил откликнуться и не было желания эти времена вспомнить, как не было и никогда раньше. Тимми не чувствовала ни гнева, ни сожаления, ей просто было жалко свою мать. Она наклонилась поцеловать ее в щеку, положила руку на плечо, и в эту минуту в комнату вошла Бриджет с сыновьями.

— Прощайте, — прошептала Тимми и нежно провела рукой по ее волосам — интересно, гладила ли она когда-нибудь свою мать по волосам раньше? Мэри поглядела на нее с благодарностью.

— Благослови тебя Господь, — прошептала Мэри, и Тимми вышла из кухни, прошла через гостиную, спустилась со ступенек крыльца и села в такси, которое дожидалось ее возле дома. Она еще успела помахать рукой Бриджет, но вот такси тронулось, и Тимми поехала прямо в аэропорт. В ее ушах еще звучал голос матери, благословлявшей ее, и в эту минуту она вдруг поняла: Господь ее уже благословил, хотя послал ей много трудностей и испытаний. Он столько даровал ей всего за эти годы, и сейчас она получила от него еще один дар. После того как она сейчас встретилась с призраками прошлого, ей будет легче жить в настоящем и идти навстречу будущему.

— Симпатичная женщина, — заметила Бриджет, обращаясь к матери. — И видно, богатая. Вы там, в Америке, как я понимаю, вращались в самом шикарном обществе, верно, мама?

Отец каких только небылиц не рассказывал детям, красовался перед ними! Мэри помалкивала. И сейчас она только кивнула и отвернулась. В глазах у нее стояли слезы.

Глава 21

Тимми позвонила Жан-Шарлю из аэропорта, дожидаясь рейса на Лондон. Он был у себя в кабинете, голос у него звучал деловито. Конечно же, он не знал, где она находится. У нее на мгновение возникло искушение рассказать ему все и полететь в Париж, чтобы увидеться. До назначенного дня свидания оставалось всего три недели, и у нее аж сердце замирало, так хотелось его увидеть сейчас же, сию минуту.

— Что ты делаешь? — спросила она оживленно. Давно уже она не чувствовала такого душевного спокойствия. И такой свободы, такой радостной уверенности, что все для них для всех сложится счастливо. Может быть, молитвы сестры Анны уже начали оказывать действие. Казалось, что и ребенок тоже растет не по дням, а по часам. Тимми снова надела свой свободный жакет, чтобы лететь в нем, и растущий живот не было видно.

— Собираюсь везти жену на последний сеанс, — сказал он с отчаянием в голосе. В предстоящие недели ему надо было переделать множество дел, да еще и рассказать обо всем детям. Он решил отдохнуть с ними немного в Портофино, приедет туда с девочками, а Ксавье обещал к ним присоединиться. Жан-Шарль хотел побыть только с ними, рассказать о своих намерениях, а потом, после их поездки, сказать жене, что уходит от нее навсегда. Он будет рядом и всегда сделает все, что нужно, пока она болеет, — если она этого захочет. Если же не захочет, он уверен, что с облучением она справится сама, с ней рядом будут девочки. Самое худшее он пережил вместе с ней. — Почему ты спрашиваешь? С тобой что-то случилось? — В его голосе зазвучала тревога. Ему показалось, что она что-то затевает. Он все время жил в страхе, что Тимми это все надоест и она его бросит. Он был бесконечно ей благодарен за то, что она все еще с ним, очень это ценил и все время говорил ей об этом. Когда она ему сейчас позвонила, ему показалось, что у нее счастливый голос.

— Сама не знаю. На меня вдруг нашло безумие, и я подумала — может быть, ты захочешь встретиться со мной на Эйфелевой башне на две недели раньше?

Если так, она прямо сейчас прилетит в Париж и встретится с ним в любом месте, которое он назовет. Ее охватило ощущение чудесной легкости, какого она не испытывала много лет, легкости и свободы. В Дублине с ее души свалилась гигантская тяжесть, и она хотела поделиться с Жан-Шарлем своей радостью.

— Тимми, я не могу. — В его голосе было отчаяние. — Ты же знаешь, эти две недели я должен провести с детьми. Это мой долг перед ними, поверь мне.

Тимми старалась не показать всю глубину своего разочарования. До их встречи оставалось совсем немного времени, и если Жан-Шарль настаивает, чтобы они встретились именно первого сентября, что ж, она подождет. Пока она слушала его, объявили посадку на ее рейс.

— Мне пора, — сказала она, никак не отозвавшись на его возражение. Ей не хотелось с ним спорить. Первого сентября так первого сентября.

— Ты где? — спросил он, ничего не понимая.

— Нигде. Я возвращаюсь домой. Просто захотелось тебе позвонить.

Тимми не сказала, откуда ему звонит, и когда он через полчаса позвонил на ее мобильный, телефон был отключен. Жан-Шарль недоумевал, где же она все-таки была, когда ему звонила, и не мог ей дозвониться почти целые сутки. Он уже не на шутку волновался за нее и боялся, что она на него рассердилась, но она разговаривала с ним как всегда.

Она с все большим и большим волнением думала об их встрече в ресторане на Эйфелевой башне. Они не виделись уже четыре месяца — целая вечность и для нее, и для него. Оба побывали в аду и вернулись оттуда кружными, окольными путями. Но по-прежнему шли к своей цели, не сбиваясь с дороги, и так же сильно любили друг друга. Тимми чувствовала себя счастливой, стала меньше бояться, особенно после того, как повидалась с матерью. Эта встреча словно бы сняла с нее проклятие, которое всегда наводило на нее ужас, она раньше думала, что ей на роду написано, чтобы ее всегда бросали. Тимми больше не чувствовала на себе этого проклятия, оно исчезло в тот день, когда Тимми побывала в Дублине. Да, родители ее бросили, но мать Тимми была такая слабая и забитая жизнью женщина, что ничего другого от нее и ожидать было нельзя, и Тимми это поняла.

Все эти две недели она словно на крыльях летала. Заказала себе билет в Париж, номер в гостинице «Плаза Атене». Лететь она решила тридцать первого августа, чтобы первого сентября, когда они встретятся, могла выглядеть свежей и отдохнувшей. Даже купила себе что-то из одежды, чтобы хоть на первые несколько минут спрятать от его взгляда свой живот. Потом уже скрыть его будет невозможно, особенно если они пойдут в гостиницу, ведь они так истосковались друг по другу. Тимми и сама поражалась, как ей до сих пор удавалось скрывать свою беременность от Дэвида и Джейд. Она стала носить свободные топы и жакеты-размахайки. И только дома, оставаясь одна, она надевала одежду, которая обрисовывала ее растущий живот.

За два дня до того, как Тимми лететь в Париж, Джейд спросила Дэвида, заметил ли он, в каком приподнятом настроении живет все это время Тимми. Он уже давно ее поддразнивал, требуя, чтобы готовилась раскошелиться на тысячу долларов, потому что Жан-Шарль обязательно появится первого сентября. Пока что никаких признаков того, что свидание срывается, не было, и Дэвид довольно потирал руки.

— Говорил я тебе, что он явится, — с торжеством заявил Дэвид двадцать девятого августа, но Джейд только подняла бровь, отказываясь признать поражение.

— Напрасно ты так в этом уверен. Пока ведь еще не явился. Если он хоть чуточку похож на Стэнли, он позвонит накануне вечером и откажется. Так гораздо интереснее.

— Сколько в тебе все-таки цинизма, — упрекнул ее Дэвид.

— Поживем — увидим. От души надеюсь, что я не права. Ради Тимми. Уверена, если бы он хотел уйти от жены, то ушел много месяцев назад. От тех, кто все ждет и ждет, ничего путного не дождешься. Он пока еще заботится о своей жене, а не о Тимми.

— Опомнись, у нее рак груди. Он был бы последним негодяем, если бы бросил ее.

Джейд кивнула и ушла к своему столу. На следующий день Тимми ушла из офиса пораньше, хотела перед поездкой привести в порядок волосы и ноги. Уходя, она радостно помахала своим помощникам рукой. Она взяла неделю отпуска, чтобы провести эти дни с Жан-Шарлем, они с ним так договорились. Может быть, она даже поедет с ним на юг Франции. Но в этом окончательной уверенности не было. Джейд зарезервировала для Тимми на неделю ее обычные апартаменты.

Тимми складывала вечером последние вещи в чемодан, и тут ей позвонил Жан-Шарль. Она уже все подготовила, купила даже несколько новых туалетов для поездки в магазине «Мать и дитя» на Родео-драйв, сказала, что покупает для своей племянницы, поскольку в магазине ее все хорошо знали. Она решила перестать скрывать от всех свою беременность, как только Жан-Шарль к ней вернется. И сейчас она сняла телефонную трубку, сияя счастливой улыбкой. Эти четыре месяца были самым долгим и мучительным временем в ее жизни, не считая безвременья, которое наступило после смерти Марка. Тогда было совсем невыносимо, но и сейчас на ее долю выпало немало.

— Привет! — радостно сказала она, услышав его голос. Она уже видела его и себя в ресторане на Эйфелевой башне, и у нее от счастья кружилась голова. Глупость, конечно, но это одно из самых романтических событий в ее жизни. Ведь он вполне мог бы прийти к ней в отель. — Я готовлюсь запереть чемоданы.

Она вылетала завтра в полдень.

В трубке наступило странное молчание, потом она услышала его прерывающийся голос.

— Тимми, я не приду. Девочки поехали на Сардинию к друзьям своей матери. Поехали туда после того, как мы расстались в Портофино. Жюли попала в аварию. Она сейчас в больнице, у нее раздроблены тазовые кости, перелом обеих ног и черепно-мозговая травма. Я вылетаю к ней сегодня вечером.

Тимми была так ошеломлена, что лишилась дара речи.

— Ее можно будет вылечить?

— Не знаю. Ноги сломаны в нескольких местах, но есть надежда, что с этим можно будет справиться. Ей придется долго лежать без движения на спине. Я везу с собой на Сардинию невролога. Хочу, чтобы он как следует проверил голову. Но послезавтра я не вернусь, это совершенно невозможно.

Голос у него был убитый, как и ее душа.

— Да, ребята, ставки в вашей игре крупные, — сказала Тимми, позволив собственным страхам вырваться на волю.

— О чем ты?

— Ну как же, авария, раздробленные кости, рак. За вами не угонишься. — Хотя ее ребенок мог бы оставить все это позади. Тимми уже почти жалела, что до сих пор ничего ему не рассказала. Ей надоело стоять в очереди и ждать, пока Жан-Шарль оказывает помощь другим тяжелобольным и раненым, а она в его списке все время последняя. И отказ от встречи первого сентября так ее огорчил, что она сама себе стала казаться ребенком, которому сказали, что Рождества не будет.

— У нас не скачки. Надеюсь, я вернусь через неделю. Самое большее — через две. Я не хочу оставлять ее там одну, ее мать сейчас не в таком состоянии, чтобы поехать к ней. На следующей неделе ее начнут облучать. — Тимми вдруг почувствовала, что с нее довольно. Она была опустошена. Их любовь превратилась в «мыльную оперу», он — романтический герой, который без конца спасает всех, но только не ее, а она стоит в сторонке и ждет его, ждет, ждет и все понимает. История затянулась. Она ждала его уже слишком долго. — Я позвоню тебе, как только пойму, в каком Жюли состоянии, — сухо сказал он. Тимми не проявила того понимания, которое он надеялся от нее получить. Она вообще отказалась его понять, если уж на то пошло, и это было так на нее не похоже. Тимми чувствовала, что дошла до предела. Может быть, даже вышла за предел. Она уже ничего не понимала. Все зависело от того, как Жан-Шарль поступит сейчас и долго ли еще он будет заставлять ее ждать. А может быть, у него появится еще одна отговорка столь же драматического характера. Однако все его отговорки имеют вполне уважительные причины, если уж называть их отговорками. Тимми уже не знала, чему ей верить, а чему нет, знала только, что он ничего не придумывает, все так и есть. Просто трудно еще раз такое пережить. Она считала минуты, и каждая минута тянулась как день, и она так сильно его любила.

— Я позвоню тебе оттуда, — сказал Жан-Шарль и хотел разъединиться, но она его спросила:

— Мне стоит прилететь в Париж и ждать тебя в отеле?

Это было бы разумнее, чем ждать его в Лос-Анджелесе. Жан-Шарль задумался, и ей показалось, что думает он слишком уж долго.

— Нет, зачем тратить здесь время впустую? Лучше оставайся у себя, там ты хотя бы можешь работать. Как только я вернусь, так сразу же и позвоню, и тогда ты сможешь прилететь.

Его ответ снова разбудил ее подозрения. Почему он хочет, чтобы она ждала в Лос-Анджелесе? Какой он придумает следующий предлог, какую найдет отговорку? Может быть, уже нашел. В голове у Тимми неотступно звучал голос Джейд, пророчившей ей предательство и обман. Может быть, она права. Может быть, Жан-Шарль ей просто морочит голову.

Тимми сняла чемодан с кровати и легла. Она глядела в потолок и думала: в самом деле его дочь разбилась, или ты все придумал? Может быть, Джейд права? Может, это лишь игра? Может быть, он просто тянет время, или у него не хватает духа оставить семью, а ей, Тимми, он не хочет в этом признаться? Она совсем запуталась. Заснуть ей не удалось. Она всю ночь бродила по дому словно потерянная и ждала, когда он позвонит. Жан-Шарль позвонил через двенадцать часов после своего последнего звонка. С головой у Жюли ничего страшного, а вот с ногами очень серьезно. Ей придется четыре недели лежать в Италии в больнице на вытяжке. Раньше, чем через четыре недели, он не сможет ее перевезти и не может оставить в больнице одну. Она в полном отчаянии. Тимми,

358

слушая его рассказ, тоже пришла в полное отчаяние. Она пыталась ему сочувствовать, но не могла, и понимала это. У нее уже не осталось никакого сочувствия. Тимми просто сказала ему, что, конечно, пусть он делает все, что считает нужным, а когда освободится, пусть ей позвонит. Больше ничего.

Утром она молча прошла в свой кабинет. Было первое сентября. Дэвид поглядел на Джейд, а Джейд с улыбочкой предложила ему не теряя время выписать ей чек на тысячу долларов. Но чек чеком, а расстроились они за Тимми ужасно. Тимми закрыла за собой дверь кабинета и отрезала их от себя.

Все утро она спокойно работала над эскизами, а потом объяснила им, что дочь Жан-Шарля попала в аварию, будет лежать месяц в больнице в Италии, а он должен находиться рядом с ней. На этот раз Джейд не сказала ни слова. Ей было жалко Тимми, и Дэвиду тоже. Тимми была так расстроена, что ни Дэвид, ни Джейд весь день не решались с ней заговорить, и вечером она уехала домой, не попрощавшись с ними.

Поехала она сразу в Малибу, и Жан-Шарль несколько раз звонил ей туда и в субботу, и в воскресенье. Тимми старалась сочувствовать ему, жалела Жюли, так сильно пострадавшую во время аварии, но ей с большим трудом удавалось сдерживать себя и не высказывать ему, как она расстроена, разочарована, угнетена. Она не могла не задавать себе вопроса, сколько еще раз такое будет повторяться и увидит ли она Жан-Шарля когда-нибудь вообще. Хотела позвонить сестре Анне и попросить ее молиться усерднее. Но может быть, Господь уже ответил на молитвы сестры Анны? Может быть, Тимми не суждено быть вместе с Жан-Шарлем, и благодаря молитвам это стало очевидно? Тимми трудно было разобраться во всем этом, и, слушая Жан-Шарля, она чувствовала, что с каждым днем доверяет ему все меньше и меньше. Сколько еще времени он будет отодвигать и отодвигать их встречу? Он поклялся, что ему нужен месяц, это самое большее, и она кое-как протянула сентябрь, все еще стараясь верить ему. Свою беременность Тимми пока удавалось скрывать. И она до сих пор ничего ему не сказала. Но нервы ее были на пределе, она готова была взорваться в любую минуту. Но держала готовых вырваться на волю демонов в узде. Ей не оставалось ничего иного, она могла только ждать. Или отказаться от него, но к этому она была еще не готова. Ей хотелось верить ему, и все висело как на волоске.

Двадцать пятого сентября Жан-Шарль привез Жюли в Париж, и Тимми опять заказала свой номер в гостинице. Об Эйфелевой башне она уже и думать забыла. Он может прийти к ней в «Плаза Атене» или куда захочет. Она хотела просто увидеть его, и так ему и сказала. А он позвонил ей в тот вечер, когда они с Жюли вернулись, и сказал, что Софи поклялась, что, если он уйдет от них и будет жить отдельно, она не желает его больше никогда ни видеть, ни слышать, а у жены неблагоприятная реакция на облучение. Жан-Шарль рассказывал ей все это, и у него в голосе были слезы. Тимми сидела, прижав к уху трубку и тупо глядя в пустоту; лицо ее ничего не выражало. Все это она уже слышала — детские истерики, рак, химиотерапия, облучение, переломы ног, аварии, черепно-мозговые травмы... что еще осталось? Может быть, заболеет собака, уйдет домработница, сгорит дом дотла, и он будет заново отстраивать его голыми руками, и уж, конечно, как тут уйти. Сколько еще, по его представлению, Тимми должна ждать его, пока он не желает ударить палец о палец? Чтобы оставить семью и уйти из дому, ему недостаточно женщины, которая его любит, это ясно как день. Тимми подумала, как хорошо, что она не сказала ему о ребенке, все равно это ничего бы для него не изменило. Он заперт в этой своей ловушке навсегда. Сейчас Тимми это увидела. Теперь ей оставалось только собрать все свои силы, чтобы встать и уйти от него. Да ей и уходить никуда не надо, они не виделись больше пяти месяцев и, вероятно, никогда больше не увидятся. Теперь Тимми должна сделать то, что, судя по всему, не мог сделать он, — поставить точку. Он не дает ей другого выбора. Не может же она сидеть здесь как последняя дурочка, с его ребенком в животе и верить, что он к ней вернется. Не вернется, это очевидно. Тимми и хотела бы верить ему, но уже не могла. У него есть тысяча предлогов, миллион убедительнейших доводов навсегда остаться там, где он сейчас. Он — всего лишь иллюзия, голос в телефонной трубке. Обещание, которое никогда не исполнится, давно пора это понять. Джейд была с самого начала права, она говорила Тимми, остерегала ее. Тимми ее и слушать не хотела, но глаза у нее наконец открылись. Сейчас она слушала, что говорит ей Жан-Шарль, и по ее лицу лились слезы. Это были слезы и горя, и гнева, и когда он попросил Тимми посмотреть на ситуацию здраво, она взорвалась:

— Что ты от меня хочешь? Что я, по-твоему, должна делать? Я жду тебя почти шесть месяцев. И за все это время ни разу тебя не видела. Я ждала, когда врачи справятся с раком твоей жены. Когда станет лучше Жюли. Теперь Софи грозится тебя проклясть, а у жены неблагоприятная реакция на облучение. Ты так от них и не переехал. Мы встретились с тобой в феврале. Ты просил меня подождать до июня. Я ждала. Потом до сентября. Сейчас уже почти октябрь. А тебе опять нужно время. Если бы ты хотел уйти, ты бы ушел. Мог бы точно так же заботиться обо всех, живя в своей собственной квартире. Чтобы проявлять о них круглосуточную заботу в соответствии с миссией Красного Креста, нет никакой необходимости жить с ними под одной крышей. Мы не виделись с тобой с апреля, Жан-Шарль. — Тимми чуть было не сказала, что ждет от него ребенка, но вовремя спохватилась. — Я чувствую себя последней идиоткой. Я даже не твоя любовница. Я просто голос, с которым ты разговариваешь по телефону, а сам тем временем продолжаешь жить со своей семьей. Может быть, тебе трудно сказать мне, что все кончено. А я думаю, все кончилось уже давно. У тебя просто не хватало духа признаться мне, а у меня не хватало духа это услышать. А теперь уже все равно. Я тебя люблю. Я никогда никого не любила так, как люблю тебя. Но больше в эту игру я играть не буду. Тебе больше не нужно изобретать предлоги и отговорки. Твоя жена и дети могут перестать попадать в аварии и болеть тяжелыми болезнями. Софи может перестать угрожать тебе, что прыгнет с крыши. Все, с меня довольно.

Тимми захлебывалась рыданиями, ее голос прерывался. Жан-Шарль окаменел. Он всегда боялся потерять Тимми, и вот сейчас она ему говорит, что все кончено. Он всего лишь просил еще немного времени, хотел решить еще какие-то свои проблемы и оставить семью, когда у всех все наладится. Почему она не захотела этого понять? Наверное, потому, что не любит его. Он был ошеломлен и раздавлен так же, как и она. А она нанесла ему свой последний удар. Тимми хотела быть уверенной, что, когда он узнает о ее ребенке, он не заподозрит, что этот ребенок — его. И убедить его в этом можно было только одним способом: сказать ему, что отец ребенка — кто-то другой. И так Тимми и сказала, ясно и просто.

— Все это уже не важно, Жан-Шарль, — произнесла Тимми холодно. Она принудила себя произнести эти слова, сжечь за собой все мосты, чтобы отрезать путь к отступлению. Ей больше не нужны его обещания, она больше не хочет надеяться. Да и надеяться ей не на что, теперь она это знает. Она даже не знает, любил ли он ее на самом деле. Если и любил, то не настолько, чтобы ради нее разрушить свой брак, тот самый брак, который, по его словам, умер задолго до того, как в жизни Жан-Шарля появилась Тимми. Видно, не совсем этот его брак умер, раз он продолжает его сохранять, а она, Тимми, одна и носит их ребенка. Но сейчас она положит всему конец, и навсегда. Никогда он не уйдет из дому, она это знает, и вся эта путаница будет бесконечно тянуться, тянуться... Нет, не будет. Тимми не допустит. Она больше никому не позволит бросить себя. Она сама уйдет. Уйдет с гордо поднятой головой, пусть ее сердце разорвалось и истекает кровью. — Я встречаюсь с другим, — сказала она, одним смертельным ударом убивая и его, и все, что они созидали восемь месяцев. — Вообще-то я начала встречаться с ним еще в апреле, — добавила она и болезненно вздрогнула, услышав, как Жан-Шарль негромко ахнул. Ее удар попал в цель, но она этого и добивалась. Если у нее кто-то есть, и есть уже давно, то, узнав, что у Тимми родился ребенок, — а Жан-Шарль об этом обязательно узнает, — он никогда не подумает, что отец этого ребенка — он. Когда у Тимми родится ребенок, об этом будут кричать все газеты и журналы. Сенсация номер один: «Тимми О» — мать-одиночка! И Тимми защищала себя сейчас от Жан-Шарля. Она должна была это сделать, какую бы боль им обоим ее решение ни причинило. И боль оказалась непереносимой.

— Вот как... Я не знал... — проговорил он дрожащим голосом. — Знаю, ты мне не веришь, но я в самом деле старался выпутаться из этой передряги и быть с тобой. Откуда мне было знать, что у жены обнаружат рак, что моя дочь такая дурочка, что сядет в Италии в машину со своим пьяным дружком, что у жены будет такая тяжелая реакция на облучение... И что Софи перестанет злиться на меня, надо только дать ей немного времени, чтобы успокоилась... Тимми, ты должна была сказать мне, что встречаешься с другим. Так было бы честнее. Видно, в Голливуде другие представления о нравственности, чем у меня. Если бы что-то подобное случилось со мной, у меня хватило бы чувства собственного достоинства рассказать обо всем тебе. Я все это время любил тебя и договорился с тобой не встречаться этим летом по одной-единственной причине: я не хотел втягивать тебя в эту тягостную передрягу и надрывать тебе душу, пока я выхожу из нее, как подобает честному и порядочному человеку, и я очень сожалею, что у меня это заняло больше времени, чем я тебе обещал. Жизнь не всегда подчиняется нашим расчетам. Я сделал все, что мог. — Жан-Шарль тоже плакал. — И я тебя люблю. Я правда тебя люблю! Мне и в голову не приходило, что, если я замешкаюсь, ты ляжешь в постель с кем-то другим. Долго ли ты ждала? Неделю? Две? Мы виделись с тобой в апреле, значит, этот другой у тебя появился, едва я успел уехать. Как ты только могла... — с тоской сказал он. Было такое чувство, как будто она вонзила ему в сердце нож. Так оно и было на самом деле. Но и его нескончаемые отговорки разбили сердце ей. Их любовь превратилась в воображаемый роман с человеком-невидимкой, и на продолжение этой абстракции ее не хватило. Да, конечно, он был полон благих намерений, но поступал по отношению к ней несправедливо. А сейчас Тимми была намеренно жестока с ним. Оба были в чем-то виноваты, и обоим было непереносимо больно. А еще скоро родится ребенок, о котором Жан-Шарль ничего не знает, и у этого ребенка не будет отца. В этой игре три человека получили тяжелые травмы.

— Ты говорил, что уедешь, но так до сих пор и не уехал, — чужим голосом парировала Тимми.

— Я не успел. Я хотел посмотреть на следующей неделе три квартиры вместе с тобой. Или в те дни, когда мы встретимся, — сказал он несчастным голосом.

— Мы бы никогда не встретились, — отрезала она. — Тебе кажется, что встретились бы? Не знаю, может быть, ты и в самом деле в это верил. Но у тебя появилась бы еще тысяча и одна отговорка, чтобы ничего не менять.

— Может быть, ты и права. Может быть, так все и было бы. Я уже ничего больше не знаю, Тимми. Прости... Пусть у тебя все будет хорошо. Надеюсь, тот, другой, сделает тебя счастливой. Я хочу, чтобы ты знала, что я любил тебя всем сердцем. И никогда в жизни не любил никого так сильно, как тебя. А ты в это время развлекалась с другим.

В его голосе почти не было горечи, чувствовалось, что он просто опустошен. Но Тимми должна была сказать ему то, что сказала, чтобы защитить себя и своего ребенка, как бы больно это ни ранило его. После того как он столько времени отказывался с ней встретиться, а теперь они уж наверняка друг друга не увидят, он не имеет права знать, что она носит его ребенка. Ей не нужна его жалость. Она сама сумеет позаботиться о ребенке. А если он однажды захочет узнать, кто его отец, она ему скажет, и пусть ребенок сам решает, что делать. Она скажет их ребенку, что его отец был замечательный, глубоко порядочный, честный и любящий человек, и что она, Тимми, любила его больше жизни. Влюбилась в него с первого взгляда в Париже. А сейчас она сделала то, что казалось ей самым правильным. Им больше нечего было сказать друг другу.

— Береги себя. Я люблю тебя, — прошептала Тимми и положила трубку. Она чувствовала себя виноватой за то, что была так жестока с Жан-Шарлем и ничего не сказала о ребенке. Но альтернативы не было, она это чувствовала. Она ждала бы его всю жизнь и так никогда бы не дождалась. А потом в один прекрасный день он бы ей сказал, что все кончено, он не может оставить жену и детей. Приговор был вынесен, утвержден и подписан, наконец-то у нее хватило мужества прочесть его и уйти от Жан-Шарля.

Тимми думала, что умрет, потеряв его. Она легла в постель и проплакала четыре дня и четыре ночи. В офис она не ездила, на звонки не отвечала. Не ответила Жан-Шарлю, когда он позвонил ей на мобильный телефон. Она увидела, что он звонил три раза. Когда она наконец приехала на работу, то была похожа на привидение. Ни Дэвиду, ни Джейд она не сказала ни слова. Через две недели им всем предстояло лететь сначала в Нью-Йорк, а потом в Милан и Париж; Тимми должна была переделать горы работы, после того как пробездельничала целую неделю, не выходя из дома.

В Лос-Анджелесе выдалась на редкость жаркая неделя, а их кондиционер вышел из строя. В офисе было невыносимо душно, хотя они открыли несколько окон. Тимми изнемогала. И в конце концов она сбросила с себя широченный французский размахай — некая разновидность восточной паранджи, которая стала для нее чем-то вроде рабочей одежды — и стала расхаживать по своему кабинету в тенниске и в джинсах, выставив живот напоказ. Она была в начале седьмого месяца беременности, и Джейд, увидев Тимми, остановилась как вкопанная и так и застыла на месте. Тимми расхохоталась бы, увидев ее лицо, не будь она в таком отчаянии после разрыва с Жан-Шарлем. На самом деле их отношения кончились еще в апреле, когда она зачала их ребенка, и тогда она видела его в последний раз. Дальше последовала нескончаемая вереница отговорок, неоправдавшихся надежд, пустых мечтаний, может быть, даже лжи. Она уже теперь ничего не знала, но все еще любила его, любила всем сердцем.

— Что... это?.. — пролепетала Джейд, глядя на Тимми и не веря своим глазам.

— Угадай с трех раз, — предложила Тимми, горько усмехнувшись. И в эту минуту в кабинет вошел Дэвид и тоже уставился на Тимми. Ее живот казался огромным, замаскировать его уже было невозможно. Да она этого и не хотела. Хватит прятаться, пусть все знают. Ну, если пока не все, то по крайней мере ее помощники. Скоро всем все и так станет ясно, скрывай не скрывай — бесполезно. Но Тимми все же надеялась как-то сохранить свою беременность в тайне до конца демонстрации коллекций, не хотелось, чтобы сплетни просочились в прессу.

— О господи... — потрясенно прошептал Дэвид. — А он знает?

У них не было ни малейших сомнений относительно того, кто этот «он», да иначе и быть не могло. Тимми покачала головой.

— Не знает. И я не хочу, чтобы знал. Не хочу быть жалкой, отвергнутой любовницей, которая ждет его ребенка. Я заслуживаю лучшей участи. Хотела рассказать ему при встрече, а встреча так и не состоялась. В последний раз он позвонил, чтобы перечислить еще один список отговорок, почему он не может со мной встретиться, и тогда я сказала ему, что у меня роман с другим, мы начали встречаться еще в апреле. Если он прочитает в газетах о моем ребенке, то не подумает, что отец — он.

— Зачем ты на такое решилась? — в ужасе закричала Джейд. Сама она не очень-то хотела иметь детей, и уж конечно, не дай бог в таком возрасте, как у Тимми, да еще от женатого человека, которого вряд ли когда-нибудь еще увидит. Ничего ужаснее Джейд и представить себе не могла.

— Решилась, потому что люблю его, — спокойно объяснила Тимми, — пусть я даже никогда его больше не увижу и он никогда не узнает о ребенке. Я любила его так сильно, что мне захотелось родить от него ребенка. У него не хватило духа уйти от жены, но это ничего не меняет. И еще я решилась из-за Марка. Я похоронила одного ребенка. Убить другого я не могла. Этот ребенок — великий дар. И этот дар я сохраню, хоть и потеряла Жан-Шарля навсегда, — сказала Тимми и смахнула слезы, а Дэвид обнял ее за плечи.

— Да, Тимми, ты настоящая женщина, — с нежностью сказал он. Он всегда знал, сколько в ней мужества, и сейчас был сильно взволнован. — Мне кажется, ему следует знать. Это и его ребенок тоже. Скажу тебе честно: я уверен, что он тебя любит. Просто ему потребовалось больше времени, чтобы уйти, чем хотелось бы.

Это была единственная уступка, на которую Дэвид был готов пойти.

— Дерьмо все это, — фыркнула Джейд. — Он и не собирался уходить от жены. Они никогда от жен не уходят.

— Некоторые уходят, — стоял на своем Дэвид. Однако он выписал ей чек, поскольку проиграл пари. А Джейд купила себе ту самую сумочку от Шанель, о которой мечтала. И стала щеголять с ней каждый день. Дэвид страшно досадовал, что проиграл пари. Не из-за себя, из-за Тимми.

Он обнял ее еще раз, и все разошлись по своим кабинетам. Тимми села за письменный стол. До рождения ребенка оставалось три месяца. И целая жизнь, которую ей придется прожить без Жан-Шарля. Воображение отказывалось все это представить. Тимми знала, что никогда больше не полюбит никого так сильно, как любила его, и не хотела никого любить. Жан-Шарль поистине был любовью всей ее жизни. А она с ним рассталась. Ее самый мучительный кошмар стал явью.

Глава 22

Все две недели перед поездкой в Европу с показом коллекций готовой одежды в их кабинетах царила зловещая тишина. Тимми почти все время молчала, они ходили вокруг нее на цыпочках. Она работала допоздна, дверь в ее кабинет всегда была закрыта, а в обоих ее домах было мрачно, как в гробницах. Один раз Тимми поехала к себе на виллу в Малибу, но долго там не выдержала. Приехала к сестре Анне в приют Святой Цецилии и все ей рассказала, а сестра Анна ответила, что будет по-прежнему молиться о счастливом разрешении, и напомнила Тимми, что она должна думать о ребенке, который уже скоро родится. Монахини очень волновались за нее, дети клали руки на ее живот. Спрашивали, есть ли у ребенка отец, и она объяснила им, что отца у него нет, как и у многих из них, и они ничуть не удивлялись. Когда Тимми уезжала, сестра Анна обняла ее и повторила, что будет за нее молиться.

Тимми печально посмотрела на сестру Анну и сказала, что молиться за нее уже поздно, во всяком случае, о ее встрече с Жан-Шарлем.

— Молиться никогда не поздно, — бодро ответила сестра Анна. Тимми лишь покачала головой и уехала.

Они с Джейд приобрели для Тимми несколько свободных фалдистых накидок и широких бесформенных жакетов, что-то из них Тимми смоделировала сама, они искусно драпировали ее живот, и она надеялась, что хотя бы во время показа никто не догадается о ее беременности и пресса не устроит из нее сенсацию. Но Тимми знала, что после показа ей уже не удастся скрывать свое положение. Уже и сейчас для этого приходилось прилагать немало усилий. Ей надо только продержаться еще несколько недель, а там она сможет вздохнуть с облегчением, уедет в Лос-Анджелес и там затаится. Будет жить тише воды, ниже травы. Ей совсем не нужно, чтобы все до единого журналисты модных изданий начали наперебой гадать, кто же отец ребенка. Она была счастлива, что никто не знал о Жан-Шарле. В конечном итоге это обернулось великим благом. Тимми также тревожила мысль, что вдруг она случайно встретится с Жан-Шарлем, когда будет в Париже, но оснований для тревоги, в сущности, не было. Она будет по горло занята демонстрацией своих коллекций, а времени разгуливать по Парижу, что она всегда любила, у нее не будет.

Дэвид по-прежнему твердо стоял на том, что Тимми следует позвонить Жан-Шарлю и рассказать о ребенке. Но всякий раз, как он об этом заговаривал, она упрямо давала ему отпор. Дэвид даже подумывал, что ему надо бы набраться смелости и самому позвонить Жан-Шарлю, но он слишком уважал решения своего босса, даже если считал их ошибкой.

— Ребенок имеет право расти с отцом, — сказал он ей однажды, но Тимми в ответ покачала головой.

— Я же росла без отца. И ничего, выросла.

— Ты совсем другое дело. У тебя не было выбора.

— Не хочу, чтобы он был со мной или с ребенком из жалости к нам или из чувства долга. Если бы он раньше ушел от жены, было бы совсем другое дело. А он не ушел. Так что мы теперь сами с усами. И я не хочу быть чьей-то брошенной любовницей да еще с ребенком в придачу. У меня довольно гордости.

Все в ней вскипело от этой мысли, но лицо осталось горестным и потерянным, — так же было и на душе.

— Позволь спросить тебя, Тимми, а разве он тебя бросил? Это ты бросила его. Ты даже солгала ему, что у тебя есть кто-то другой. Ты порвала с ним. Ты с ним, а не он с тобой. И при этом нанесла ему удар под ложечку.

— Рано или поздно он все равно бы порвал со мной. Он же не хотел видеть меня. Еще немного — и он сказал бы, что не хочет разрушать свою семью.

Тимми была в этом уверена, Джейд с самого начала оказалась права.

— Теперь тебе этого никогда не узнать, согласись, — резко сказал Дэвид. Но Тимми было не поколебать, равно как и Джейд, которая твердила, что Тимми поступила совершенно правильно, хотя сама Джейд недавно обручилась со своим архитектором. Она обеими руками голосовала за любовь, но только не с женатыми мужчинами. Такая любовь, утверждала она и свято верила в то, что говорит, — это тупик.

В Нью-Йорке их показ прошел с большим успехом, потом они полетели в Милан и Лондон, как всегда. А когда наконец добрались до Парижа, Дэвид увидел, что Тимми не только смертельно устала, но и подавлена. Куда девалось воодушевление, которое всегда охватывало ее в Париже. Она делала все, что необходимо, для проведения презентации, была так же безжалостна во время примерок на манекенщицах, как и всегда, но ни разу не вышла из гостиницы и ужинала у себя в номере. Нигде не бывала и всеми силами старалась, чтобы ее никто не увидел. Она все еще прятала свою тайну под фалдистыми накидками и драпировками, но скрывать то, что было под ними, становилось с каждым днем все труднее. За время демонстрационной поездки ребенок заметно вырос, и когда Тимми оставалась одна в своем номере и натягивала джинсы, сбросив сшитую ею накидку, которая искусно маскировала своими складками и драпировками ее живот, то он казался просто огромным.

Дэвид подозревал, что Тимми боится случайно встретиться в Париже с Жан-Шарлем. Едва кончив работу, она тут же скрывалась у себя в номере, как мышка. Джейд и Дэвид несколько раз звали ее куда-нибудь поужинать, но она всякий раз отказывалась и говорила им, чтобы шли без нее. Да и то сказать — как же она устала.

Почему-то на этот раз парижское дефиле с самого начала не заладилось. До Парижа все шло как по маслу, а в Париже, как выразилась Тимми, у луны, видно, начался понос. Все, что только могло сорваться, срывалось. Две манекенщицы заболели, третью посадили в тюрьму за то, что продавала на тусовке кокаин и ее за этим занятием поймали. Их парижский флорист перепутал заказы, доставил им совсем не те цветы, что нужно, и уже ничего не мог исправить. На подиуме оказалось что-то наподобие трех трамплинов, и если дорожку не выровнять, то манекенщицы на высоченных каблуках переломают себе шеи на скользкой поверхности с буграми. Тимми приказала, пусть делают что хотят, платят сколько нужно, но чтобы ко вторнику все было в идеальном порядке. И в довершение всего что-то случилось с освещением, оно то и дело гасло, и помещение погружалось во мрак. Вызвали электриков, стали чинить, и тут сорвалась ферма со светильниками, упала на электрика и сломала ему плечо. Было такое ощущение, будто их кто-то проклял.

Тимми крепко выругалась от досады. Они до сих пор ждали манекенщиц, чтобы начать репетицию. Пятеро опаздывали, явилась одна, но сильно навеселе. Портнихи не успели сделать подгонку после примерок.

— Ну вот скажи, Дэвид, какая еще пакость может случиться? Не удивлюсь, если сюда сейчас ворвется стадо слонов.

— Ничего, Тимми, всякое бывает, сама знаешь, — стал успокаивать ее Дэвид. Но нынче и правда все шло вкривь и вкось.

— Господь с тобой, в Париже? В Оклахоме сколько угодно. Но мы не можем так опозориться в Париже, пресса сожрет нас, — сказала Тимми несчастным голосом. С той минуты как они прилетели в Париж, с ее лица не сходило выражение тоскливой обреченности. Быть в одном городе с Жан-Шарлем и не встретиться с ним! Эта мысль грызла ее день и ночь.

Их вчерашняя репетиция напоминала эпизоды из «Братьев Маркс»*, и Тимми настояла на генеральной репетиции, хотя освещение было не в порядке и «трамплины» с подиума еще не сняты. Один как-то удалось убрать, но осталось еще два.

— О чем только эти идиоты думали, когда строили помост? Явно были под кокаиновым кайфом, — негодовала Тимми. Она уже несколько дней не давала никому покоя и хотела только одного — чтобы демонстрация скорее прошла. Как будет хорошо, когда она приедет домой и отключится от всех забот. Париж ей был сейчас ненавистен. Она могла думать только о Жан-Шарле, вспоминать, как он вошел восемь месяцев назад в ее гостиную в этом самом отеле и как она с первого взгляда влюбилась в него, вспоминать и плакать. Но другим она об этом не говорила. Им и не надо было ничего говорить, они сами все видели. Скорее бы завершился этот показ, и как только он кончится — домой, сразу же домой.

В четыре часа дня все было готово, чтобы начать генеральную репетицию. Освещение кое-как исправили, остались какие-то мелочи. Пора начинать, распорядилась Тимми. Все манекенщицы пришли, платья подогнали. Тимми весь день не ела, для поддержания сил без конца сосала чупа-чупсы. И тут одна из ферм со светильниками снова погасла. Тимми поднялась на подиум, чтобы как следует рассмотреть все снизу.

— Осторожнее, как бы она на тебя не упала, — пошутил Дэвид, и тут ферма и в самом деле начала падать с потолка, Тимми сделала шаг назад и сумела увернуться, однако поскользнулась на одном из оставшихся «трамплинов» и упала навзничь на пол, все ахнули и бросились к ней. Только Дэвид

---

* Популярный комедийный квинтет из США, специализировавшийся на «комедии абсурда» — с набором драк, пощечин, флирта и метания тортов.

и Джейд знали, что она беременна, но упала она так сильно, что испугались все. Когда Дэвид подбежал к ней, лицо у нее было ошеломленное и бледное до синевы, и он подумал, что наверняка она ударилась головой.

Дэвид опустился на колени возле нее и посмотрел ей в глаза. Она лежала на спине и не шевелилась и никак не могла перевести дух.

— Тимми, ты как?.. Скажи что-нибудь...

Она смотрела на него и, казалось, сначала ничего не могла сообразить, все молча глядели на нее. Дэвид отошел и оставил ее наедине с Джейд.

— Не вызывайте врача, — прошептала Тимми своей помощнице. — Не позволяйте им вызывать врача.

Джейд кивнула, но ей показалось, она знает, что хочет сделать Дэвид, а она не могла оставить Тимми и помешать ему. Тимми была пугающе бледна, а когда попыталась сесть, у нее закружилась голова, когда же хотела встать, то громко закричала от боли. Ее лодыжка начала раздуваться, как воздушный шарик, она с исказившимся от боли лицом оперлась о руку Джейд.

— Кажется, я вывихнула ногу, — сказала Тимми и рухнула на стул. Один из электриков принес ей лед, помощник администратора прибежал справиться, как она. Кто-то ему сообщил, и он предложил вызвать гостиничного врача. Тимми решительно отказалась, заявила, что чувствует себя прекрасно, но ее вид не подтверждал ее уверений.

— Может быть, у тебя перелом, — встревоженно говорил Дэвид. О ребенке спросить он не смел, но видел, как она потирает рукой живот. — Я считаю, ты должна ехать в больницу, — сказал он, когда Джейд побежала сказать манекенщицам, что произошла небольшая задержка, но через несколько минут генеральная репетиция начнется. Помощник пошел к администратору отеля обо всем доложить. Он знал, какой важный клиент Тимми, и понял, что она нуждается в помощи.

— Да все отлично, — сказала Тимми и снова попыталась встать на ноги. — Начинаем!

Вид у нее был — краше в гроб кладут.

— Ты с ума сошла, — шипел Дэвид, глядя, как она пытается дирижировать репетицией, а сама вот-вот упадет в обморок. Минут через двадцать Тимми обернулась и увидела в нескольких шагах от себя Жан-Шарля, он стоял и внимательно наблюдал за ней. Страшнее кошмара она не могла себе представить. Он здесь. Она понятия не имела, кто его вызвал, но вот вызвали же! Тимми посмотрела на Дэвида, но он как раз в эту минуту повернулся к Джейд и стал ей что-то говорить, и взгляда Тимми не поймал. На Жан-Шарля тоже было больно смотреть. Едва Тимми его увидела, как ее охватила паника, казалось, она вот-вот потеряет сознание. Жан-Шарль усадил ее и попросил опустить голову между колен, а когда Тимми после этого выпрямилась, то на ее лице была гримаса нестерпимой боли.

— Мне не нужен врач, — твердо сказала она, — но все равно благодарю вас за то, что пришли. Я прекрасно себя чувствую. Просто небольшая одышка.

Жан-Шарль уже посмотрел на ее ноги и увидел распухшую лодыжку. А пока держал ее руку и считал пульс.

— Судя по всему, перелом, — сказал он и, присев на корточки, стал осматривать лодыжку Тимми. Тимми с отчаянной мольбой смотрела на Дэвида. Но Дэвид не собирался бросаться ей на выручку. Пусть все решает судьба, считал он. Он только легонечко ее подтолкнул. — Вам нужно в больницу, — спокойно сказал Жан-Шарль. Они встретились в первый раз за все то время, что прошло после апреля, и было видно, что обоим сейчас тяжело.

— Мне не нужно ни в какую больницу. Мы сейчас начинаем репетицию.

— Насколько я помню, у нас уже был подобный спор.

Вид у Жан-Шарля был такой же несчастный, как и у Тимми. И тут в разговор вступил Дэвид:

— Репетицию проведу я. Ради бога, это всего лишь прогон. Твою ногу обязательно должны посмотреть врачи.

И не успела Тимми опомниться, как он помог Жан-Шарлю поставить ее на ноги, она расправила свою накидку и распушила фалды. Тимми была очень элегантна, но бледная как смерть и не могла сделать ни шагу из-за распухшей лодыжки. Пока она безуспешно спорила с Дэвидом и Жан-Шарлем, откуда-то прикатили кресло на колесиках. Управляющий отелем вздохнул с облегчением, увидев рядом с Тимми врача.

— Если хотите, я вас отвезу, — официальным тоном предложил Жан-Шарль. Когда Дэвид ему позвонил, он был у себя в кабинете и принимал больных, но сразу же приехал.

— Я могу поехать на такси, — отказалась Тимми, стараясь не смотреть на него. Уже от одного только того, что он здесь, ее сердце колотилось как сумасшедшее. Тимми не хотела его видеть, не хотела ехать с ним в одной машине. Не хотела, чтобы он был где-то рядом. И сейчас ее сердце разрывалось на части. Тимми знала, что будет любить его до конца своих дней. И не хотела его больше видеть. Она уже смирилась с тем, что потеряла его. И мучительно пережила эту потерю. А видеть его сейчас оказалось еще более мучительно. Не разрывай ее такая боль в ноге, она бы рассердилась на Дэвида. У него на лице было крупными буквами написано, что это он позвонил Жан-Шарлю. Да, Дэвид виноват перед Тимми, но все равно он поступил правильно, он это твердо знал. Кто-то же должен был сделать хоть что-то, чтобы помочь и им обоим, и их ребенку. Вот он и помог.

— Вы не можете ехать одна, — резонно возразил Жан-Шарль. — Я вполне могу вас отвезти. Все равно у меня там пациент.

Тимми ничего не ответила, и один из электриков выкатил ее из вестибюля и спустил с крыльца, а Жан-Шарль шел за ними. Швейцар подал его машину, и Жан-Шарль помог Тимми перебраться в нее. Боль была сильнейшая, она чуть не плакала, пока устраивалась на сиденье, но изо всех сил крепилась.

— Прошу прощения, — извинился Жан-Шарль, и всю дорогу до госпиталя в Нейи ни он, ни она не проронили ни слова. На Тимми нахлынули воспоминания о той, давней поездке, и она старательно глядела в окно, избегая его взгляда. Лодыжка болела нестерпимо, но она молчала. И вдруг, к ее великому облегчению, в животе зашевелился ребенок. Слава богу, он жив! Наконец Жан-Шарль произнес: — Мы оба сейчас оказались в неловком положении, но я не могу не сказать вам, как я огорчен из-за вашей ноги.

Жан-Шарль был очень красив, как и всегда, и Тимми делала героические усилия, чтобы не замечать этого. Скорее бы доехать до больницы.

— Я просила не вызывать мне врача, — сказала она упрямо.

— Еще бы. — Он усмехнулся. — Хоть и сломали ногу.

Жан-Шарль был счастлив, что встретился с Тимми, даже в это непростое для обоих время.

— Я считаю, что это перелом. Что произошло?

— Я упала с дорожки на спину, пыталась увернуться от фермы со светильниками, которая падала мне прямо на голову. Сегодня все шло вкривь и вкось.

И в довершение всех бед ей не хватало только встретиться с ним!

— Производственная опасность, — заметил он, лавируя в потоке машин. Ему показалось, что Тимми немного поправилась, и это ей шло. Несмотря на гримасу боли, она была очень красива. — У вас опасное производство, — заметил он, стараясь отвлечь ее, но она молчала.

Наконец добрались до Американского госпиталя в Нейи. Жан-Шарль попросил кого-то, чтобы привезли кресло-каталку, и сам повез Тимми в рентгеновский кабинет. — Прежде чем сюда ехать, я позвонил хирургу-ортопеду — так, на всякий случай. Он сейчас дежурит, и когда будут готовы снимки, спустится к нам и посмотрит вас.

Тимми помнила, как год назад он держал ее за руку в операционной. И будь все по-другому, она опять попросила бы его взять ее за руку, или он сам бы предложил. Но сейчас все изменилось, и он не взял ее за руку. И она не хотела, чтобы он остался с ней.

Лаборант вкатил Тимми в кабинет, где ее уже ждал рентгенолог. Она оглянулась на Жан-Шарля и увидела, что он смотрит на нее. Их взгляды встретились, и Тимми тут же отвела глаза. В его взгляде была живая мука. Кому из них было сейчас больнее?

— Немного погодя я зайду, узнаю, как вы, — сказал он, и она кивнула. Просить его не заходить было бесполезно, она это знала. Что бы она ему ни говорила, он все равно сделает по-своему. Жан-Шарль ушел, и рентгенолог стал расспрашивать Тимми, как все произошло. Она ему рассказала, и он отвез ее в рентгеновскую комнату и помог ей подняться на рентгенодиагностический стол, чтобы сделать снимки. Теперь Тимми должна будет ему все рассказать, выбора у нее не оставалось.

— Я беременна, — очень тихо сказала она, как будто Жан-Шарль стоял под дверью и мог все слышать, хотя он ушел смотреть своего пациента, и Тимми это знала. Он мог бы отвезти ее в больницу Пти-Сальпетриер, но решил, что здесь ей будет спокойнее.

— В самом деле? — удивился рентгенолог, и тогда Тимми распахнула накидку с фалдами и показала ему свой живот. Врач был поражен. Она скрывала его одеждой очень искусно, но он сразу понял, что срок большой, не меньше шести месяцев.

— Пожалуйста, никому не говорите, — сказала Тимми, ложась. — Это тайна.

— Вы кинозвезда? — почтительно спросил он, и Тимми с улыбкой покачала головой. Он накрыл ее тяжелым свинцовым фартуком для защиты. Боль в ноге была зверская, но врач дотрагивался до нее очень осторожно. Жан-Шарль сказал ему, что Тимми его добрый друг. Вот поразился бы он, узнай, что Тимми носит его ребенка. И Жан-Шарль тоже.

Снимки были готовы через несколько минут, пришел хирург-ортопед посмотреть ногу Тимми. Он внимательно изучил снимки. Жан-Шарль оказался прав — перелом. Ортопед сказал, что придется наложить гипс, и через час, когда Жан-Шарль вернулся, Тимми уже была на костылях, нога в гипсе, а лицо бледнее некуда. Ее подташнивало, но она не хотела признаваться в этом в его присутствии. Жан-Шарль видел, как она слаба и как пытается скрыть от него свою слабость.

— Вы были правы, — вежливо сказала Тимми. Она видела, что Жан-Шарль окружил ее очень хорошими специали-

стами и попросил их отнестись к ней с особенным вниманием. Все были удивительно доброжелательны, внимательны
и сведущи в своей профессии. В той четкости, с какой все
было организовано, Тимми чувствовала его руку.

— Я отвезу вас в гостиницу, — сказал Жан-Шарль, побла-
годарив рентгенолога и ортопеда, с которыми, как поняла
Тимми по их разговору, он был в добрых дружеских отношениях.

— Нет никакой необходимости везти меня обратно в гостиницу, — возразила Тимми и тут только заметила, что с ней
нет ее сумочки. Она забыла ее в гостинице, там, где проходила репетиция. — Ну может быть, и в самом деле... — Тимми
смутилась. — У меня нет с собой денег на такси. — Швейцар,
конечно, заплатил бы таксисту, но сейчас лучше вернуться в «Плаза Атене» с ним. От боли и от потрясения, что она
встретилась с ним, у нее кружилась голова. — Если вам не
трудно.

— Ничуть, — вежливо ответил Жан-Шарль, оглядывая
ее. Что-то в ней изменилось, хотя он не мог понять что. Волосы? Нет, может быть, лицо? Оно стало не только чуть более
полным, но и более нежным. В ней не было прежней яркой
сексуальной притягательности, но она стала еще красивее,
чем он помнил. Он бережно помог ей устроиться в машине, и они поехали обратно в гостиницу. — Я очень огорчен,
Тимми, что с вами приключилась такая беда, — сказал Жан-
Шарль. — Действительно, не повезло. — Он знал, что она
сейчас испытывает сильнейшую боль, хоть и не жаловалась.
Ей предложили болеутоляющие таблетки, но она не стала их принимать из-за ребенка. Уверяла врачей, что ничего
страшного, боль пройдет, и положила пузырек с таблетками
в карман. Жан-Шарль подумал, что она очень глупая и очень
храбрая.

— Все обойдется. — Она пожала плечами. — Могло быть
хуже.

Мог пострадать ребенок, и какое счастье, что этого не
случилось. Вот уже полчаса, как он очень активно толкался
и брыкался у нее в животе, и она с радостью к нему при-
слушивалась. Ей хотелось сейчас только одного — поско-

рее лечь в постель. Репетицию они уже наверняка провели. Она надеялась, что все прошло хорошо, но сейчас ее это не слишком волновало. Волновало ее только то, что рядом с ней Жан-Шарль и что он везет ее из больницы. Ведь она думала, что никогда больше его не увидит. И вдруг он посмотрел на Тимми, когда они остановились у светофора, и этот его взгляд испугал ее. Тимми по-прежнему была очень бледна, Жан-Шарль ей этого не говорил, но был встревожен.

— Мне очень тяжело, Тимми, что у нас все разрушилось. Вы были очень терпеливы, и вы поступили правильно. Было бесчеловечно просить вас нести эту ношу вместе со мной. Мало у кого из женщин нашлось бы столько терпения, сколько проявили вы. Разве я мог ожидать, что несчастья посыплются на меня как из рога изобилия.

— Ничего не поделаешь, — тихо ответила она. — Вы не виноваты. Жизнь не всегда по головке гладит.

Жан-Шарль улыбнулся в ответ. Он любил ее и будет любить, пока жив, он это знал. Тимми обратила внимание, что на его руке нет обручального кольца, он заметил, как она посмотрела на его руку, и поймал ее взгляд.

— На все нужно время. Я наконец-то уехал от них. Хотелось уехать раньше, но просто не мог. А потом понял, что дети это переживут. Жене гораздо лучше. Я выполнил свой долг. И теперь должен был уйти.

Тимми в изумлении смотрела на него.

— Вы переехали от них? — Жан-Шарль кивнул. — И как они сейчас?

Тимми была потрясена.

— Страшно сердятся на меня. Никто не благодарит нас за добро, которое мы им сделали, и все упрекают нас за то, чего мы не могли сделать. Дети скоро успокоятся. — Он говорил очень спокойно, очень сдержанно, но в глазах у него была горечь. — Простите меня за то, что я так рассердился из-за того, что вы встречаетесь с другим. Для меня это был тяжелый удар. Но вы были правы. Зачем вам было ждать меня до бесконечности? — У Тимми появилось такое чувство, будто она опоздала на поезд, опоздала всего на пять минут. Он уехал из квартиры, где живет его семья. Снял обручальное кольцо. И начал действовать. А она ждет от него ребенка. И сказала, что встречается с другим. — Вы изменились, — сказал Жан-Шарль, желая переменить тему. А она смотрела на него широко раскрытыми глазами и не знала, что сказать.

— Я пополнела, — пролепетала она. Они ехали по площади Согласия. В лодыжке пульсировала мучительная боль, ее мутило.

— Вам это идет, — сказал он, сворачивая на Плас-ла-Рен, чтобы ехать к отелю «Плаза Атене». — Сколько вы еще пробудете в Париже?

— Я улетаю послезавтра, — ответила она и улыбнулась, вспомнив, как в феврале он пригласил ее выпить с ним коктейль. Прощаясь с Тимми после устроенного ею приема, он задал ей тот же вопрос, и она произнесла в ответ те же самые слова. А на следующий день влюбилась в него как сумасшедшая. Это была любовь с первого взгляда. — Мне кажется, я уже видела этот фильм, — сказала Тимми и вдруг расхохоталась, а он повернул к ней голову и улыбнулся. Он подумал о том же, о чем и она. Его вопрос и ее ответ эхом отозвались в его памяти.

— Может быть, нам стоит поехать к Эйфелевой башне, — сказал он, — и представить, что сегодня первое сентября... Впрочем, нет. Вряд ли это понравилось бы вашему новому, нынешнему возлюбленному.

Тимми с минуту молча смотрела в окно, потом взглянула ему в глаза. Довольно морочить его этой дурацкой игрой. Она никогда раньше ему не лгала, до самого конца, и потом все время раскаивалась.

— Никакого нового возлюбленного у меня нет, Жан-Шарль. И никогда не было. Есть только ты.

И это была истинная правда. Жан-Шарль в изумлении посмотрел на нее.

— Тогда зачем же ты сказала мне это? Только для того, чтобы причинить мне боль?

Жестокость — как это не похоже на нее. Наверное, она считала, что он это заслужил, но он был с ней не согласен. Да, он вел себя глупо, но никогда не был с ней жесток.

— Все было гораздо сложнее. И объяснить не так-то легко. Я хотела, чтобы ты думал, будто я тебе изменила, — сказала Тимми и вздохнула. Сейчас она должна была все объяснить Жан-Шарлю, но мысли путались и разбегались.

— Зачем ты хотела, чтобы я думал, будто ты мне изменила? — ошарашенно спросил он, остановившись перед светофором. То, что она говорит, полный бред. Они любили друг друга, были верны друг другу. Зачем было обращать это все в жестокий фарс?

— Потому что если бы ты ко мне не вернулся, а остался с женой — а я была уверена, что ты с ней останешься, — я не хотела, чтобы ты знал, что это твой ребенок.

Жан-Шарль широко раскрыл глаза. Ее слова ошеломили его.

— Какой ребенок?

Он ничего не понимал. Что она такое говорит? А Тимми легким движением распахнула накидку, и Жан-Шарль увидел, что она под ней скрывает.

— Наш ребенок, — тихо сказала она. — Ребенок, о котором я тебе не рассказывала, потому что не хотела давить на тебя. Я хотела, чтобы ты пришел ко мне, потому что любишь меня, а не потому, что считаешь это своей обязанностью, или потому, что жалеешь меня.

И когда Тимми это наконец сказала, по ее щекам потекли слезы.

— Ты сумасшедшая... о господи... ты беременна, и на таком сроке, и до сих пор ничего мне не сказала?.. Господи... Тимми... — Он протянул руку и положил на ее живот, и ребенок в эту минуту заворочался. И на его глазах тоже появились слезы. — Это же безумие, как ты могла... Да я же люблю тебя!.. Это я-то стал бы жалеть тебя? Тебя, такую сумасшедшую и отважную? — Он обнял Тимми, прижал к себе и поцеловал. Водители оглушительно сигналили, визжали тормоза, вокруг них вихрился поток машин. А он смотрел на нее с неизбывной любовью. — Любимая ты моя... Какой срок?

— Шесть с половиной месяцев.

— Не могу поверить, что ты скрыла это от меня. — Жан-Шарль никак не мог опомниться, однако все же тронулся с места и поехал, к великому облегчению собратьев-водителей.

— Я хотела тебе сказать, но у твоей жены обнаружили рак в тот самый день, когда я узнала, что беременна. Я решила не нагружать тебя еще и этим. Потом я хотела сказать тебе первого сентября, на Эйфелевой башне... но ты отменил нашу встречу и провел целый месяц в Италии возле Жюли... а потом...

— Тимми, ради бога... Прости меня... Если бы я знал... Я хотел поступить порядочно по отношению ко всем, и вот единственным человеком, которого я обидел, оказалась ты. Ты сможешь меня простить?

— Мне не нужно тебя прощать. Я же люблю тебя. Какая глупость, что я тебе не сказала. Не хотела, чтобы ты был со мной из чувства долга, по обязанности, не хотела заманивать тебя. Ты всегда поступаешь порядочно по отношению ко всем. Я хотела, чтобы ты был со мной, потому что любишь меня, а не потому, что того требуют твои представления о порядочности.

— Ну конечно же, я люблю тебя, — прошептал он, сворачивая на авеню Монтень. — Люблю, люблю, люблю... И что мы теперь будем делать? Когда ребенок родится? — Голова у Жан-Шарля шла кругом. Сколько всего сразу на него свалилось! Она любит его. И всегда любила. И не изменила ему. У нее нет никого другого. И не было. Она всегда оставалась ему верна. Она ждет их ребенка. И по-прежнему его любит. И никогда не переставала любить его, как и он никогда не переставал любить ее. После того как она порвала с ним, он не жил, а существовал. И вдруг его пронзила тревога. — А ребенок? Ведь ты упала, может быть, с ним что-то не так? Давай вернемся в больницу и проверим. — В глазах у Жан-Шарля был страх.

— Он должен родиться в январе, и с ним ничего плохого не случилось. Он уже с полчаса вовсю толкается и брыкается.

— Как только мы приедем в гостиницу, ты сразу же ляжешь в постель, — строго сказал он.

— Слушаюсь, доктор, — улыбнулась Тимми.

— Вы изволите издеваться надо мной, мадам О'Нилл.

Он тоже улыбался. Как же ему не хватало все это время ее юмора, ее лица, ее рук и поцелуев, ее голоса, а главное, ее любви.

— Да, доктор, изволю издеваться. — Тимми не могла прогнать с лица улыбку. Они подъехали к подъезду «Плаза Атене». — Может быть, вы подниметесь ко мне и выпьете бокал шампанского?

— А потом, Тимми? Как мы будем жить дальше?

Жан-Шарль просто сиял.

— Что бы ты предложил? Не знаю, смогу ли я руководить своей фирмой отсюда, но могу попытаться. — Она никогда бы не попросила его отказаться от своей практики в Париже и переехать в Калифорнию, потому что он не мог бы там работать врачом. Уж если кому-то и переезжать, то только ей.

— А потом?

— О чем ты? — лукаво спросила она. Они вдруг снова обрели свои мечты. Тимми думала, что потеряла Жан-Шарля навсегда, и вот он перед ней, и она смотрит на него, и в ее глазах сияет любовь. Он вернулся к ней, потому что она сломала ногу и Дэвид позвонил ему. И она сейчас благодарила судьбу за этот несчастный случай.

Жан-Шарль потянулся к ней и поцеловал. Об этом поцелуе Тимми мечтала и тосковала все эти долгие одинокие, мучительные месяцы, что она прожила в разлуке с ним.

— Выходи за меня замуж, — прошептал он. Раньше он никогда ей этого не говорил.

— Потому что тебе меня жалко? — прошептала она. — Или потому что у меня будет ребенок?

Их лица почти соприкасались, она пытливо смотрела ему в глаза.

— Нет, дурочка, потому что я тебя люблю. И всегда любил. И мне очень досадно, что пришлось ждать так долго.

— В таком случае я согласна, — улыбнулась Тимми и поцеловала его. Потом откинулась на спинку сиденья, и на ее лице засияла улыбка счастья. — Наверное, это значит, что я никогда больше не вернусь в сиротский приют.

С сиротством было покончено навсегда. Теперь Тимми это знала.

— Истинно так, — сказал он, выходя из машины, и подошел к ее дверце. — Ты никогда туда не вернешься. Ты поедешь со мной, Тимми, в наш с тобой дом.

Жан-Шарль бережно взял ее на руки и внес в вестибюль «Плаза Атене», где они год назад встретились и полюбили друг друга с первого взгляда.

Литературно-художественное издание

Стил Даниэла

С ПЕРВОГО ВЗГЛЯДА

Роман

Ответственный редактор *Н. Морозова*
Редактор *М. Кузина*
Технический редактор *О. Серкина*
Компьютерная верстка *М. Белов*
Корректор *Н. Гайдукова*

ВКонтакте: vk.com/ast_neoclassic

ООО «Издательство АСТ»
129085, г. Москва, Звездный бульвар, д. 21, строение 3, комната 5
Наш электронный адрес: **www.ast.ru**
E-mail: **astpub@aha.ru**

«Баспа Аста» деген ООО
129085, г. Мәскеу, жұлдызды гүлзар, д. 21, 3 құрылым, 5 бөлме
Біздің электрондық мекенжайымыз: www.ast.ru
E-mail: astpub@aha.ru

Қазақстан Республикасында дистрибьютор
және өнім бойынша арыз-талаптарды қабылдаушының
өкілі «РДЦ-Алматы» ЖШС, Алматы қ., Домбровский көш., 3«а», литер Б, офис 1.
Тел.: 8(727) 2 51 59 89,90,91,92
Факс: 8 (727) 251 58 12, вн. 107; E-mail: RDC-Almaty@eksmo.kz
Өнімнің жарамдылық мерзімі шектелмеген.

Өндірген мемлекет: Ресей
Сертификация қарастырылмаған

Подписано в печать 23.10.2014. Формат 84x108 $^1/_{32}$.
Гарнитура «Newton». Печать офсетная. Усл. печ. л. 20,16.
Тираж 9000 экз. Заказ № 9689.

Отпечатано в ООО «Тульская типография».
300600, г. Тула, пр. Ленина, 109.

ISBN 978-5-17-082590-5

9 785170 825905